le parfait secrétaire

LE PARFAIT SECRÉTAIRE

correspondance usuelle, commerciale et d'affaires

par

Louis CHAFFURIN

Agrégé de l'Université,
Professeur à l'École des hautes études commerciales

LIBRAIRIE LAROUSSE • PARIS

17, rue du Montparnasse, et boulevard Raspail, 114

Le présent volume appartient à la dernière édition (revue et corrigée) de cet ouvrage. La date du copyright mentionnée ci-dessous ne concerne que le dépôt à Washington de la *première* édition.

PREMIÈRE PARTIE

CORRESPONDANCE USUELLE, AMICALE, FAMILIALE ET MONDAINE

Partie revue par Françoise de QUERCIZE

CHAPITRE PREMIER

CONSEILS POUR ÉCRIRE UNE LETTRE

L'époque n'est pas très éloignée où la correspondance avait, dans la vie d'un homme du monde ou d'une femme élégante, une importance de premier plan. On trouvait le temps d'écrire de longues lettres, et, chose plus incroyable, le destinataire prenait le temps de les lire, parfois de les relire et de les faire goûter aux amis. On disait de Mme Une Telle : « Elle tourne une lettre comme la marquise de Sévigné. » Beaucoup de gens sont devenus écrivains de métier pour avoir contracté, en soignant leur correspondance, la passion de la littérature. La lettre était un prolongement de la personnalité, la mesure de la culture et du goût, et presque une partie de la toilette, puisque c'était une preuve de bon ton de savoir choisir non seulement, comme aujourd'hui, la couleur et le format, mais aussi le parfum du papier, ce qui, de nos jours, est tout à fait déplacé, voire de mauvais ton.

Il semble qu'on écrive de moins en moins. On télégraphie. On téléphone, surtout. On arrive, plus vite que la poste, en automobile ou en avion. La lettre se meurt.

La lettre, cependant, n'est pas encore morte. Il y a beaucoup de circonstances où il nous est indispensable de savoir écrire. Il faut remercier, compatir, féliciter, offrir des vœux. Il faut garder le contact avec les absents. La lettre badine, la lettre qui autrefois était surtout un jeu d'esprit ou un exercice de style, a presque disparu avec les longs loisirs, et combien est-ce dommage! Il reste les lettres les plus difficiles à rédiger, celles où la fantaisie n'a plus de place, où il faut peser chaque mot et suivre rigoureusement les règles de la correction et de la courtoisie.

Le papier à lettres.

Laissez aux enfants, qui aiment les bigarrures, tous les papiers dits « de fantaisie ». Un papier blanc, ou légèrement teinté, portant votre adresse, votre numéro de téléphone, gravés soit en noir, soit en couleur foncée assortie à la couleur claire du papier, sera toujours d'un goût plus sûr que les créations prétendues luxueuses qui diaprent les étalages des papetiers à l'époque du jour de l'An.

Autant que possible, lorsque vous aurez fait choix d'un papier et d'un timbrage, restez-leur fidèle. Mais vous trouverez bénéfice à choisir deux qualités de papier, réservant le plus beau aux personnes à qui vous souhaitez faire « le plus d'honneur ».

Un format très grand indique des prétentions que d'aucuns pourraient trouver injustifiées. Trop petit, un format peut viser à la modestie ou à l'originalité, mais il a le défaut de s'égarer facilement au milieu du courrier, de se glisser dans un imprimé et de là dans le panier à vieux papiers, ou simplement de tomber des mains de la concierge ou du facteur dans l'escalier ou dans la rue. Ici, comme partout, l'élégance consiste à ne pas se singulariser. Le format dit « commercial » est actuellement le plus employé.

Le même format, non plié, timbré en haut et à droite, vous servira pour les lettres dactylographiées, que vous trouverez plus commode de ne taper que d'un seul côté. Vous pourrez n'employer le feuillet timbré que pour la première page et vous servir pour les autres pages, par économie, de feuillets non timbrés, que l'on vend ordinairement sous le nom de « bloc-notes ».

Le papier de deuil, bordé de noir, est tombé en désuétude — les personnes âgées, seules, y restent fidèles.

La lettre dactylographiée.

Peut-on dactylographier les lettres qui ne sont pas des lettres d'affaires? Nous penchons nettement vers l'affirmative. Tapée soigneusement à la machine, la lettre, surtout si elle est interlignée, bien disposée, avec une marge suffisante, est plus propre, plus lisible, que la meilleure calligraphie : c'est donc un bienfait pour les yeux du lecteur. Quant au scripteur, il peut, grâce au papier carbone, imprimer en même temps que sa lettre un double exact auquel il se reportera quand il aura à écrire de nouveau au même correspondant. Toutefois, on ne peut l'utiliser en dehors de l'intimité ou à l'égard de personnes de condition sociale moins importante.

Beaucoup de gens ne savent pas ou ne veulent pas se servir de machine à écrire. La lettre tapée à la machine peut leur paraître moins intime. Certains vous soupçonneront de l'avoir dictée à un secrétaire ou même de vous être complètement déchargé de la peine d'écrire sur une tierce personne. Il sera donc bon, après avoir tapé votre lettre, d'ajouter quelques mots manuscrits pour donner à votre correspondance un tour moins officiel. Remarquons qu'il serait complètement déplacé d'exprimer des condoléances ou des félicitations à l'aide d'une machine à écrire.

Si vous ne pouvez pas dactylographier, que votre écriture, du moins, soit très lisible. Ne laissez pas de mots à demi nés. N'infligez pas un pensum à ceux qui prennent la peine de vous lire. Evitez qu'on dise de vous : « Pourquoi n'achète-t-il pas une machine à écrire? »

Disposition matérielle de la lettre : la marge.

Une marge spacieuse donne à la lettre un « ton » de soin et de respect. Une marge trop étroite rend la lecture de chaque ligne plus pénible. Une marge de un centimètre et demi est une bonne moyenne. Mais tout l'avantage de la marge sera perdu si, la lettre terminée, vous écrivez en travers dans cette marge. Quant à l'habitude déplorable de surcharger le texte lui-même en écrivant la seconde fois de bas en haut de la page, c'est un manque d'égards même pour les correspondants intimes que de leur infliger la fatigue de déchiffrer votre grimoire en forme de grille. Et c'est aussi la preuve d'un tempérament brouillon. Il vaut mieux se taire ou ajouter un feuillet.

Si vous ajoutez plusieurs feuillets, il sera bon de les numéroter.

La ponctuation.

On trouvera dans toutes les bonnes grammaires les règles de la ponctuation.

Il faut toujours veiller à ce que la ponctuation soit correcte. Une lettre bien ponctuée est plus facile à lire, et une virgule mal placée peut suffire à faire naître un malentendu. Par exemple : *M. Leduc nous avait envoyé des huîtres, et notre cousine une grosse bécasse, qui fut le clou du déjeuner*. Déplacez la virgule qui suit *huîtres*, reportez-la après *cousine*, et vous vous brouillerez avec votre parente pour le reste de votre vie.

N'abusez pas des points de suspension. Ils ne suffisent pas à rendre une lettre spirituelle. Souvenez-vous qu'ils vont d'ordinaire par trois.

Il est vulgaire d'abuser des points d'exclamation, et surtout d'en mettre deux ou plusieurs de suite, sous prétexte de donner plus de force à votre stupéfaction. Laissez les séries de ! ! ! et de ? ? ? à la littérature de campagne électorale.

En français, il vaut mieux, pour exprimer une idée subsidiaire, employer les parenthèses ( ) que les tirets — —, qui risquent d'être pris pour des traits d'union, avec les mêmes inconvénients que les déplacements de virgule.

Les guillemets se mettent (ouverts) après les deux points qui précèdent une citation et (fermés) après la dernière ponctuation de la citation. Nos pères disaient : « Plaie d'argent n'est pas mortelle. »

Ne craignez pas d'aller souvent à la ligne. Votre lettre sera plus agréable à lire. Il faut toujours commencer un nouvel alinéa lorsqu'on change de sujet.

Les abréviations.

« Monsieur », « Madame », « Mademoiselle » et leurs pluriels s'écrivent en abrégé (M., Mme, Mlle, MM., Mmes, Mlles) devant un nom propre, sauf lorsque la personne dont on parle pourrait lire votre lettre. Si un monsieur Vincent habite chez vos amis ou fait partie de leur famille, employez toujours *Monsieur* en toutes lettres devant son nom lorsque vous écrirez à vos amis. Dans tous les autres cas, écrivez *M. Vincent.* Employez toujours *Madame votre Mère* et non *Mme votre Mère.*

Docteur et *Monseigneur* suivent la même règle. En abrégé, D^{r} et Mgr.

On évitera toutes les abréviations peu usuelles, surtout

avec les personnes à qui l'on veut témoigner quelque respect. D'autre part, il ne faut pas pousser jusqu'au ridicule l'horreur des initiales. Il faut écrire un *appareil de T. S. F.* et il est de bon ton, entre anciens élèves de l'Ecole des hautes études commerciales, de parler des *H. E. C.* Dans tout cela, il y a une question de mesure et de bon sens : il faut éviter avec un égal souci d'être obscur et d'être guindé. Mais n'employez jamais d'abréviations purement commerciales, comme *vs* pour vous, vos et vôtres, et *ns* pour nous, nos et nôtres, dans une lettre qui n'est pas de commerçant à commerçant. On connaît l'histoire de ces correspondants dont l'un interpréta « qq. chances » par quatre-vingt-dix-neuf chances (99) et les « SS. Pères » par les cinquante-cinq Pères (55). Il s'agissait évidemment de lettres écrites à la main.

En règle générale, il vaut mieux ne pas employer de chiffres dans une lettre, sauf pour le millésime et les nombres un peu longs. Ecrivez : il n'y avait pas vingt-cinq personnes en 1932 dans notre village.

Peut-on souligner des mots ?

Un psychiatre ayant découvert que certains candidats à la folie ont la manie du soulignement, on a trouvé là une raison de plus pour affirmer qu'il est de mauvais ton de souligner des mots dans une lettre. Cela nous semble une erreur. Ne négligeons aucun moyen de mieux nous faire entendre. Il est plus correct de souligner un passage essentiel que de le répéter en post-scriptum.

Bien entendu, le soulignement doit être réservé pour les cas d'extrême importance. Trop fréquent, appliqué à des mots qui n'en valent pas la peine, il risque de vous faire passer pour un malappris ou un névrosé. Il ne faut donc s'en servir qu'à bon escient.

Les adresses.

Il est d'usage de faire graver son adresse et son numéro de téléphone en haut et à gauche sur la première page de la lettre, en haut et à droite, de préférence, sur la feuille non pliée (pour machine à écrire).

Si l'on n'a pas de papier avec l'adresse gravée (ou du moins imprimée), il faut *toujours* rappeler son adresse sur sa lettre, même lorsqu'on écrit aux amis les plus intimes. La lettre peut s'égarer, et elle tombera au rebut si, n'ayant pu toucher votre correspondant, elle ne contient pas votre propre adresse. La politesse exige que vous épargniez à vos amis même la peine de rechercher le numéro de votre rue sur leur répertoire.

Il n'est pas d'usage d'indiquer dans la lettre le nom et l'adresse de la personne à qui l'on écrit, comme cela est de rigueur dans la correspondance commerciale et parfaitement correct dans une lettre d'affaires.

Une lettre se commence à la première page, mais il ne faut pas passer à la troisième avant de revenir à la deuxième, puis sauter à la quatrième. Votre correspondant doit pouvoir lire vos pages dans l'ordre normal, sans revenir en arrière.

La date.

N'omettez jamais de dater vos lettres, soit au commencement, soit à la fin. La date au commencement paraît préférable pour les lettres d'affaires, surtout en ce qui concerne les références.

Il vaut mieux indiquer le mois par son nom que par un chiffre ou une abréviation.

L'en-tête et la salutation finale.

Dès le premier mot, vous risquez de faire une faute, et d'être mal jugé. Quant à la formule de politesse qui précède la signature, c'est pour beaucoup de gens la partie la plus difficile de la lettre.

D'égal à égal. — Un homme écrivant à un autre homme l'appellera *Monsieur*, ou, s'il le connaît depuis quelque temps, *Cher Monsieur*. On ne dira jamais : Mon cher Monsieur. On évitera : Cher monsieur Dubois, sauf pour un subordonné. Dans beaucoup de professions, on emploie le mot *confrère*, et les fonctionnaires sont, entre eux, des *collègues*. Comme on ne peut pas dire Mon Collègue, on dira d'abord *Monsieur et cher Collègue*, puis, plus simplement, *Mon cher Collègue*.

On exprimera une nuance d'affection en ajoutant le mot ami : *Cher Monsieur et Ami*, ou *Mon cher Confrère et Ami*.

On répétera toujours, dans la formule finale, les mots qui ont servi pour l'en-tête. La formule la plus habituelle est la suivante : *Recevez, Monsieur et cher Confrère, l'assurance de mes sentiments distingués* (ou *très distingués*).

On envoie aussi l'assurance de sa *considération la plus distinguée*, mais c'est une formule un peu plus solennelle que la précédente. A mesure que se forment des liens d'amitié, on envoie *l'assurance de ses sentiments très cordiaux* ou (*très*) *affectueux*, ou *de cordiale sympathie*, ou tout simplement *de ses sentiments les meilleurs*.

Quand on est pressé, entre égaux qui commencent à se connaître, on terminera une courte lettre, à la mode anglaise, par *Sympathiquement* ou *Cordialement vôtre*, ou tel autre adverbe approprié à la qualité des relations nouées.

A un fournisseur, on dira : *Recevez, Monsieur, mes meilleures salutations*. La formule *Civilités empressées* a vieilli. Quant à l'antique *J'ai l'honneur de vous saluer,* cela donne l'impression qu'on veut tenir son correspondant à une distance respectueuse.

Au contraire, des *Sentiments dévoués* ou *tout dévoués* indiqueront votre bonne volonté à son égard et votre disposition à lui rendre service.

A un subordonné. — On écrira *Monsieur* ou *Cher Monsieur* ou *Mon cher Collègue* (ou *Confrère*) et on lui enverra *l'assurance de ses meilleurs sentiments.*

En écrivant aux gens de maison, on dira : *Mon cher* ou *Mon bon François,* ou *Ma bonne Sidonie.* Mais, en répondant à une personne qui se présente comme domestique, vous écrirez, avant son entrée chez vous, *Monsieur, Madame* ou *Mademoiselle.*

A un supérieur. — C'est ici que les vraies difficultés commencent. A moins que votre correspondant ne soit en même temps un ami, n'employez pas *Cher Monsieur,* mais simplement *Monsieur.*

Dans la formule finale, remplacez *recevoir* par *agréer,* et *l'assurance* par *l'expression :*

Je vous prie d'agréer, Monsieur, l'expression de mon respectueux dévouement.

Veuillez agréer, cher Monsieur, l'expression de ma sympathie très respectueuse (ou, le cas échéant, *de ma reconnaissante et respectueuse sympathie*).

Pour écrire au pape, on emploie du papier à grand format, on se sert comme en-tête de la formule *Très Saint Père,* on écrit à la troisième personne en désignant le pape par les mots *Votre Sainteté* et l'on termine par les lignes suivantes, sans en changer la disposition :

Prosterné aux pieds de Votre Sainteté et implorant

la faveur de sa bénédiction apostolique,
J'ai l'honneur d'être,
Très Saint Père,
avec la plus profonde vénération,
de Votre Sainteté,
le très humble et très obéissant serviteur et fils.

Pour un cardinal, l'en-tête est *Monseigneur,* et le cardinal est désigné dans le corps de la lettre par *Votre Eminence.* Voici la formule finale :

Daignez agréer,
Eminentissime Seigneur,
l'hommage de profond respect
avec lequel j'ai l'honneur d'être,
de Votre Eminence,
le très humble et très dévoué serviteur

Pour un archevêque ou un évêque, on emploiera la même formule en remplaçant Eminence par *Excellence.*

On pourra aussi employer la formule suivante, plus simple :

J'ai l'honneur d'être,
Monseigneur,
de votre Excellence,
l'humble et dévoué serviteur.

Et, si les circonstances l'autorisent, on usera de formules où le respect sera accompagné de sympathie.

Voici, d'après le protocole du ministère des Affaires étrangères, quelques-unes des salutations en usage dans la Chancellerie française.

Pour un souverain ou une souveraine, l'en-tête est *Sire* (ou *Madame*) et la formule finale :

Que Votre Majesté royale (ou *impériale*) *daigne agréer les assurances de la respectueuse considération avec laquelle j'ai l'honneur d'être, de Votre Majesté, le très humble et très obéissant serviteur.*

Pour un président de la République :
Monsieur le Président... Veuillez agréer, Monsieur le Président, l'hommage de mon profond respect.

Pour un ambassadeur :
Monsieur l'Ambassadeur... Votre Excellence...
Veuillez agréer, Monsieur l'Ambassadeur, les assurances de ma très haute considération.

Pour un ministre :
Veuillez agréer, Monsieur le Ministre, l'assurance de ma très haute considération.
(*Monsieur le Président* pour le président du Conseil.)

Pour un sénateur ou un député :
Veuillez agréer, Monsieur le Sénateur, l'assurance de mes sentiments les plus distingués.
(*Monsieur le Président,* si le parlementaire a été président du Conseil.)

Pour un ministre plénipotentiaire de première classe :
« ... *l'assurance de ma haute considération.* »

Pour un directeur du ministère :
« ... *de ma considération la plus distinguée.* »

Pour un sous-directeur :
« ... *de ma considération très distinguée.* »

Pour un attaché ou pour un particulier :
« ... *de ma considération distinguée.* »

Voici quelques autres formules destinées aux membres du clergé.

Pour les religieux, *Mon Révérend* (*Révérendissime* pour un abbé mitré, *Très Révérend* pour un supérieur de couvent) *Père... Veuillez agréer... l'hommage de mes sentiments très respectueux.*

On emploie la même formule ou une légère variante pour les autres membres du clergé auxquels on donne leur titre principal : *Monsieur le Chanoine, Monsieur l'Archiprêtre, Monsieur le Curé* ou *Monsieur l'Abbé.*

Si vous appartenez à la même association qu'un ecclésiastique, vous pouvez lui donner son double titre : *Monsieur le Vicaire Général et cher Confrère.*

Pour les officiers, on ne donne le titre qu'aux officiers supérieurs (à partir du grade de commandant). Seuls les inférieurs et les hommes encore jeunes et qui appartiennent ou ont appartenu à l'armée pourront dire : *Mon Colonel* ou *Mon Général.* Les autres disent : *Colonel, Général,* et dès que les relations le permettent, *Mon cher Commandant, Mon cher Général,* ou *Mon cher Colonel et Ami.*

Mais on dit toujours : *Monsieur le Maréchal* aux maréchaux de France.

Au-dessous du grade de commandant, on dit : *Monsieur* ou *Cher Monsieur.*

Pour les officiers de marine, pas de titre jusqu'au grade de capitaine de corvette, à qui l'on dit : *Commandant.* Et cela jusqu'au grade de capitaine de vaisseau. Au-dessus de ce grade, on dit : *Amiral,* et, si l'amitié l'autorise : *Mon cher Commandant, Mon cher Amiral.*

Pour les hauts fonctionnaires on dira : *Monsieur le Recteur, Monsieur le Préfet, Monsieur le Sénateur*, puis *Mon cher Préfet, Mon cher Député, Mon cher Président*, selon le cas.

Pour les docteurs, les inférieurs seuls disent : *Monsieur le Docteur*. D'égal à égal, on écrira *Monsieur*, puis *Mon cher Docteur* ou *Cher Docteur et Ami*, et, entre docteurs, *Mon cher Confrère*.

A un avocat, on dira *Monsieur*, puis *Mon cher Maître* et, entre avocats, *Mon cher Confrère*.

Pour les titres de noblesse, à part celui de duc et de prince, donner le titre est un aveu d'infériorité. On dira donc, tout simplement, *Monsieur* ou *Madame*. Seuls les gens de service, les protégés et, le plus souvent, les fournisseurs diront : *Monsieur le Comte, Madame la Marquise*.

Sur l'enveloppe, cependant, un homme écrira toujours *Madame la Comtesse de Bonneterre*. A l'encontre de ce qu'on imagine communément, il ne s'agit pas du tout d'une marque de servilité, mais d'un raffinement de courtoisie, l'adresse étant exposée aux yeux des employés de la poste.

De même, un homme jeune écrira *Monsieur le Marquis de La Marche* à un homme âgé, une femme jeune, *Madame la Baronne de Saint-Meslin* à une personne âgée.

D'homme à femme. — D'un homme à une femme, on écrira *Madame, Chère Madame*. *Chère Madame et Amie* est la marque d'une réelle amitié; un homme ne doit se le permettre que rarement.

Et vous la prierez d'agréer vos *plus respectueux*

hommages, qui pourront devenir, *avec mes hommages, l'expression de ma plus respectueuse sympathie.*

Par la suite, le cœur dictera la formule.

Ne dites jamais : *Chère madame Dupont*, sauf à une subordonnée.

La formule de la Chancellerie est la suivante : *Veuillez agréer, Madame, l'hommage de mon respect.*

Si vous écrivez à M. Dupont, n'omettez pas de dire : *Veuillez faire agréer à Madame Dupont mes plus respectueux hommages.*

Naguère encore, on faisait *déposer aux pieds* de Mme X... *ses hommages respectueux*. On peut trouver cela un tantinet vieux jeu.

De ménage à ménage. — La formule suivante sera commode :

Veuillez, cher Monsieur et Ami, partager nos souvenirs les plus sympathiques avec Madame Tournebise, à laquelle je présente mes plus respectueux hommages.

De femme à homme. — Il arrive qu'une femme soit embarrassée pour écrire à un homme qu'elle connaît peu.

Elle lui dira : *Monsieur*, puis *Cher Monsieur*, puis *Cher Ami*. Si des relations d'amitié s'établissent, les formules seront plus faciles à trouver.

Pour terminer *Recevez, Monsieur, l'expression de mes sentiments distingués.*

Distingués pourra, par la suite, être remplacé par *sympathiques*, puis *affectueux.*

Il peut arriver qu'une femme écrive au nom du ménage. La formule suivante rendra service :

Nous vous envoyons, ma chère Amie, nos souvenirs les meilleurs auxquels mon mari joint pour toi (ou *pour vous*) *ses hommages (les plus) respectueux.*

De femme à femme. — Cela est d'ordinaire plus facile.

L'en-tête sera d'abord : *Madame,* puis *Chère Madame, Chère Madame et Amie, Ma chère Marie-Thérèse.* (Jamais *Ma Chère madame Dupont.*)

A une personne à qui elle veut exprimer de la déférence, elle terminera par : *Veuillez agréer, Madame, l'assurance de mes sentiments respectueux.*

Mais, le plus souvent, au début des relations épistolaires, on dira, d'égale à égale : *Recevez, Madame, l'expression de mes sentiments distingués.*

Plus tard : *Veuillez croire, chère Madame, à toute ma sympathie.*

Il est inélégant de rejeter au sommet de la dernière page la salutation finale. Il faut toujours disposer les dernières lignes du corps de la lettre de manière à les mettre sur la même page que la salutation et la signature.

La signature.

Il est pratique, dans la vie moderne, d'avoir une signature très lisible, qui permette à votre correspondant d'abord d'épeler votre nom, puis de l'écrire sans l'écorcher.

Si vous êtes affligé d'une signature indéchiffrable, écrivez au-dessous, si vous le voulez, entre parenthèses, votre nom calligraphié de votre mieux.

Lorsque la lettre est tapée à la machine, on peut dactylographier les nom et prénoms au-dessous de la signature.

La plupart des hommes signent de leur nom précédé de l'initiale de leur prénom. On peut aussi soit ne donner que le nom, ce qui est assez rare, soit écrire le prénom en toutes lettres (comme le font la plupart des artistes et écrivains, soucieux d'imposer ces précieuses syllabes qu'il est si difficile, ou si onéreux, de rendre familières au public).

Les femmes font précéder de l'initiale de leur prénom le nom de leur mari. Elles peuvent trouver avantage à donner aussi le prénom de leur mari, s'il est, ou se croit, célèbre. Par exemple : *A. Victor Hugo.*

Dans un milieu mondain, il est de mise de signer par les simples noms de famille de jeune fille et de femme mariée non précédés d'initiales ni, le cas échéant, de particules.

Ainsi, Mme Migenne, née Suzanne Henriot, signera : *Henriot Migenne.* Mme de Binche, née Gabrielle de Sannois, signera *Sannois Binche.*

Une veuve Durand, prénommée Marie, signera *M. Durand* (et non *Veuve Durand,* sauf sur quelques actes officiels).

Les femmes appartenant à la noblesse peuvent signer de leur titre : *Marquise de Sévigné, Comtesse de Nohant,* pour des lettres peu familières.

Le corps de la lettre : le style.

Heureux les gens qui disposent, à l'heure où ils reçoivent leur courrier, du temps nécessaire pour y répondre tout de suite. En effet, pendant la lecture de la lettre, votre esprit, plus agile à penser que vos yeux à lire, discute les arguments, pèse les paroles, prépare les ripostes, commente les événements, et les trois quarts du travail sont faits quand la lecture est terminée.

A ceux qui n'ont pas ces loisirs, nous conseillons de relire avec le plus grand soin la lettre à laquelle ils vont répondre avant de faire, selon leurs habitudes de composition, soit un brouillon complet, soit un plan détaillé.

Pour toutes les lettres importantes, si l'on ne prend pas la précaution d'en rédiger, au brouillon du moins, les parties essentielles ou délicates, on s'expose à gâcher plusieurs feuillets et même alors à envoyer une lettre plus ou moins adroitement « grattée » et raturée. Il aurait été plus rapide et moins coûteux de faire les corrections sur une feuille de papier ordinaire ou sur un cahier.

Toute perfection est un compromis, un équilibre. On cherchera les qualités d'un bon style épistolaire entre la clarté et la concision, le naturel et l'élégance, l'ordre et la sécheresse.

La clarté et la concision. — Souvenez-vous que les loisirs ont à peu près disparu de la vie moderne et que votre correspondant ne trouvera pas sans peine les quelques minutes nécessaires pour lire votre lettre. C'est ici la politesse qui exige que vous preniez le temps de faire court. Il se pourra que la brièveté soit pour vous l'unique chance d'être lu.

Soyez donc concis autant qu'il est possible et jusqu'à la limite où vous cesseriez d'être clair. Plus loin, vous tomberiez, comme disent les Anglais, « de la poêle à frire dans le feu ». C'est affaire de réflexion au moins autant que de culture littéraire.

Si vous mettez quelque application à l'étude du style, vous ne tarderez pas à vous apercevoir que les longs développements à bâtons rompus — faute de plan et de préparation — sont souvent confus, difficiles à débrouiller, et qu'en cherchant la formule la plus concise vous aurez trouvé du même coup la phrase la plus claire.

Le naturel et l'élégance. — Un conseilleur vous dira : « Ecrivez comme vous parlez. » Oui, certes ! A condition que vous parliez bien. Si, en effet, vous appartenez à cette classe de causeurs à la verve jaillissante et étincelante dont chaque parole vaut la peine d'être couchée sur le papier, ne vous attardez pas à lire le passage suivant.

Mais il existe quelques personnes dont le langage parlé est parfois incorrect, ou banal, ou vulgaire, et pour lesquelles, elles le reconnaissent volontiers, il vaut mieux *ne pas* écrire comme elles parlent. Comment faire pour trouver un style naturel et qui pourtant ne soit pas leur pauvre prose quotidienne? Il faudra qu'elles apprennent à faire un choix dans les locutions et les tours de phrase dont elles usent. Choisir, en matière de style, c'est proprement l'élégance. Elles ne se serviront pas d'expressions nobles et de grands mots qu'elles n'emploient jamais dans leur conversation. Elles retiendront la formule de Mme de Sévigné : « Soyez *vous* et non *autrui :* votre lettre doit m'ouvrir votre âme et non votre bibliothèque. » Elles resteront donc elles-mêmes en écrivant, mais elles banniront les formules d'argot ou les abrégés acceptables dans le langage parlé, mais impossibles à fixer sur le papier. Ainsi, on ne peut écrire « *ça marche très bien* », mais « *cela marche très bien* », ni « *ne vous en faites pas* » au lieu de « *ne vous tourmentez pas* ».

Elles ne laisseront pas croire qu'on s'est glissé derrière elles pour leur souffler de belles phrases. Mais elles chercheront la meilleure façon d'exprimer leur personnalité. Et si, en s'efforçant de bien écrire, elles arrivent à mieux parler, ce sera double bienfait.

L'ordre et la sécheresse. — Il en sera de même pour découvrir le moyen terme entre la sécheresse et la méthode. Ordonnée comme un théorème, votre lettre risque de paraître froide, sinon pédante et rébarbative. La vieille métaphore du gant de velours et de la main de fer peut s'appliquer ici. Mais si votre argumentation est d'une rudesse métallique, il y a la manière d'étoffer de velours la solidité de l'armature. Votre lettre peut et doit rester souriante, même quand vous traitez un sujet sérieux. Cela encore est une forme de politesse, une preuve de maîtrise de soi et de noble intelligence.

Le bon sens.

La qualité essentielle entre toutes, c'est le bon sens, qui est la marque de l'équilibre de l'esprit. Une lettre vous exprime et vous trahit. Gardez-vous de montrer que vous n'avez pas une idée exacte de la distance qui vous sépare de votre correspondant. Ne soyez ni familier avec vos supérieurs ni méprisant avec ceux qui vous semblent être au-dessous de vous. Prenez la juste mesure de l'importance que peut avoir pour autrui l'objet de votre missive. Il nous a été donné de lire une lettre, ma foi assez élégamment tournée, mais dont l'auteur était affligé de ce genre particulier d'infatuation que donne la conscience de la vertu : ayant organisé une vente de charité, il écrivait au directeur d'une importante maison, dont la collaboration gracieuse lui avait paru insuffisante, pour rappeler le donateur à tous ses devoirs de générosité; il le faisait en termes qui rappelaient le ton que prenait saint Jean Chrysostome pour reprocher d'historiques excès à l'impératrice de Byzance. Il n'avait pas compris que, à l'égard d'un homme dont l'antichambre était encombrée de quémandeurs, dont aucun ne repartait les mains vides, il ne pouvait être, malgré son désintéressement pécuniaire personnel, qu'un homme de plus dans la foule. Il avait perdu de vue qui il était, à qui il parlait, et de quoi il s'agissait précisément. Il avait manqué de bon sens.

Le bon sens vous invite à ne pas commencer tous les paragraphes par « je », de ne pas parler uniquement de vous, et de ne pas oublier que vous écrivez autant pour demander des nouvelles que pour en donner.

Avant d'écrire, fermez les yeux un instant, mettez-vous à la place de celui à qui la lettre est destinée, et, selon le précepte antique, « ne faites pas à autrui ce que vous ne voudriez pas qu'on vous fît ».

L'orthographe.

Il va de soi que l'effet de toutes ces qualités peut être détruit par quelques fautes d'orthographe. N'ayez pas de fausse honte et consultez, à la plus légère inquiétude sur la forme d'un mot ou l'accord d'un participe, la grammaire et le dictionnaire (il en est de bons qui sont toujours prêts, à portée de votre main, à vous rendre service). Tant mieux si, à l'occasion d'une lettre, vous perfectionnez votre connaissance du français. Les fautes d'orthographe sont, hélas! trop fréquentes aujourd'hui et donnent une lamentable impression du personnage.

Le post-scriptum.

Il n'est pas inélégant d'ajouter quelques mots à une lettre, mais si vous en prenez l'habitude on vous taxera d'étourderie. C'est donc une bonne précaution de relire toute votre lettre soigneusement avant de rédiger la formule qui la clôt. Il est prudent, de plus, de ne cacheter une enveloppe qu'au moment de la mettre à la poste, car il peut arriver, entre la minute où l'on a signé une lettre et celle où on la ferme, qu'on ait reçu des nouvelles qui rendent le post-scriptum nécessaire. N'allez pas pour cela recommencer la lettre ou renoncer à la compléter. Une fois n'est pas coutume.

Mais réserver pour un post-scriptum ce qui est l'objet même de votre démarche, procédé qui a pu paraître jadis hautement diplomatique, nous semble être aujourd'hui une malice cousue de fil blanc.

L'enveloppe.

D'après les instructions administratives, la suscription de l'enveloppe doit contenir :

1° Le nom et, si cela est nécessaire, le prénom du destinataire;

2° Sa qualité ou profession;

3° Son domicile : rue et numéro, avec indication de l'arrondissement pour certaines villes;

4° Lorsque le village ou le hameau n'a pas de bureau de poste, le nom du bureau par lequel il est desservi;

5° Le nom du département en France ou le nom du pays étranger;

6° Pour les pays étrangers, il faut se conformer aux indications données par le correspondant et, en particulier, toujours mentionner l'Etat pour l'Amérique du Nord, par exemple : *Colombus, Ohio, Etats-Unis d'Amérique.*

N'omettez jamais d'inscrire votre adresse sur votre lettre, et, à moins d'inconvénient grave, au dos de l'enveloppe. Si, pour une raison plus ou moins imprévisible, votre missive ne pouvait toucher le destinataire, elle vous serait alors retournée sans délai, et intacte. S'il fallait ouvrir votre lettre pour trouver votre adresse, l'administration des Postes attendrait quelques jours avant de le faire et vous retarderiez par votre faute le moment où vous seriez averti que votre lettre n'a pas été remise. Si votre adresse ne se trouvait pas au moins à l'intérieur, votre lettre serait mise au rebut et, non réclamée dans un certain délai, irait rejoindre les milliers de lettres qu'on détruit chaque mois.

Si vous écrivez le même jour à divers correspondants, il faut vous assurer, avant de clore les différentes lettres, que vous n'avez pas mis la lettre de Paul dans l'enveloppe de Jacques. Cette méprise est plus fréquente qu'on ne le soupçonne, même dans les cas où l'on a le plus de raisons de l'éviter. Ce n'est pas seulement une invention de romancier ou de dramaturge embarrassé pour dénouer une situation. On nous a cité cette bévue dont les conséquences furent presque tragiques. Une jeune femme, qui s'était mariée hors de France contre le gré et à l'insu de sa mère, écrivit le même jour à sa mère et à son mari. Pressée par l'heure du courrier, vous devinez qu'elle mit la lettre destinée à son jeune mari dans l'enveloppe adressée à sa vieille mère. Cette seconde d'inattention provoqua un drame.

La cire à cacheter. — On ne se sert plus guère de cire que pour les lettres chargées.

Comme il n'est rien de plus facile que de dégommer et d'ouvrir une enveloppe sans laisser de traces, une lettre est ainsi à la merci d'une indiscrétion.

On prend parfois, lorsqu'on a des raisons de se méfier des personnes par les mains desquelles passent les lettres, la précaution d'écrire l'adresse au verso de l'enveloppe. Il devient alors presque impossible de diluer la gomme de l'enveloppe sans que l'encre accuse des bavures suspectes. On obtiendrait les mêmes garanties en passant seulement quelques traits à l'encre à l'extérieur des parties gommées.

Le timbre.

Vous collerez le timbre parfaitement droit, vertical, en haut et à droite de l'enveloppe. Il importe assez peu que la figure ait la tête en bas ou en haut, mais il est désordonné et inacceptable de coller hâtivement son timbre de travers.

Le langage des timbres, qui voudrait exprimer des sentiments secrets selon la position de la vignette, est de la dernière vulgarité.

Voilà donc votre lettre écrite, signée, enclose dans l'enveloppe. La dernière précaution à prendre est de la mettre vous-même à la poste. Ne chargez pas n'importe qui de ce soin. Votre meilleur ami avouera difficilement que la lettre est tombée de sa poche ou qu'elle y est restée. Et vous ne connaîtrez peut-être le dommage causé que lorsqu'il sera irréparable.

Il faut savoir que la politesse exige encore le cérémonial suivant lorsque vous confiez à un ami une lettre à remettre à un tiers : vous devez lui remettre l'enveloppe non fermée, et, en votre présence, il doit humecter la partie gommée et fermer la lettre. Cette marque de confiance paraît aujourd'hui bien puérile et peut-être l'usage ne tardera-t-il pas à s'en perdre.

La carte-correspondance.

Ce petit carton est commode lorsqu'on n'a que quelques mots à dire. Cependant, on ne s'en servira qu'avec des amis assez intimes.

La carte-lettre.

La carte-lettre est encore moins cérémonieuse, surtout si l'on emploie le modèle vendu par les bureaux de poste.

La carte postale.

Non illustrée, elle témoigne moins d'égards que la carte-lettre. Il faut donc ne s'en servir que lorsqu'on est sûr de ne pas offenser le destinataire, par exemple pour passer une commande à un fournisseur habituel.

Illustrée, c'est un moyen commode de donner de brèves nouvelles à ses amis pendant un voyage. La mode, comme lassée de son succès mondial, semble se perdre un peu, sans doute parce que nous n'avons plus le temps de classer et surtout de revoir ces dessins et ces photographies, dont on faisait naguère des albums si prisés.

Les salutations et compliments, sur les cartes postales, pour écourtés qu'ils soient par nécessité, ne doivent jamais être entièrement omis.

Les plus simples sont les meilleurs. Toutefois, n'employez jamais l'expression « *Un bonjour de...* », qui témoigne d'une fâcheuse vulgarité. Préférez « *Affectueuse pensée* », « *Souvenir amical* », « *Je pense à vous* », etc.

Le message téléphoné.

On se renseignera sur les bureaux de poste auxquels on peut faire envoyer des messages téléphonés. Ce message contient, pour un prix inférieur à celui d'un télégramme, un bien plus grand nombre de mots. Il n'exige donc pas la même concision, mais ne peut être en usage que dans une périphérie assez restreinte.

Le télégramme.

Pour rédiger un télégramme, en effet, on s'applique, par économie, non seulement à supprimer les mots inutiles, mais à rechercher toutes les expressions qui emploient le minimum de mots sans rendre le sens obscur ni le laisser incomplet.

Il est facile de condenser les dix mots de : *Nous serons chez vous demain à six heures du matin* en : *Arriverons demain matin six heures*. Mais ceux qui ont l'habitude du style télégraphique acquièrent une habileté ingénieuse qui, dès qu'il s'agit de câblogrammes, vaut son pesant d'or.

De : *Jusqu'à ce que vous sachiez si votre correspondant a bien reçu votre mandat, ne faites pas de nouvel envoi,* on pourra faire : *Attendre accusé réception mandat avant nouvel envoi.* Il n'est guère de formule épistolaire qui ne se prête à des compressions analogues.

Quant aux compliments, nul ne devrait se formaliser de les voir réduits au minimum, c'est-à-dire à un mot. Ce sera, selon le cas : *Compliments, hommages, amitiés, tendresses,* ou tel autre « mot de la situation ».

Le répertoire.

Si votre correspondance est importante, gardez un petit répertoire où vous inscrirez chaque jour les lettres reçues et les lettres envoyées.

On trouvera utile de diviser chaque page en trois colonnes :

a) La colonne des lettres reçues, indiquées par le nom du correspondant et la date, suivie du jour où l'on aura répondu;

b) La colonne des lettres à envoyer, bien qu'elles ne soient pas des réponses, contenant le nom de la personne à qui l'on doit écrire, puis, quand ce sera fait, la date de la lettre;

c) La colonne des lettres envoyées, avec leur date.

La troisième colonne fait double emploi avec les deux premières. Elle est cependant commode et vaut la peine d'être tenue à jour, aux fins de référence.

Cela vous évitera le ridicule de dire à un correspondant : *Je ne me souviens plus si j'ai répondu à votre lettre.*

Le classement de la correspondance.

Quelles lettres faut-il garder? et comment les classer? En principe, en dehors des raisons sentimentales, il faut garder toutes les lettres qui ont trait à une question importante (cela peut ne pas être du domaine commercial).

Le meilleur classement est le classement rigoureusement alphabétique. On joindra à la lettre le double de la réponse si on l'a tapée à la machine. Sinon on gardera soit le brouillon mis au point, soit un résumé de la réponse avec la copie des passages essentiels.

Pour faire suivre le courrier.

Si l'on croit savoir que le correspondant va partir en voyage, ou si l'on ignore le lieu de son récent déplacement, on portera sur l'enveloppe, de préférence en haut et à gauche, la mention *Prière de faire suivre*.

Si vous partez pour un voyage ou une villégiature en territoire français, votre courrier peut vous être réexpédié gratuitement et sans qu'on soit obligé d'inscrire votre nouvelle adresse sur chacune de vos lettres. Il suffit de renfermer toutes ces lettres — à condition qu'elles soient arrivées par la poste régulièrement affranchies — dans une enveloppe spéciale, dite *enveloppe de réexpédition*, portant seule votre nouvelle adresse. Ces enveloppes, faites en un papier fort et fermées au moyen d'une agrafe, sont en vente dans les bureaux de poste. L'enveloppe contenant ainsi votre courrier peut être remise soit au facteur, soit au guichet de la poste.

La carte de visite.

On trouvera chez tous les imprimeurs un choix de caractères pour carte de visite.

L'anglaise est tombée en désuétude.

La carte gravée est plus élégante que la carte imprimée.

La qualité du « bristol » n'est pas sans importance.

Les caractères de fantaisie sont vulgaires.

Le nom doit toujours se placer au milieu de la ligne.

> Docteur Jean BERNARDI
>
> Chef de clinique à l'Hôpital Laennec
>
> Tél. Opéra 59-37 — 9, rue Scribe, PARIS

Les personnes qui reçoivent beaucoup peuvent avoir des cartes de visite dont le nom est inscrit en haut (mais au milieu), de manière à laisser la place pour la correspondance, avec l'adresse en bas à droite.

> **MADAME DE LA GIRAUDIÈRE**
>
> 9, rue de l'Aigle-d'Or,
> POITIERS

Carte d'hommes. — Les hommes ne font pas graver le mot *Monsieur,* mais ils portent leur titre principal : *Docteur, Commandant, Lieutenant de vaisseau,* etc.

On évite de donner une longue énumération de titres. Dépasser le strict minimum, c'est un manque d'élégance. Faire étalage de ses qualités et fonctions, même utiles, c'est se couvrir de ridicule.

On indique le prénom habituel, généralement en toutes lettres. Ne donner que les initiales peut faire croire qu'on le trouve déplaisant. Il est presque malséant, lorsque l'on porte le même nom qu'un homme vivant et célèbre, et un prénom commençant par la même lettre, de ne porter que cette initiale.

Un quidam nommé Clemenceau, et prénommé Gaston ou Gaëtan, aurait eu aussi mauvaise grâce, du vivant de son homonyme Georges, à faire graver sur sa carte

G. CLEMENCEAU

qu'un monsieur qui s'efforcerait d'accentuer par la coupe de son costume, le nœud de sa cravate ou la taille de sa barbe, une ressemblance fortuite avec le président de la République ou avec telle ou telle vedette de l'écran.

Lorsqu'on change d'adresse, on envoie à toutes ses connaissances une carte portant la nouvelle adresse soulignée à l'encre rouge. On peut aussi faire imprimer en travers de la carte les mots *Nouvelle adresse* ou *Changement d'adresse,* cela pour ceux qui sont dans les affaires.

Carte de femmes. — Les cartes de femmes sont, ordinairement, d'un format plus petit que celles des hommes.

Les femmes mariées font graver le mot *Madame,* suivi du prénom et du nom du mari (on peut ne donner que l'initiale du prénom). Si le mari est le chef de famille, on supprimera alors le prénom.

Si l'on a un jour fixe de réception, on peut le faire graver en bas et à gauche de la carte, si l'adresse figure déjà en bas et à droite. Sinon, on le placera en bas et à droite.

Les titres de noblesse sont portés sur la carte.

Il n'est pas d'usage de faire graver l'adresse, sauf si la femme exerce une profession.

MADAME PAUL THIZY

2e et 4e mardi, de janvier à Pâques.

L'usage voulait que les jeunes filles ne fissent graver ni leur prénom ni leur adresse.

Ces précautions, vestiges d'un monde méfiant, cachottier, heureusement disparu, paraissent bien ridicules depuis que les jeunes filles ont acquis le droit de sortir sans être accompagnées, et que le *Bottin mondain* et l'*Annuaire des abonnés au téléphone* sont à la portée de tous.

La femme célibataire, quel que soit son âge, se sert maintenant d'une carte de visite semblable à celle d'un homme : prénom et nom de famille.

Les cartes de ménages. — Ces cartes portent en abrégé *M. et Mme*, suivis des prénom et nom du mari. Le prénom peut être indiqué par une simple initiale. Un médecin fera graver, au lieu de M., le mot *Docteur* en toutes lettres. Au bas, l'adresse et le numéro de téléphone.

Docteur et Mme GUY LARSAC

Tél. Vaugirard 56-53 27, rue Blomet, Paris (XVe).

On porte les titres de noblesse.

Lorsque le nom est très long, le plus souvent on abrège : *Cte et Ctesse de Montmirail.*

Marquis et Marquise de NEUPIERRE

Château de Neupierre, par VONNAS (Ain).

On se sert généralement de la carte de visite lorsqu'on a quelques félicitations ou condoléances à envoyer. Il vaut toujours mieux, quand on veut témoigner une sympathie sincère, prendre la peine d'écrire quelques mots sur du papier à lettres. Mais la carte n'en est pas moins protocolaire, et l'on s'en servira si l'on ne cherche pas, en l'envoyant, à remplir autre chose qu'une simple formalité.

La carte est particulièrement commode, pour les personnes qui connaissent beaucoup de monde, au moment des grandes « fournées » de décorations. Il est bon de se rappeler alors qu'on est *nommé* chevalier, *promu* officier ou commandeur, et *élevé* au grade de grand officier et de grand-croix. Les substantifs correspondants seront donc la *nomination*, la *promotion* et l'*élévation*.

L'usage préfère qu'une femme ne félicite pas un homme par le moyen de la carte de visite, s'il est célibataire ou si elle n'est pas en relation avec sa femme.

Suzanne Tréboul, par exemple, se servira plutôt d'un carton de correspondance pour son docteur qui vient d'être promu officier de la Légion d'honneur.

Cher Docteur (*ou* cher Monsieur),

C'est avec une profonde satisfaction que j'apprends votre promotion. Je tiens à vous en exprimer mes chaleureuses félicitations, en même temps que l'expression de mes sentiments les meilleurs (*ou de ma fidèle reconnaissance*).

En revanche, si elle connaît le docteur et Madame Grandpierre, c'est à eux deux qu'elle adressera l'enveloppe contenant sa carte ainsi rédigée :

Avec ses très chaleureuses félicitations pour l'heureuse promotion du Docteur Grandpierre.

CHAPITRE II

LA NAISSANCE

Lettre à une belle-mère pour lui annoncer des espérances.

Ma chère Mère,

Tous ces jours-ci, je voulais vous écrire, mais je me sentais assez mal en train et surtout je voulais attendre encore quelques jours pour venir vous faire une confidence qui ne soit pas une erreur; vous avez déjà deviné : dans un peu plus de sept mois, je crois bien que nous vous donnerons un petit-fils... à moins que ce ne soit une petite-fille!

Bien que ces nouvelles perspectives ne soient pas encore confirmées, elles nous emplissent trop le cœur pour que je vous les taise. Vous partagerez notre émotion et si, par hasard, je me suis trompée, vous nous aiderez à accepter notre déception. Mais vraiment j'ai toutes les raisons de me croire dans le vrai et je dois avouer que, depuis une dizaine de jours, mes maux de cœur sont bien pénibles.

Votre fils est exquis de sollicitude; puisse mon fils lui ressembler et vous rappeler totalement le petit garçon d'autrefois devenu, aujourd'hui, le meilleur des maris.

Je sens déjà combien, dans notre ménage, cet événement

viendra renforcer encore et épanouir notre amour; de même, c'est pour vous la certitude d'une tendresse multipliée par trois.

Je suis certaine que mon père (A) sera, lui aussi, tout attendri par cet espoir et fier de sentir se prolonger la famille et les traditions. Cela va, sûrement, lui donner un courage tout neuf pour continuer sa tâche si lourde et supporter ses soucis quotidiens.

Bernard et moi vous embrassons tous deux avec notre cœur tout plein de joie.

(A) *Supprimer ce passage si la belle-mère est veuve.*

Si le beau-père est en retraite et ne travaille plus, on peut dire « cela va sûrement lui donner un courage tout neuf pour supporter les inévitables tracas quotidiens et les soucis de santé ».

Réponse.

Ma chère petite Monique,

Rien ne pouvait nous donner plus de joie que la nouvelle contenue dans votre lettre et je vous remercie de n'avoir pas attendu pour nous confier vos espoirs. Je suis désolée que vous n'échappiez pas au sort commun et ayez à supporter les pénibles malaises des premières semaines. Prenez patience, ils ne vont guère au-delà du quatrième mois et s'oublient très vite ensuite.

Vous verrez toutes les joies qui vous sont réservées quand vous tiendrez ce petit enfant dans les bras! Il me semble revivre l'attente, vieille de trente ans, qui devait aboutir au bonheur immense dont notre cher Bernard m'a comblée.

Naturellement, je ne dirai rien à notre entourage jusqu'à la confirmation de vos espoirs. Mais déjà, en cachette, je commencerai à tricoter. Je me propose pour confectionner toute la layette de laine, mes mauvais yeux ne me permettant pas la minutie de la lingerie. Mais je vous sais très adroite et je suis certaine que, de son côté, votre maman vous aidera. Votre beau-père est fou de joie. Il a rajeuni de dix ans depuis qu'il a pris connaissance de votre lettre. Ensemble nous essayons de deviner le prénom que vous allez choisir. Peut-être celui de mon pauvre Philippe, à moins que vous ne souhaitiez rappeler le souvenir de mon beau-père, auquel Bernard ressemble tellement.

De toute façon, ce que vous déciderez sera parfait et je trouve absurde d'imposer aux jeunes ménages les raisons sentimentales des parents, et puis, des goûts et des couleurs...

Quel que soit le nom dont nous allons l'appeler, ce tout petit a déjà sa place immense dans notre cœur et c'est dans l'allégresse que nous vous embrassons tous deux bien tendrement.

Lettre à une grand-mère pour lui faire part de ses espérances.

Ma chère Bonne-Maman,

C'est un bien grand événement que cette lettre vient t'annoncer (A) : tu vas être revêtue d'une dignité nouvelle et très douce. Tu as déjà deviné, n'est-ce pas? dans sept mois, tu seras arrière-grand-mère. Il est encore très prématuré d'en parler, peut-être même un peu imprudent, car cet espoir est à peine confirmé. Mais mon bonheur est si grand que je brûlais du désir de le partager avec toi.

Il me semble qu'il se trouve ainsi élargi de toute cette joie que je devine en toi. La petite fille que je suis, Dieu merci, toujours pour toi, aura bientôt dans ses bras, à son tour, une petite fille... ou un petit garçon, n'est-ce pas la plus merveilleuse des promesses? Et comme il est bon de penser que tu vas l'aimer avec ce cœur si jeune, si réconfortant pour tous, que tu sauras le gâter quand il faudra me montrer sévère! Parce que je veux l'élever bien, aussi bien que tu as élevé maman... Tu m'apprendras, n'est-ce pas?

Je me porte à merveille... quelques petits malaises insignifiants. Pierre est le plus heureux et le plus fier des hommes. Il est plein d'une sollicitude qui m'attendrit beaucoup.

Chère bonne-maman, n'aie aucun souci, aucune inquiétude, contente-toi de partager notre joie et permets-nous de t'embrasser, Pierre et moi, avec tout notre cœur d'enfants heureux, pardon, je devrais dire de... presque parents heureux!

(A) *Si la grand-mère a déjà d'autres arrière-petits-enfants :* « tu vas ajouter un nouveau joyau à la couronne de... »

Réponse.

Ma petite-fille chérie,

Mon vieux cœur est en fête et je viens bien vite t'exprimer sa joie, il est tout rajeuni d'un si grand espoir, car il mélange les générations et retrouve ses émotions d'il y a près d'un quart de siècle.

Quel bonheur d'avoir bientôt un autre trésor à gâter, à aimer, et quel miracle que cette possibilité inépuisable de tendresse qu'éprouvent les vieilles femmes comme moi. Je vais tellement l'aimer ce petit enfant de ma petite-fille!

Alors, ménage-toi, repose-toi, les jeunes femmes d'aujourd'hui sont si imprudentes, ne me donne pas le souci de te sentir aussi téméraire qu'elles. Supprime les talons trop hauts, couche-toi de bonne heure, ne te surmène pas. Prépare-toi de toutes manières à ce merveilleux mystère de la maternité.

Merci de m'avoir donné si vite le bonheur d'attendre et d'espérer avec toi, avec vous deux, car ton cher mari a sa place bien installée à côté de toi dans mon cœur. Je vous embrasse tous les deux comme je vous aime.

Lettre pour demander à un ami d'être parrain.

Mon cher Guy,

Avec Monique, nous caressons un projet dont la réalisation nous comblerait de joie. Cette joie, c'est de toi qu'elle dépend. Tu sais que Monique aura son bébé dans trois mois environ, veux-tu accepter d'être son parrain?

Je suis hostile au parrainage des vieux oncles; j'estime qu'il faut confier son enfant à un être jeune qui puisse le comprendre, le guider, et, le cas échéant, remplacer le père. Nul mieux que toi ne saurait remplir ce rôle. N'es-tu pas mieux qu'un frère pour moi, mon meilleur et mon plus vieil ami? Ne considère surtout pas la question sous son angle matériel. Je te supplie de te souvenir qu'on a supprimé dragées et cadeaux, et c'est heureux. Je te demande simplement d'accepter la charge morale de notre enfant, c'est la plus grande preuve d'amitié que tu pourras nous donner.

J'ajoute que c'est ma jeune belle-sœur qui doit être la marraine.

Pour demander à une amie d'être marraine, il suffit de légères modifications :

« Avec Gérard, nous caressons un projet, etc. »

« ...tu sais que j'attends un bébé dans trois mois environ, veux-tu accepter d'être sa marraine... »

« ... je suis hostile au marrainage des vieilles tantes... »

Réponse affirmative.

Mon cher Gérard,

Ta lettre me touche infiniment. Cette preuve de confiance venant de toi ne me surprend pas, mais renforce encore ma vieille amitié. Comment refuserais-je ce qui m'est une si grande joie!

Ton mariage, qui aurait pu nous séparer, nous rapproche, et tu voudras bien dire à Monique ma reconnaissance.

Si tu savais comme ce gosse me sera cher! Quoique indigne, je me sens tout prêt à l'épauler au cours de sa vie. Mais surtout à l'aimer, car tu n'as certes pas besoin de moi, j'en ai la conviction, pour en faire quelqu'un de très bien.

Alors, dis à Monique de se dépêcher pour qu'on sonne les cloches du baptême et demande-lui de me suggérer ce qu'elle aimerait comme souvenir durable pour mon filleul... ou ma filleule : médaille? timbale? couvert?

Pour tous deux, ma grande et reconnaissante amitié.

Pour une femme, remplacer la phrase par :

« Alors dépêche-toi de sonner les cloches du baptême et suggère-moi ce que tu aimerais comme souvenir durable, etc. »

Réponse négative.

Mon cher Gérard,

Ta lettre me touche infiniment. Cette preuve de confiance venant de toi ne me surprend pas, mais renforce encore ma vieille amitié.

C'est à cette amitié que je fais appel pour comprendre et pardonner mon refus.

J'ai déjà plusieurs filleuls et je me suis promis formellement de ne plus en augmenter le nombre. Je prends très au sérieux le rôle qu'on a voulu m'assigner et je ne saurais me contenter d'un titre qui ne correspondrait pas à une action. Or, si je veux remplir ma tâche, il n'est plus possible de me disperser ainsi.

Je ne peux accepter de parrainer ton enfant parce que je pourrais assumer efficacement cette charge, et il mérite autre chose.

Surtout ne me tiens pas rigueur de ce scrupule. Tu connais assez mon affection pour ne pas la mettre en doute, et cet enfant de toi me sera d'autant plus cher que tu avais eu la pensée de me le confier.

Remercie Monique, demande-lui d'accepter, avec mes excuses, mes hommages et crois à ma fidèle et solide amitié.

Lettre à un oncle pour lui demander d'être parrain.

Mon cher Oncle,

Maman vous a déjà mis au courant des grandes nouvelles de notre ménage. Dans trois mois, nous aurons le bonheur de devenir à notre tour des parents.

Nous avons pensé, Ghislaine et moi, vous demander une grande faveur : voulez-vous accepter ce petit enfant attendu pour filleul?

Vous êtes à la fois le chef de famille et notre oncle préféré, ce serait pour nous une sécurité et une joie de vous confier ce que nous avons de plus cher.

Ghislaine souhaite demander à sa tante Marchevaux de partager avec vous ce parrainage et nous attendons votre réponse avec impatience.

Voulez-vous croire, mon cher Oncle, à notre respectueuse affection.

Réponse affirmative.

Mon cher Jean,

Ta lettre me touche profondément. Je suis très sensible au fait que vous restiez, quoique jeunes et modernes, fidèles aux bonnes traditions et que vous n'évinciez pas les ancêtres!

Avec joie j'accepte le rôle magnifique que vous me confiez auprès de votre enfant. Je reporterai sur lui toute la grande affection que depuis tant d'années je t'ai vouée.

Ghislaine sera gentille de me donner une petite liste d'objets qui lui feraient plaisir pour son bébé. Dis-moi aussi le nombre de boîtes de dragées dont vous aimeriez disposer.

Je vous envoie à tous deux ma très vive affection.

Réponse négative.

Mon cher Jean.

Tu me touches profondément en me sollicitant comme parrain pour ton enfant, mais ne me tiens pas rigueur d'un refus que tu dois comprendre.

Je ne suis plus assez jeune pour assumer cette tâche. Un parrain doit doubler un père, le remplacer au besoin si, pour une raison ou une autre, il est éloigné et fait défaut. Or, quand ton enfant deviendra un homme, il y aura longtemps que je ne serai plus de ce monde.

Tu as des frères, des cousins, des amis beaucoup mieux qualifiés que moi pour ce rôle. Alors, pardonne-moi et trouve ici une preuve de ma grande affection et de ma sollicitude pour ton ménage. Cela ne m'empêchera pas d'aimer ton enfant aussi vivement.

Partage avec Ghislaine mes sentiments reconnaissants et affectueux.

Lettre à un prêtre pour lui demander de baptiser un enfant.

Cher Monsieur l'Abbé,

C'est une grande faveur que je viens vous demander aujourd'hui. Les marques de bienveillance et d'amitié dont notre ménage a toujours bénéficié de votre part m'autorisent à faire cette démarche. Nous avons le très grand bonheur d'espérer un enfant : dans un mois, s'il plaît à Dieu, cet espoir deviendra une réalité. Il s'agit donc d'en faire un petit chrétien le plus rapidement possible et il nous serait réconfortant que vous acceptiez de le baptiser. Mais il n'est pas défendu, j'en suis certain, d'ajouter à ce grand sacrement qu'est le baptême une part de sentiment et de souhaiter choisir la main qui l'accorde.

Il nous semble ainsi que vous accepteriez de prendre notre petit enfant sous votre protection et de nous aider, par vos prières, à l'élever.

Nous espérons donc une réponse favorable; nous pensons que le baptême pourrait avoir lieu dans la seconde quinzaine de mai.

Veuillez accepter, Monsieur l'Abbé, l'expression de mes sentiments respectueux.

Télégramme pour annoncer une naissance à un mari retenu au loin.

Une superbe fille née sans histoire, Monique radieuse vous embrasse.

Télégrammes pour parents, beaux-parents, parrain, marraine.

Monique heureuse et fille superbe vont bien.

Olivier bien arrivé. Geneviève parfaite santé.

Votre petit-fils bien arrivé. Tout parfait.

Ghislaine arrivée, superbe. Monique radieuse.

Filleul superbe vous attend jeudi pour baptême.

Télégrammes de félicitations.

Félicitons heureux parents, bienvenue à Ghislaine.

Emus joyeuse nouvelle, félicitons tendrement.

Ravi heureux parrainage, arriverai mercredi, félicitations affectueuses.

Faire-part.

Les faire-part s'envoient une dizaine de jours après la naissance.

Carte de visite avec le texte polycopié reproduisant l'écriture du père :

M. et Mme André LEBOIS

sont heureux de vous faire part de la naissance de leur fils Olivier, le 10 novembre 1953.

3, Rue des Ormes - Paris XVII.

ou : ont la joie de vous annoncer la naissance de leur fils Olivier.

Carton de format un peu plus grand qu'une carte de visite — le texte identique. A moins qu'on ne préfère laisser aux aînés le soin d'annoncer la naissance de leur petit frère :

Dominique, Isabelle, Chantal et Hubert LEBOIS

ont la joie d'annoncer la naissance de leur petit frère

Olivier.

8, rue de la Meule, Poitiers. 12 février 1954.

A ces faire-part, il est d'usage de retourner immédiatement des félicitations sur carte de visite. A des personnes de rang social élevé :

M. et Mme Paul DESJARDINS

prient M. et Mme Lebois
à accepter leurs très vives félicitations pour la naissance du
petit Olivier.

A des personnes de rang égal.

M. et Mme Robert ESPAGUET

avec leurs très vives félicitations
pour l'heureuse naissance
et leurs vœux de bonheur
au petit Olivier.

On peut aussi répondre par un carton, ce qui précise l'intention et montre moins de cérémonie :

Chère Madame,

Votre faire-part m'apporte une joie réelle, je vous félicite de tout cœur et partage votre bonheur. J'adresse mes vœux les plus chaleureux pour ce petit Olivier qui a reçu, j'en suis certaine, les dons de toutes les fées à son berceau et ne saurait mieux faire que de ressembler à ses chers parents. Croyez, chère Madame, à mes sentiments bien sympathiques.

Dans le carnet mondain d'un quotidien, l'annonce se rédige comme dans un faire-part ; on y ajoute généralement le nom de jeune fille de la mère, ce qui ne doit pas se faire dans les faire-part adressés personnellement.

Monsieur André Lebois et Mme, née Marie-Thérèse Criest, ont la joie d'annoncer la naissance de leur fils Olivier.

Les enfants peuvent aussi annoncer dans le journal à la place de leurs parents.

Invitation pour une réception de baptême.

Soit la carte de visite :

M. et Mme René GRANDMARTEL

recevront à l'occasion du baptême de leur fille Caroline.
Samedi 9 mai, de 16 à 19 heures.

2, Place Saint-Martin, Tours.

Réponse.

M. et Mme Bernard LANGLOIS

remercient Monsieur et Madame Grandmartel de leur aimable invitation ; ils seront heureux d'apporter Samedi à la petite Caroline tous leurs vœux de bonheur

Soit le carton :

Chère Amie,

Nous donnons samedi de 5 à 7 une petite réception intime à l'occasion du baptême de notre fille Caroline; il nous serait agréable de voir autour d'elle nos meilleurs amis. Nous espérons beaucoup pouvoir compter sur vous deux et sur vos enfants. Croyez, chère Amie, à mes affectueuses pensées.

Réponse.

Chère Amie,

Nous sommes très touchés que vous pensiez à nous faire partager votre joie, samedi prochain. Vous savez avec quel cœur (A) nous acceptons votre charmante invitation, mon mari et moi. Bernadette et Florence ne pourront malheureusement se rendre libres, à cause de leurs cours.

Ou bien, à partir de (A) : nous aurions aimé vous féliciter et admirer votre petite Caroline, malheureusement nous avions déjà accepté pour ce jour-là une invitation à laquelle il nous est impossible de nous dérober. Nous en sommes désolés et vous prions de nous excuser. Croyez, chère Amie, à ma vive affection et à toutes les pensées dont je vous entourerai samedi.

Remerciements pour l'envoi d'un cadeau de baptême.

A une amie.

Ma chère Antoinette,

A l'instant je reçois le charmant vêtement que vous avez tricoté pour mon petit Olivier et je veux vous dire sans attendre tout mon plaisir. La forme est excellente et rien n'est plus pratique que ce kimono facile à enfiler et indispensable dès que fraîchit le temps. Je n'ai pu résister au désir de le lui essayer tout de suite et je voudrais que vous puissiez voir combien l'effet est adorable.

Merci de tout cœur, ma chère Antoinette, vous êtes une délicieuse amie que j'embrasse avec toute mon affection.

A une relation.

Chère Madame,

Comme vous êtes bonne d'avoir pensé à fêter ma petite Caroline! Ce cadre est charmant et je vous sais gré d'une pensée tellement plus originale qu'un classique objet de layette.

Je ne veux pas attendre pour vous en remercier avec tout mon cœur et vous prie de croire, chère Madame, à mes sentiments les meilleurs.

A un parrain âgé.

Mon cher Oncle,

Comme vous avez gâté votre filleul! Nous venons de recevoir l'écrin contenant cette ravissante médaille choisie avec toute votre attention d'artiste et nous ne savons comment vous remercier. Nous sommes un peu confus de l'importance de ce cadeau, mais ravis aussi, bien sûr; c'est vraiment un objet précieux que votre filleul gardera toute sa vie et qui lui donnera une raison de plus de vous aimer.

Veuillez croire, mon cher Oncle, à notre reconnaissance et à notre respectueuse affection.

A un jeune parrain.

Mon cher Guy,

Il faut que nous te grondions : tu as beaucoup trop gâté ton filleul, cette timbale est ravissante et quand l'âge du lait sera passé, j'imagine déjà mon bébé, devenu homme, la remplissant de cigarettes. C'est un cadeau pour la vie et c'est cela qui m'enchante pour lui. Mais nous sommes confus de ta générosité. Merci donc, et de tout cœur, mon cher Guy; nous t'envoyons, Monique et moi, avec nos chaleureux remerciements, toute notre amitié.

Lettre pour annoncer la mort d'un nouveau-né.

Madame,

Ma fille me charge de répondre à votre aimable lettre. Vous lui pardonnerez de ne pas le faire elle-même, mais elle n'en aurait pas le courage et c'est à moi que revient la triste mission de vous faire part de son épreuve : le cher petit Olivier n'a fait que passer sur la terre, juste le temps de combler de joie le cœur de ses parents et de leur laisser ensuite le vide de cette joie arrachée. Ma pauvre fille est effondrée et cependant vaillante. Je sais que vous comprendrez l'étendue de ce chagrin après neuf mois d'attente et d'espoirs et le bonheur des premiers jours.

Veuillez croire, Madame, à mes sentiments les meilleurs.

Lettre de la destinataire de cette lettre à la maman éprouvée.

Ma pauvre Amie,

Tout mon cœur est auprès du vôtre dans votre épreuve. J'avais trop bien compris votre joie pour ne pas me rendre pleinement compte de ce douloureux arrachement. Je sais qu'il n'est pas d'âge pour une mère quand il s'agit de son enfant et que ce tout petit vous laisse au cœur une blessure inguérissable. Il faut cependant, avec votre énergie, retrouver vos forces pour votre cher mari, lui aussi si éprouvé (*ou* pour vos grands qui restent votre consolation et votre avenir), mais je sens que, désormais, la place du petit Olivier restera vide à côté de vous (*ou* d'eux) pour toujours. Voulez-vous remercier Madame votre mère d'avoir bien voulu m'écrire. Je lui suis reconnaissante de me permettre ainsi de partager votre chagrin. Vous savez que mon amitié est sans cesse fidèle et présente. Il me serait doux qu'elle puisse aujourd'hui vous être de quelque secours.

Lettre à un ancien professeur ou à un ancien employeur.

Cher Monsieur (*ou* Madame),

Vous m'avez donné trop de marques d'indulgent intérêt pour que je vous laisse ignorer mon bonheur : je me permets donc de vous annoncer la naissance de mon petit Jean-Claude. Il est venu au monde la semaine dernière avec le poids honorable de sept livres et demie.

Malgré tout ce que je pouvais autrefois pressentir des joies de la maternité, je me sens émerveillée et comblée au-delà de toute imagination.

Je vous garde un attachement profond, car je vous dois en grande partie tout ce que je suis aujourd'hui et il me serait très doux de pouvoir vous faire connaître mon petit enfant. Il faudra que vous me donniez des conseils pour l'élever, et qui mieux que vous pourrait m'y aider?

Veuillez croire, cher Monsieur (*ou* Madame), à mes sentiments de respectueuse affection.

Lettre d'un homme pour annoncer à un supérieur hiérarchique la naissance de son enfant.

Monsieur,

Il m'est impossible de vous laisser ignorer plus longtemps l'événement heureux survenu à notre foyer. Je me permets de vous annoncer la naissance d'un fils, Bruno, qui nous comble de joie (A). Je vous remercie d'avoir bien voulu à cette occasion vous montrer aussi compréhensif en m'autorisant à me rendre auprès de ma femme dès qu'elle eut été emmenée à la clinique. Nous vous en avons tous deux une grande reconnaissance.

Veuillez agréer, Monsieur, l'assurance de mon respectueux dévouement.

(A) *Plus vaguement, on peut écrire :* « Je vous remercie pour toute la bienveillance qui m'a été témoignée dans la maison à cette occasion. »

Réponse.

Mon cher Decoin,

La nouvelle que vous m'apprenez me fait le plus grand plaisir et je vous adresse mes chaleureuses félicitations à partager avec Madame Decoin, que j'espère en parfaite santé.

Recevez, mon cher Decoin, mes meilleurs compliments.

Une employée écrit à sa patronne pour lui annoncer la naissance de son enfant.

Madame,

Permettez-moi de venir vous annoncer la naissance de ma fille, Solange; elle est superbe et me fait très vite oublier les longues heures pénibles qu'elle m'a fait passer.

Il ne me reste plus maintenant qu'à être heureuse et retrouver le plus vite possible mes forces pour reprendre mon travail. J'espère que mon absence ne complique pas trop le bon ordre du service.

Veuillez agréer, Madame, l'assurance de mon entier dévouement.

Réponse.

Ma bonne Marguerite
(*ou* Chère Madame Lecherf),

Votre lettre me fait le plus grand plaisir, je suis ravie de votre bonheur; j'irai vous voir dans quelques jours et admirer votre petite Solange.

Ne vous tourmentez de rien, tout va bien, remettez-vous complètement, nous serons très contents de vous voir revenir, mais seulement en parfaite santé.

Je vous envoie, ma bonne Marguerite (*ou* chère Madame Lecherf), mes meilleurs compliments à partager avec votre mari.

Félicitations à une amie pour la naissance d'un premier enfant.

Ma chère Hélène,

A l'instant j'apprends la joyeuse nouvelle et je veux bien vite te dire combien mon cœur partage ton bonheur... Je sais par expérience (*ou* je devine) ce que représente la découverte de la maternité et cette émotion sans limite devant ce tout-petit qui résume notre amour. Te voilà maintenant maman à ton tour et je t'imagine très bien rayonnante et comblée, emplie d'attendrissement.

J'ai hâte d'avoir des détails, je n'ose pas te demander une lettre, mais tu trouveras bien une main complaisante pour me décrire le petit Bertrand, son poids, sa ressemblance et l'état de santé de sa maman.

Tu connais mon affection, elle est plus grande que jamais et je suis bien heureuse de ton bonheur.

Félicitations à une amie, mère d'un nouvel enfant.

Ma chère Madeleine,

C'est avec joie que j'apprends la bonne nouvelle. Notre cœur de maman connaît ce miraculeux élargissement devant un nouveau berceau, et le bonheur renouvelé de se donner tout entier sans rien retirer aux autres. J'imagine l'étonnement émerveillé des aînés (*ou* de la sœur aînée).

A qui ressemble Florence? Vos forces sont-elles tout à fait revenues? Dès que le docteur autorisera les visites, faites-le-moi savoir, je serais si heureuse de vous redire ma vive amitié et de pouvoir admirer votre trésor. J'adore les tout-petits et je me réjouis de pouponner, avec votre permission!

Très affectueusement à vous.

Lettre de félicitations à une relation.

Chère Madame,

Toutes mes vives félicitations pour l'heureuse nouvelle que je viens d'apprendre. Je devine vos émotions et votre bonheur et je les partage de tout cœur. J'espère que vous vous remettez parfaitement et que ce tout petit enfant s'acquitte en conscience de son devoir de poupon sans histoire, en poussant bien et en ne donnant que des satisfactions à sa maman.

Veuillez croire à toute ma sympathie pour votre ménage dans ce joyeux événement.

Lettre à un maire ou au curé de la paroisse pour lui demander des renseignements sur une nourrice.

Monsieur le Maire
(*ou* Monsieur le Curé),

On me communique le nom d'une de vos administrées (*ou* de vos paroissiennes) : Mme Lucienne Fouillard, du hameau de la Maladière, qui se propose pour prendre, chez elle, un enfant en nourrice.

Je me permets de vous demander si vous pourriez me donner, sur cette personne, des renseignements, qui resteraient, bien entendu, absolument confidentiels.

Je voudrais savoir si elle possède les qualités de moralité et de santé qu'une mère est en droit d'attendre de la personne à laquelle elle va confier son enfant.

Cette famille est-elle honorable? N'y a-t-il, chez elle, aucune tare physique ou forme de maladie contagieuse? A-t-elle déjà soigné d'autres enfants et sa réputation à ce sujet est-elle élogieuse?

Avec mes remerciements anticipés, je vous prie de croire, Monsieur le Maire, à ma parfaite considération (*ou* ... je vous prie de croire, Monsieur le Curé, à mes sentiments respectueux).

Lettre d'une nourrice pour donner des nouvelles de l'enfant aux parents.

Madame,

Je suis certaine que vous attendez avec impatience des nouvelles de votre petite Raymonde et je me suis promis de ne pas vous décevoir. Rassurez-vous, tout va pour le mieux et je suis sûre qu'elle s'habituera parfaitement à nous, comme déjà nous sentons que nous allons l'aimer ainsi que notre vraie fille.

Elle est très sage, sauf les indispensables petites colères des fins de journée. Elle s'est réveillée seulement deux fois la nuit au cours de la semaine. Je crois qu'elle avait faim à cause de l'air de la campagne. Ne vous inquiétez pas, je suis toutes les prescriptions que vous m'avez laissées et du reste, à la moindre alerte, je ferais venir le docteur, qui est réputé pour les bébés.

On voit bien qu'elle a déjà pris du poids et je la pèserai chez le pharmacien la prochaine fois que nous irons porter les œufs au marché, pour vous donner des chiffres exacts.

Elle m'a fait déjà plusieurs sourires et tous ses petits lainages lui vont encore très bien.

Vous pouvez être parfaitement tranquille, Madame, recevez mes meilleures salutations.

Deuxième lettre.

Madame,

Vous m'avez demandé de vous tenir fidèlement au courant au sujet de la petite Raymonde et je ne veux pas vous laisser ignorer mes petits soucis actuels. Rassurez-vous, il n'y a rien de grave, le docteur me l'a encore assuré tout à l'heure, mais ses digestions laissent beaucoup à désirer et elle n'a pas pris de poids depuis plus d'un mois. Le docteur me conseille de changer l'alimentation et de supprimer le lait pendant une semaine; nous allons essayer des bouillies au bouillon de légumes. Le docteur préfère que je vous tienne au courant. Il aimerait vous voir et vous poser quelques questions le plus tôt qu'il vous sera possible de venir. J'espère que tout cela s'arrangera très vite et que cette petite Raymonde que vous aimez tant retrouvera bientôt ses sourires et ses couleurs.

Croyez, Madame, à mes sentiments distingués.

CHAPITRE III

PREMIÈRE COMMUNION

Cadeaux de première communion.

Il est d'usage d'envoyer un cadeau aux enfants à l'occasion de leur première communion. Ce cadeau peut être accompagné d'une simple carte de visite. Parfois un proche parent ou une amie intime envoie en même temps une lettre. De toute façon, il faut accuser réception du présent et remercier. Avec les relations les plus distantes on peut exprimer ses remerciements sur une carte, mais il est toujours plus correct d'envoyer une lettre, fût-elle très courte, surtout si le cadeau a vraiment fait plaisir. Déranger quelqu'un pour le remercier par téléphone ne peut être admis qu'à l'égard d'intimes.

Lettre d'une marraine pour annoncer un cadeau de première communion.

Ma petite Véronique,

Ainsi tu vas faire bientôt ta première communion. C'est une étape très importante dans ta vie, et je pense avec émotion que j'étais auprès de toi pour la première des étapes, celle de ton baptême. Il me semble que c'était hier, et voilà que huit années ont passé et que tu en as bien profité pour devenir la petite fille raisonnable que tu es aujourd'hui. Je souhaite beaucoup que tu aies de ta marraine un souvenir qui te rappellera ce grand jour. J'ai beaucoup tenu à t'offrir un objet religieux, puisqu'il s'agit d'une action essentiellement religieuse, celle qui va affirmer ta qualité de chrétienne et la fortifier tout au long de ta vie.

J'espère que ce livre (*ou* crucifix) te fera plaisir et que lorsque tu t'en serviras (*ou* le regarderas), tu auras une petite pensée pour ta marraine qui t'aime tant.

Je t'embrasse tendrement, ma petite Véronique.

Lettre de remerciement de l'enfant.

Ma chère Tante,

Comment vous remercier du superbe crucifix que je reçois à l'instant? Il me fait un immense plaisir et je l'ai placé tout de suite au-dessus de mon lit. Il m'est particulièrement agréable de penser qu'il me vient de vous et que, ainsi, tout au long de ma vie, je pourrai en le regardant penser à ma bonne marraine et à son affection pour moi. Cette affection, je vous la rends avec tout mon cœur et respectueusement.

Permettez-moi de vous embrasser comme je vous aime, je prierai tout particulièrement pour vous le jour de ma première communion.

Lettre de remerciement de la mère.

Ma chère Françoise,

Je ne veux pas laisser partir la lettre de Véronique sans y ajouter un mot. Vous l'avez vraiment beaucoup gâtée et ce crucifix est magnifique. Son expression est si belle, c'est bien celui que je pouvais souhaiter lui voir posséder. Merci de tout cœur, ma chère Françoise, vous êtes la meilleure des marraines, je vous envoie mes très affectueuses pensées, et merci pour notre petite communiante.

Lettre au supérieur de son mari qui a envoyé un cadeau de première communion.

Monsieur,

Vous êtes infiniment bon d'avoir pensé à gâter notre fille, et le livre que vous avez bien voulu lui envoyer a fait son admiration. Nous vous en avons une très grande reconnaissance et je me hâte de venir vous en remercier en son nom et au nôtre.

Je vous prie de croire, Monsieur, à mes sentiments distingués.

Lettre à une subordonnée de son mari qui a envoyé des fleurs.

Chère Mademoiselle Sabordier,

Vous êtes vraiment trop aimable d'avoir si gracieusement manifesté votre pensée au moment de la première communion de notre fille. Vos fleurs étaient ravissantes, elles ont orné la place d'honneur et tout le monde les a admirées.

Je suis infiniment touchée de votre attention, chère Mademoiselle Sabordier, et je veux vous en dire ma vive reconnaissance avec toute ma sympathie.

Lettre de l'enfant à une vieille amie de sa mère qu'il ne connaît pas, pour la remercier.

Madame,

Maman m'a si souvent parlé de vous que je crois vous connaître et je veux vous dire combien vous m'avez fait plaisir en me gâtant pour ma première communion.

Cette statuette de la Sainte Vierge est ravissante, je l'ai placée sur ma cheminée. Je voudrais beaucoup que vous veniez l'admirer et nous voir. Maman serait bien contente, et moi aussi.

Vous voulez bien me permettre, Madame, de vous embrasser avec tout mon cœur pour vous remercier.

Lettre de la mère à une amie pour remercier d'un cadeau de première communion.

Chère Amie,

Vous êtes vraiment trop bonne d'avoir pensé à gâter Chantal; cette charmante gravure a fait notre joie et je veux vous dire combien nous sommes touchés de votre pensée. Il a fallu tout de suite mettre à la place d'honneur ce cadre si parfaitement choisi. Je reconnais là votre goût et votre personnalité.

Croyez, ma chère Amie, à mes souvenirs les plus affectueux.

Lettre de l'enfant.

Chère Madame,

Je veux, moi aussi, vous remercier, et vous dire combien je suis heureuse de ce ravissant tableau qui fait le plus bel ornement de ma chambre. Je penserai toujours à vous en le regardant et je vais bien prier pour vous le jour de ma première communion. Veuillez croire, chère Madame, à ma respectueuse affection.

Tout cadeau demande des remerciements par lettre. Aux personnes qui ont envoyé des fleurs, on peut adresser une carte de visite :

Madame Pierre LENOBLE

Très touchée de la charmante attention de Madame Ricardeau, la remercie bien vivement de ses ravissantes fleurs pour sa première communiante.

Télégramme.

Suis avec vous par la pensée dans ce grand jour.

Invitation à une réception.

Carte de visite.

Madame Pierre LENOBLE

recevra Jeudi 28 mai de 5 à 7, à l'occasion de la première communion de son fils Eric.

R.S.V.P.

ou bien carton de correspondance.

Chère Amie,

A l'occasion de la première communion de Jacqueline, nous souhaitons réunir quelques amis parmi les plus intimes et vous savez que vous êtes de ceux-là. Faites-nous donc le plaisir de venir goûter tous deux jeudi 28 mai vers 5 heures avec Antoine et Bernadette.

Nous espérons une bonne réponse et vous envoyons de ménage à ménage notre bonne amitié.

Réponses.

M. et Mme DUGUICHARD

remercient madame Lenoble de son aimable invitation, à laquelle ils auront le grand plaisir de se rendre. Ils penseront tout particulièrement jeudi matin à Loïc et à ses parents pour la grande cérémonie.

Carton de correspondance.

Chère Amie,

Nous serons très heureux d'entourer Jacqueline avec vous jeudi et de lui porter nos affectueuses félicitations. Merci d'avoir pensé à nous, tous quatre nous acceptons avec le plus grand plaisir votre invitation.

Nous vous envoyons nos affectueuses pensées.

CHAPITRE IV

ÉDUCATION

Lettre pour proposer une place d'institutrice.

Mademoiselle,

Votre annonce dans le *Petit-Soir* du 6 juin retient mon attention.

Pour mes trois enfants (une fille de dix ans, deux garçons, de huit et six ans), je cherche une personne compétente, jeune, catholique et de bonne santé, qui puisse les faire travailler.

Ma fille a déjà commencé le latin. Tous trois suivent des cours par correspondance.

Nous habitons la campagne toute l'année, nous avons une voiture et le gros bourg de X est seulement à 2 kilomètres. Notre installation est confortable et nous ne vivons pas comme des sauvages, car nos nombreux voisins sont fort agréables.

Comme nous nous absentons assez souvent, mon mari et moi, nous avons besoin de pouvoir, sans arrière-pensée, confier la direction de la maison et la responsabilité des enfants à une personne sûre.

Nous avons une cuisinière et la femme du jardinier vient aider. Je demanderais simplement que vous puissiez assurer le ménage des chambres d'enfants et de la vôtre, les enfants nous aidant en toutes choses d'ailleurs. C'est la seule tâche matérielle que je suis obligée de solliciter. L'instruction, bien organisée avec heures d'études régulières, la direction morale, la formation intellectuelle des trois enfants seront naturellement l'essentiel de votre tâche.

Il me reste maintenant à vous demander si tout cela vous semble correspondre à vos propres souhaits, si vous avez déjà rempli le même rôle ailleurs et, dans ce cas-là, s'il vous est possible de me donner à ce sujet des éclaircissements et des précisions. Quels sont les honoraires que vous souhaitez obtenir?

Je serai heureuse que vous puissiez me fournir tous les renseignements possibles et suis toute prête à répondre aux questions qui vous inquiètent.

J'aimerais pouvoir compter sur une présence auprès de mes enfants à partir du 1er avril.

Recevez, Mademoiselle, mes salutations distinguées.

(*Joindre un timbre pour la réponse.*)

Réponse négative.

Madame,

C'est avec le plus grand regret que je ne puis donner suite à votre proposition. Je viens, en effet, de prendre un engagement.

Veuillez croire, Madame, à mes respectueuses salutations.

Réponse positive.

Madame.

Votre proposition m'intéresse beaucoup, car elle semble tout à fait correspondre à mes désirs. J'ai vingt-trois ans, je suis catholique pratiquante; j'ai mes deux baccalauréats, et, comme je suis l'aînée d'une famille nombreuse, j'ai une grande habitude des enfants. De plus, notre aumônier scout pourra vous donner son opinion sur moi, car j'ai assumé le rôle de cheftaine de louveteaux pendant plusieurs années. Je n'ai jamais encore vécu dans une famille comme institutrice, c'est pourquoi je ne possède aucun certificat, mais j'ai donné des répétitions à plusieurs enfants et il vous sera facile d'écrire à leurs parents pour connaître leur opinion sur mes capacités pédagogiques.

Voici les adresses auxquelles vous pourrez obtenir sur moi tous les renseignements que vous souhaitez :

M. l'Abbé X.

Madame R., etc.

Vous pourriez aussi écrire au couvent des dominicaines où j'ai été élevée. Selon les tarifs qui m'ont été fournis par les dominicaines, je voudrais gagner X francs par mois.

Je serais libre comme vous le souhaitez à partir d'avril.

Vous seriez bonne de me fixer le plus rapidement possible, afin que je puisse retenir d'autres propositions si, finalement, votre réponse ne pouvait être affirmative.

Veuillez accepter, Madame, l'assurance de mes salutations respectueuses.

Demande de renseignements sur une institutrice.

Madame,

Cette lettre strictement confidentielle, je me permets de vous l'adresser pour connaître votre opinion sur Mademoiselle Christine Angibeau, qui se propose à moi comme institutrice. Je sais qu'elle a fait travailler vos enfants, j'aimerais que vous me disiez loyalement votre jugement. Est-elle bonne pédagogue, patiente et bien élevée? Surtout aimeriez-vous l'installer à votre foyer, avec ce que cela implique de résonance auprès de jeunes enfants? C'est une maman qui s'adresse à une autre maman; il ne peut, dans ce cas, suffire de s'exprimer d'une façon vague, l'enjeu est trop grave.

A l'avance, je vous remercie, Madame, de ce que vous voudrez bien me confier, votre lettre sera détruite aussitôt.

Veuillez croire, Madame, à mes sentiments distingués.

Réponse.

Madame,

Ma réponse ne peut que vous rassurer; je connais en effet Mademoiselle Angibeau et sa famille depuis longtemps et j'ai pour eux une profonde estime et beaucoup d'affection. Christine est le type de la jeune fille courageuse et débrouillarde à laquelle on peut faire confiance. Elle est intelligente et sa valeur morale est au-dessus de tout éloge.

Vous ne pouvez confier vos enfants à des mains plus sûres.

Autre réponse.

Madame,

La personne dont vous me parlez dans votre lettre a fait, en effet, travailler mes enfants tout un hiver. Je la connais peu et ne saurais vous donner sur elle des détails bien précis. Elle m'a semblé sérieuse et pleine de bonne volonté, mais elle manque un peu d'autorité sur les enfants. Je sais que sa famille est intéressante et qu'elle a besoin de l'aider matériellement.

Veuillez recevoir, Madame, mes salutations distinguées.

(*Quand une lettre donne des renseignements peu élogieux, il ne faut jamais citer le nom; on doit dire « la personne dont vous m'entretenez, ou à laquelle vous vous intéressez, etc.*)

Lettre pour rendre sa liberté à une institutrice.

Mademoiselle,

Sans attendre, je veux vous tenir au courant de notre décision concernant l'avenir de Marie-Claude; nous allons très probablement renoncer à la faire travailler à la maison et envisageons pour elle un internat.

Comme nous ne voulons pas vous laisser dans l'incertitude, je viens vous rendre votre liberté (A), en vous remerciant de ce que vous avez fait pour elle et de toute la sollicitude dont vous l'avez entourée. Elle ne vous oubliera pas, vous pouvez en être sûre, ni nous non plus, et nous aurons toujours plaisir à recevoir de vos nouvelles.

Croyez, chère Mademoiselle, à mes sentiments les meilleurs.

(A) *S'il s'agit d'une institutrice dont on a eu à se plaindre, on arrête ici la lettre.*

Lettre d'une institutrice qui se dédit.

Madame,

Ma contrariété est très grande de me voir contrainte à rompre un engagement, et je vous prie de bien vouloir m'en excuser. Il m'est pénible de vous manquer de parole alors que je me réjouissais de nos projets. Un incident tout à fait indépendant de ma volonté m'y oblige d'une façon impérieuse (A) et je me hâte de vous en avertir aussitôt, afin de vous permettre de trouver, sans tarder, une remplaçante.

Veuillez accepter, Madame, avec mes excuses, l'expression de mes sentiments respectueux.

(A) *On peut ici donner, s'il y a lieu, la raison : maladie de parents, par exemple.*

Lettre à un proviseur pour demander l'inscription d'un élève.

Monsieur le Proviseur,

Je souhaiterais beaucoup vous confier mon fils Hubert Hulot, huit ans, qui a jusqu'ici travaillé à la maison.

Je suis inspecteur d'assurances et je voyage trop pour pouvoir suivre comme il se doit l'éducation et le travail d'un enfant de cet âge. Il a une bonne nature, mais il lui faut une discipline sérieuse.

Ou :

Pour mieux vous le dépeindre, je vous dirai que nous sommes dans le commerce, et qu'il est l'aîné de trois. Pourriez-vous m'indiquer quand et sous quelles conditions il me faudrait vous le présenter. Quels sont le programme et la date de l'examen de passage? Je voudrais aussi connaître le tarif de votre internat. Ma femme s'inquiète également de vos exigences en matière de trousseau.

Veuillez croire, Monsieur, à ma considération distinguée.

Lettre à un proviseur à l'occasion d'un très mauvais bulletin.

Monsieur le Proviseur,

Le bulletin que je vous retourne signé m'est un grave sujet de préoccupation et je voudrais vous en entretenir. Bien sûr, mon fils est à l'âge difficile et tumultueux où les enfants sont capables du meilleur et du pire, mais je constate que ses efforts de travail sont nuls et je me demande dans quel sens il serait souhaitable de sévir.

Je connais la valeur de votre corps professoral et j'imagine facilement la patience que mon enfant exige; cependant, je me demande parfois si l'abondance des élèves permet au professeur de mathématiques d'aller, avec Hubert, au-delà des apparences; je vous serais très reconnaissant d'aborder ce problème avec lui. Hubert se sent jugé définitivement et peut-être en découle-t-il un certain fatalisme contre lequel il ne peut plus réagir. Un peu à la manière de Chateaubriand, il dirait sans doute, s'il savait l'exprimer : « Je me sens prêt à faire tout le mal qu'on semble attendre de moi. »

Je serais heureux de savoir ce que vous en pensez et comment nous pourrions conjuguer notre action pour aider ce malheureux enfant à sortir de cette mauvaise passe où il s'attarde.

Veuillez croire, Monsieur le Proviseur, à mes sentiments distingués.

Lettre à un professeur pour excuser un élève qui n'a pu faire son devoir.

Monsieur,

Puis-je vous demander une indulgence particulière pour Alain. Il se fait beaucoup de souci de ne pas vous apporter son devoir. Une violente migraine, avec légère fièvre, qui l'a fortement affecté hier soir (*ou bien :* une réunion familiale tout à fait exceptionnelle, puisqu'il s'agissait des noces d'or de ses arrière-grands-parents, *ou* des fiançailles de sa sœur aînée), vous paraîtra, j'en suis sûre, une raison valable. C'est moi, je dois le dire, qui ai assumé cette responsabilité en le dispensant de son travail. J'espère que vous voudrez bien m'en excuser et lui faire confiance.

Veuillez croire, Monsieur, à mes sentiments distingués.

Ou bien :

Alain ne vous apportera pas son devoir; j'ai pris sur moi de lui conseiller cette abstention. En effet, il n'avait absolument rien compris aux explications données en classe. Je lui ai reproché un manque d'attention, peut-être, ou d'effort d'adaptation. Quoi qu'il en soit, il m'a semblé préférable qu'il vienne vous trouver pour se faire donner des lumières, mais sa bonne volonté est entière et je ne voudrais pas que cet incident soit sanctionné comme une faute. Il sera tout prêt, après son entretien avec vous, à vous donner son devoir si vous l'autorisez, malgré le retard.

Veuillez, etc.

Lettre à un supérieur de collège pour retirer son enfant.

Monsieur le Supérieur,

Après mûres réflexions, nous avons décidé, ma femme et moi, de rapprocher Michel de nous (A) et je me hâte de vous en avertir, afin que vous puissiez disposer de sa place dans vos prévisions de rentrée.

Ce n'est pas sans beaucoup de regrets que nous le verrons quitter une maison où il a fait l'objet de tant de dévouement et de sollicitude. Je sais qu'il éprouvera beaucoup de peine à vous quitter tous, et qu'il gardera à ses professeurs comme à ses camarades un fidèle attachement.

Veuillez accepter, Monsieur le Supérieur, l'assurance de mes sentiments respectueux.

(A) *Ou :* de reprendre Michel, pour des raisons d'ordre familial (formule vague destinée à voiler une raison d'insatisfaction).

De nombreux parents font inscrire leurs enfants dans deux ou trois collèges, pour choisir finalement au dernier moment. Il est indispensable de choisir au plus tôt et d'aviser les maisons écartées.

Lettre pour faire rayer une inscription.

Monsieur le Supérieur,

Vous aviez bien voulu retenir la candidature de mon fils et l'inscrire pour sa rentrée en cinquième. Des circonstances imprévues m'obligent à modifier mes projets; je me hâte de vous en aviser pour vous permettre de disposer de cette place au profit d'un autre candidat.

Veuillez trouver ici mes regrets et mes excuses, et accepter, Monsieur le Supérieur, mes sentiments respectueux.

Lettre à un proviseur pour l'informer de la maladie d'un enfant.

Monsieur le Proviseur,

Mon fils, Antoine Bricaud (quatrième), ne pourra pas suivre les cours ces jours-ci; il a depuis hier une forte température et le docteur a diagnostiqué (A) la rougeole. J'ai tenu à vous en aviser aussitôt, étant donné les risques de contagion et les mesures de précaution à prendre.

Veuillez recevoir, Monsieur le Proviseur, l'assurance de mes sentiments distingués.

(A) *Ou bien :* une bronchite. Dès que la fièvre tombera, Antoine demandera si l'un de ses camarades veut bien lui porter les leçons et un aperçu des cours, afin de ne pas se laisser trop gravement distancer. Veuillez, etc.

Même lettre pour le professeur titulaire de la classe.

Lettre à un proviseur pour lui demander la faveur de faire sortir un enfant avant la date fixée pour les vacances.

Monsieur le Proviseur,

Vous voudrez bien excuser ma démarche, je n'aime pas rompre un cadre de discipline et cependant je viens très exceptionnellement vous demander une mesure de faveur : Dominique pourrait-il partir la veille du jour fixé pour la sortie?

C'est tout un concours de circonstances qui nous oblige à avancer notre départ en vacances et vous m'en voyez très contrarié.

J'espère que Dominique vous a donné assez de satisfaction pour que cette mesure ne vous semble pas trop fâcheuse.

Veuillez, avec mes excuses, trouver ici, Monsieur le Proviseur, l'assurance de ma considération distinguée.

Lettre pour demander une réduction de prix.

Monsieur l'Econome,

Avant de prendre ma décision au sujet de l'inscription de mon fils, je me permets de tenter auprès de vous une démarche que je vous prie à l'avance de comprendre et d'excuser.

Ma situation matérielle est extrêmement modeste (A). Veuve avec trois enfants, je n'ai, pour les faire vivre, que mon travail et l'équilibre de mon budget est toujours un problème. Cependant, il est indispensable de mettre Renaud en pension, étant donné son âge et son caractère. Une direction masculine s'impose. C'est l'avis de ses éducateurs actuels. Je viens donc vous demander s'il vous serait possible de me consentir une mesure de faveur qui me permît de vous le confier, les conditions normales d'internat étant absolument au-dessus de nos moyens.

Je suis confuse de vous exposer ainsi mon tourment et de me montrer à la fois si exigeante et si confiante.

Je vous prie d'accepter, avec mes excuses, l'expression de mes sentiments respectueux.

soit :

(A) Ma situation est, en ce moment, très critique, les difficultés présentes ayant durement atteint ma maison.

Cependant, Renaud, avec son caractère actuel, a un besoin impérieux de la discipline d'un internat et je sais tout le bien qu'il retirerait de votre influence. Je me permets donc de vous exposer très simplement mon cas. Me serait-il possible, étant donné les circonstances et aussi ma nombreuse famille, d'obtenir la grande faveur d'une réduction? Je vous en aurais une infinie reconnaissance.

J'espère que vous voudrez bien pardonner ma démarche et accepter l'expression de mes sentiments respectueux.

Lettre à un professeur pour lui demander des leçons particulières.

Monsieur,

Je sais combien votre temps est occupé. Cependant, je viens vous demander s'il ne vous serait pas possible de consacrer, une ou deux fois par semaine, un moment à mon fils Gabriel pour des répétitions de mathématiques. Vous avez pu constater qu'il suivait sa classe avec peine. Je suis persuadé qu'il trouverait grand profit à être pris à part et éclairé par vous. Voudriez-vous me dire, si la chose est possible, quels sont les jours et les heures où vous vous occuperiez de lui? Je vous serais reconnaissant de me dire, aussi, quelles seraient les conditions de ces répétitions.

Veuillez accepter, Monsieur, l'expression de mes sentiments distingués.

Lettre pour remercier une maîtresse ou un professeur qui a, bénévolement, donné des répétitions.

Madame,

Je serais bien ingrate si je ne vous disais pas ma reconnaissance. L'intérêt que vous portez à Liliane me touche profondément; je voudrais qu'elle en soit vraiment digne et vous fasse honneur. Je sais le poids de vos journées surchargées et combien il vous faut de dévouement pour accorder quelques instants à ma fille.

Veuillez trouver ici, avec ma gratitude, l'expression de mes sentiments les meilleurs.

Lettre d'étudiant pour briguer un poste de précepteur.

Monsieur,

Etudiant en droit, je souhaite occuper mes vacances à faire du professorat. Votre annonce propose un poste que je crois pouvoir assumer. J'aime enseigner et ne manque pas d'autorité. Mon expérience du scoutisme m'a familiarisé avec les jeunes garçons. J'ai vingt ans, je jouis d'une parfaite santé, et avec les quelques adresses suivantes vous pourrez obtenir sur mon compte tous les renseignements que vous souhaiterez.

Je serais libre du 1er juillet au 1er octobre. Puis-je vous demander ce que vous proposez comme mensualité?

Je vous prie d'agréer, Monsieur, l'expression de mon respect.

Lettre à une jeune fille étrangère pour lui proposer un poste au pair.

Mademoiselle,

L'Association des étudiants étrangers me donne votre adresse. Vous souhaitez passer une année dans une famille française; de mon côté, je cherche une jeune étrangère qui accepte de partager notre vie en m'aidant dans ma tâche quotidienne.

Mon désir est de vous accueillir comme je voudrais, plus tard, voir ma fille accueillie dans votre pays. J'ai trois petits enfants, Bruno (cinq ans), Bénédicte (trois ans) et Blandine (sept mois). Je suis aidée pour les plus gros travaux par une femme de ménage. J'assume moi-même cuisine, ménage et soins des enfants. J'aimerais trouver en vous une compagne qui m'aide en toutes choses et me soulage un peu. Naturellement, vous partagerez nos plaisirs de la même manière et j'espère que la vie de France vous semblera attrayante. De toute façon, il vous sera sans doute agréable de disposer librement d'une journée par semaine. Nous nous efforcerons aussi de vous initier aux difficultés de la langue française, afin que votre séjour vous soit pleinement profitable.

Vous serez aimable de me donner votre réponse le plus rapidement possible, afin que je sache si je peux compter sur vous; j'aurais aimé vous voir arriver au début du mois prochain.

Croyez, Mademoiselle, à mes sentiments distingués.

Lettre pour demander une bourse. L'adresser à Monsieur l'Inspecteur d'académie du centre auquel on appartient.

Monsieur l'Inspecteur,

J'ai l'honneur de vous demander une feuille de renseignements à remplir pour tenter d'obtenir une bourse dont mon fils serait bénéficiaire.

Veuillez agréer, Monsieur l'Inspecteur, l'assurance de ma considération distinguée.

Ensuite, constituer un dossier avec :

1° *Une demande sur papier libre du père, de la mère ou du tuteur.*

Monsieur l'Inspecteur,

J'ai l'honneur de solliciter, pour mon fils Bruno-Paul-Marie-Antoine Semain, la faveur d'une bourse pour la classe de sixième. Veuillez agréer, etc.

2° *Un acte de naissance de l'enfant.*

3° *Un certificat de scolarité établi par le chef de l'établissement où l'enfant a fait ses études.*

4° *Un extrait de tous les rôles des contributions payées par les parents, établi par le percepteur*

5° *Une feuille de renseignements (demandée ci-dessus) indiquant les nom et prénoms du candidat, sa situation de famille, les bourses déjà éventuellement accordées aux frères et sœurs, les charges de famille, les ressources totales de la famille, les impôts payés, etc.*

Demande d'admission dans une colonie de vacances.

Voici les centres officiels où il faut s'adresser pour Paris :

Union française des colonies de vacances, 15, rue de Coulmiers, Paris, XIVe.

Jeunesse en plein air, 29, rue d'Ulm, Paris.

Fédération des colonies de vacances familiales, 17, rue Viète, Paris, XVIIe.

Comité protestant, 25, rue Blanche, Paris.

Pour la province : écrire à l'un de ces centres pour demander l'adresse de leur filiale dans la région.

Monsieur le Directeur,

Je viens vous demander de bien vouloir considérer avec bienveillance la candidature de mon fils à l'admission de votre colonie de vacances. Il a huit ans depuis le 6 mars et se trouve en parfaite santé. Voulez-vous me faire parvenir tous les papiers à remplir, avec les conditions d'admission?

Veuillez accepter, Monsieur le Directeur, l'assurance de ma considération distinguée.

ou :

Veuillez m'indiquer à quel centre je dois m'adresser en vue de l'admission de mon fils à une colonie de vacances. Nous habitons Saumur. Mon fils a huit ans depuis, etc.

CHAPITRE V

EXAMENS

Lettre pour demander son inscription pour les épreuves du baccalauréat.

Cette lettre doit être adressée, pour Paris, à :

L'Office du baccalauréat, 21, rue Vauquelin, à Paris.

Pour la province, à :

Monsieur le Recteur de l'Académie, ou Monsieur le Doyen de la Faculté de (la ville où se trouve la faculté pour la région qu'on habite).

Monsieur,
ou Monsieur le Recteur,
ou Monsieur le Doyen,

En vue des prochaines épreuves du baccalauréat auxquelles je désire me présenter, je vous prie de bien vouloir me faire parvenir l'imprimé que j'ai à remplir avec les indications de toutes les pièces nécessaires à mon inscription. Je désire me présenter au centre de...

Veuillez croire, Monsieur, à mes sentiments respectueux.

La demande de dispense d'âge, en vue du même examen, est adressée aux mêmes personnalités et dans des termes analogues; toutefois, il est préférable qu'elle soit rédigée par les parents, par exemple :

Monsieur le Recteur,

Je vous prie de bien vouloir m'indiquer quelles sont les formalités et conditions à remplir pour obtenir une dispense d'âge pour mon fils en vue des épreuves prochaines du baccalauréat. Il a quinze ans depuis le 6 février de l'année en cours, il est le troisième de sept enfants et ses notes scolaires semblent l'autoriser à cet espoir de passer cette année son examen.

Veuillez accepter, Monsieur le Recteur, l'expression de ma haute considération.

Recommandations.

Il est probablement assez vain de recommander les élèves à l'indulgence du jury, et il n'est pas rare que le candidat pâtisse d'un excès de recommandations, soit que certains examinateurs, dans l'espoir de faire briller le jeune homme recommandé, lui posent des questions sur des sujets qu'il ignore totalement, soit que la sympathie d'autres professeurs aille précisément, dans une série de candidats, à ceux qui ne sont pas recommandés.

Voici, à titre documentaire, une lettre adressée par George Sand à Sainte-Beuve, à l'occasion du baccalauréat.

Une recommandation de George Sand.

Mon ami,

J'espère que vous êtes toujours bon pour moi et que vous voudrez bien me rendre service avec le même bonheur que j'éprouverais à en faire autant pour vous. Enfin, je vous juge d'après mon cœur en cette circonstance, et je viens vous demander d'aider une bonne et chère amie à moi, digne par son intelligence et ses bonnes qualités de votre intérêt particulier.

Il s'agit simplement de recommander son jeune frère, un peu arriéré dans ses études par suite d'une longue maladie, à l'indulgence des examinateurs pour le baccalauréat. Elle-même vous dira mieux que moi l'importance du service que je vous demande pour elle, et qui, je crois, ne vous coûtera que la peine de dire quelques mots, mais bien pressants, aux examinateurs que vous devez assurément connaître.

Promettez-moi que vous le ferez, et soyez sûr que vous aurez fait une bonne œuvre, car jamais femme ne fut plus noble, plus pure, plus méritante, et moins heureuse que Mademoiselle E. T.

Adieu, cher Ami, soyez bien dans la vie sous tous les rapports, c'est-à-dire que Dieu soit avec vous; et croyez à ma vieille amitié.

GEORGE SAND.

Lettre pour demander ses notes après un examen.

S'adresser, pour le baccalauréat, au recteur de l'Académie (joindre une enveloppe timbrée, portant son nom et son adresse).

Monsieur le Recteur,

Candidat à l'épreuve du baccalauréat, première partie, section moderne, passée avec succès le 10 juillet dernier, j'ai l'honneur de solliciter de votre bienveillance le détail de mes notes dans les différentes matières d'écrit et d'oral.

J'espère ne pas trop vous importuner par cette démarche et vous prie d'agréer, monsieur le Recteur, avec mes remerciements anticipés, l'expression de mes sentiments respectueux.

Lettre à une grand-mère ou à une marraine pour lui annoncer son succès.

Chère Bonne-Maman,

Ton petit-fils est reçu! je te le dis bien vite et sans phrase, parce que je connais ton impatience. Je n'ai pas besoin de t'exprimer mon allégresse et je sais bien que ton tendre cœur va la partager totalement.

Ne te rengorge pas trop. J'ai eu une chance folle. Mais le principal est que cette dure année se termine triomphalement et que je ne t'ai pas donné la déception d'un échec. Tu te faisais tant de soucis pour moi!

Alors, ma chère Bonne - Maman, réjouissons-nous ensemble, je t'embrasse avec tout mon cœur en te disant à bientôt.

Lettre d'un candidat à un professeur pour lui annoncer son succès.

Cher Monsieur,

C'est un bien agréable devoir pour moi de tenir ma promesse en vous annonçant mon succès. Jusqu'au dernier moment j'ai tremblé; maintenant, je n'ai plus qu'à me réjouir. Vous avez une telle part dans ce succès que je veux immédiatement vous remercier.

Je vous ai donné bien du mal et souvent même bien du souci, je voudrais que vous sachiez que j'en suis parfaitement conscient et conscient aussi que, sans vous, je ne serais jamais arrivé au but.

Je vous souhaite, cher Monsieur, d'heureuses vacances; grâce à vous, les miennes vont être une détente totale. Je me permettrai d'aller vous voir en octobre pour vous parler de mes projets d'avenir.

Veuillez croire, cher Monsieur, à mes sentiments respectueux et reconnaissants.

Lettre d'un candidat à un professeur pour lui annoncer un échec.

Cher Monsieur,

Hélas! cette lettre n'est pas celle que j'espérais vous écrire ni que vous espériez recevoir.

Mon nom n'était pas sur la liste; je vous avais promis de vous tenir au courant, il me faut tristement m'exécuter. Je ne peux dissimuler ma déception et, sur le moment même, mon découragement.

Mais déjà je me ressaisis et j'ai l'intention de me remettre au travail avec acharnement. Vous auriez mérité un élève plus brillant et je suis fort fâché de vous faire si peu honneur.

J'aurais bien besoin que vous me remontiez le moral. Veuillez croire, cher Monsieur, à mes sentiments respectueux et reconnaissants.

CHAPITRE VI

VACANCES, HÔTEL, SÉJOUR, ÉTRANGER

Lettre pour organiser un pique-nique.

Chers Amis,

Nous projetons, si le temps le permet, un pique-nique dimanche prochain à la Croix-des-Chemins. Nous serions ravis si ce projet vous souriait et que vous acceptiez d'être des nôtres. Les Ribeau, Crampion, Charmelon, Suzanne Micaud, etc., ont déjà donné leur accord, et je compte également proposer à Paul et Bob Marcelet de se joindre à notre bande.

J'espère vivement une réponse favorable. Le rendez-vous serait à la maison, afin que l'on se répartît dans les voitures.

Dites-moi, dans l'affirmative, la participation que vous choisirez dans le menu. Les garçons se chargent de la boisson. J'avais l'intention de prendre à mon compte une partie de la viande froide, avec les Ribeau, à moins que vous ne le préfériez, auquel cas je me chargerais de l'entrée ou des fruits. Suzanne et les Crampion se sont inscrits pour les gâteaux.

Demande de passeport pour l'étranger.

Il faut aller au commissariat et remplir une formule. Toutefois, si le solliciteur habite la campagne, il peut écrire la lettre suivante au préfet :

Monsieur le Préfet,

Je soussigné, Raynaud Armand, propriétaire au hameau de Quinerolles, par Saint-Chamond, ai l'honneur de vous prier de bien vouloir me faire établir un passeport pour me rendre à l'étranger. J'ai l'intention de voyager en Suisse et en Italie pour mon plaisir.

Veuillez trouver ci-joints mon extrait de naissance et mon certificat de résidence.

Je vous prie d'agréer, Monsieur le Préfet, l'assurance de ma considération la plus distinguée.

Signature.

Joindre extrait de naissance et de livret militaire pour les hommes et extrait de l'acte de mariage pour les femmes.

Lettre pour retenir une cabine sur un bateau.

Nom et adresse.

Monsieur,

Je vous prie de bien vouloir me réserver deux couchettes de première classe sur le vapeur *Timgad,* qui doit partir de Marseille le 15 avril prochain. Autant que possible, je voudrais deux couchettes de cabine extérieure vers le centre du bateau. Veuillez m'indiquer les couchettes qui restent disponibles en m'en fixant le prix et la somme que je devrai vous faire parvenir dès maintenant pour en réserver deux. Je vous enverrai un chèque aussitôt.

Veuillez agréer, Monsieur, mes sincères salutations.

Lettre à un syndicat d'initiative pour se renseigner sur les ressources d'un lieu de villégiature.

Nom et adresse.

Monsieur,

Je vous serais reconnaissante de me donner tous renseignements utiles en vue d'une villégiature à X.

Quelles sont ses ressources hôtelières? Notre famille se compose de quatre personnes, dont deux jeunes enfants (cinq et sept ans). Je souhaiterais donc un hôtel confortable, sérieux et bien fréquenté, plutôt genre pension de famille, à des prix moyens. Quelles sont les maisons qui répondraient à ces caractéristiques? Peut-être me résignerais-je à une villa ou à un appartement. Pourriez-vous m'indiquer une agence sérieuse où je puisse m'adresser?

Les cars d'excursions sont-ils nombreux et réguliers? Les promenades à pied, faciles et jolies? Votre localité comporte-t-elle un casino, des courts de tennis, une piscine ou une baignade?

Quelles sont les ressources du pays du point de vue matériel : marchés, fermes, jardins, épiceries, etc.?

Est-il possible de trouver de l'aide : femme de ménage, laveuse, et même jeune fille pour garder, de temps à autre, les enfants?

Peut-être pourriez-vous m'indiquer autour de X d'autres lieux plus sauvages où il serait agréable de passer des vacances? Nous disposons d'un scooter qui permettrait d'aller faire les courses, si la villégiature se trouvait loin d'un village.

Vous trouverez ci-joint un timbre pour la réponse, que je vous serais obligée de ne pas me faire trop attendre.

Recevez, Monsieur, avec mes remerciements anticipés, mes sincères salutations.

Lettre à un syndicat d'initiative au sujet d'une villa à louer.

Nom et adresse.

Monsieur,

J'ai l'intention de passer deux mois à X..., du 15 juillet au 15 septembre. Et je me permets de vous demander de bien vouloir me faire envoyer une liste de villas meublées disponibles à cette époque, avec les prix de location.

Il me faudrait une villa contenant au moins quatre lits et située aussi près que possible de la mer sans être trop éloignée du marché et des magasins d'approvisionnement.

Je ne voudrais pas payer plus de ... francs au maximum pour les deux mois de location, et j'espère que vous pourrez m'indiquer des villas à un prix sensiblement inférieur.

Veuillez agréer, Monsieur, avec mes remerciements anticipés, mes bien sincères salutations.

Il faut toujours mettre un timbre lorsqu'on demande des renseignements à une personne qui n'est pas chargée, par sa fonction, d'y répondre, par exemple à un curé, un instituteur ou même à un maire. C'est plus courtois et plus prudent. Bien entendu, le timbre devient inutile dès qu'on s'adresse à une agence ou au propriétaire de la villa.

Lettre à la propriétaire d'une villa à louer pour l'été.

Nom et adresse.

Madame,

L'agence Z m'indique votre maison comme correspondant approximativement à mes recherches. Voudriez-vous me donner à son sujet toutes précisions utiles : cette villa est-elle entièrement disponible ou vous réservez-vous des pièces pour vous-même? Nombre de pièces. Prix pour la saison allant du 15 juillet au 15 septembre, situation par rapport à la mer et exposition. Nombre de lits montés. Matériel de cuisine, vaisselle, couverts, etc. Que pouvez-vous fournir comme couverture? La maison est-elle dans un jardin et fournissez-vous des fauteuils de jardin?

Existe-t-il des magasins à proximité avec toutes les ressources nécessaires? M'indiqueriez-vous une personne sûre qui me donnerait deux à trois heures de ménage par jour?

Si vous pouviez m'envoyer une photographie de la maison, je vous la retournerais avec ma décision.

Avec l'espoir d'une entente pour notre satisfaction à toutes deux, je vous envoie, Madame, mes salutations distinguées.

Lettre à un hôtelier pour se renseigner.

Nom et adresse.

Monsieur,

Par le syndicat d'initiative de votre ville, votre maison m'est recommandée. Je vous serais obligée de me donner vos prix de pension pour notre famille : deux parents, trois enfants (neuf, huit et trois ans).

Il nous faudrait une chambre à deux lits pour les aînés, et un petit lit ajouté dans notre chambre à un grand lit.

Notre intention serait de venir pour trois semaines en juillet ou en septembre, selon les prix et vos places disponibles. J'espère que vous nous consentirez une réduction intéressante étant donné notre nombre. A ces renseignements j'aimerais que vous ajoutiez quelques-uns de vos menus habituels et la composition du petit déjeuner. Les repas sont-ils servis par petites tables et à quelles heures?

Peut-on suivre un régime pour hépatique et les menus des jeunes enfants sont-ils prévus?

Quel est le confort de vos chambres? Eau courante? Peut-on utiliser la salle de bains avec ou sans supplément?

Le service et les taxes sont-ils comptés dans vos prix de pension? Sinon, à combien se montent-ils?

Vous m'obligeriez en me répondant le plus tôt possible, afin que je puisse établir mon plan de vacances.

Recevez, Monsieur, mes salutations distinguées.

Lettre pour demander une réduction de prix.

Nom et adresse.

Monsieur,

Tout ce que j'ai entendu d'élogieux sur votre maison me fait vivement souhaiter de pouvoir y passer nos vacances.

Malheureusement, le tarif de vos pensions, que vous venez de me faire parvenir, ne cadre pas du tout avec mes possibilités. Il me faudra donc, à mon grand regret, renoncer à mes projets, à moins que vous ne puissiez consentir un effort que j'apprécierais grandement. La longueur de notre séjour et notre nombre pourraient peut-être nous valoir une sérieuse révision de vos prix en notre faveur. Je suis persuadé que notre satisfaction, exprimée autour de nous, attirerait à l'avenir de nombreux amis.

Je ne prendrai ma décision définitive qu'au reçu de votre réponse, je l'espère vivement, satisfaisante.

Recevez, Monsieur, mes salutations distinguées.

Lettre à un hôtelier pour retenir des chambres.

Nom et adresse.

Monsieur,

Les précisions que vous m'envoyez me donnent satisfaction. Je vous serais donc reconnaissant de me réserver, à partir du 1er juillet jusqu'au 21 inclus, deux chambres au

3e étage, l'une avec un grand lit pour deux personnes, l'autre avec deux petits lits. Je vous prierais d'ajouter dans la première un petit lit d'enfant (trois ans).

Il est bien entendu que ces deux chambres comportent l'eau courante et que le prix de pension global pour nous cinq sera de . . . francs, taxes et service compris.

Je vous écrirai quelques jours avant notre arrivée pour vous en fixer l'heure et vous demander de nous envoyer une voiture.

Recevez, Monsieur, mes salutations distinguées.

Lettre pour retenir une chambre d'hôtel pour une seule nuit.

Nom et adresse.

Monsieur,

Je compte arriver à Lyon le jeudi 21 juillet assez tard dans la soirée, peut-être même dans la nuit (*ou* par le train qui, venant de Paris, atteint Lyon à 22 h 55), et je vous serais obligé de me réserver une chambre pour une personne à des prix modiques.

Il m'importe peu qu'elle soit très petite, pourvu qu'elle comporte l'eau courante. Si votre hôtel devait se trouver plein à cette époque, veuillez m'en aviser par le retour du courrier à l'adresse ci-dessus, en me désignant un établissement analogue au vôtre.

Recevez, Monsieur, mes salutations distinguées.

Invitation à passer quelques jours seulement de vacances.

Chers Amis,

Vous nous feriez un bien grand plaisir en venant passer auprès de nous quelques jours cet été. Notre chambre d'amis sera disponible entre le 2 et le 10 août; serez-vous libres à cette époque et nous donnerez-vous la joie de nous consacrer cette liberté tous les deux? Nous avons des trains très pratiques deux fois par jour qui partent à (telle heure) et arrivent à (telle heure).

Vite une bonne réponse, afin que nous puissions mettre au point nos projets et plans pour cet été.

Nous vous envoyons en ménage notre fidèle amitié.

Réponse affirmative.

Vous êtes vraiment bien gentils, mes chers Amis, d'avoir pensé à nous dans vos projets de réception d'été. Nous serons enchantés d'aller passer auprès de vous quelques jours comme vous nous le suggérez, car nous n'avons encore rien envisagé jusqu'ici comme déplacements de vacances.

Nous pourrions donc arriver le 2 août, nous vous fixerons au dernier moment l'heure du train choisi. Bien entendu, si finalement vos projets se modifient et que notre venue soit pour vous un dérangement, n'hésitez pas à nous remettre ou à nous décommander.

A bientôt, j'espère, chers Amis, et croyez à toute notre fidèle affection.

Réponse négative.

Chers Amis,

Malgré l'immense plaisir que nous éprouverions à nous rendre à votre charmant appel, il nous sera impossible de l'accepter. Nos projets d'été sont, en effet, incompatibles avec la Bretagne (*ou* la Sologne, etc.), nous sommes prisonniers de nombreuses obligations professionnelles et familiales.

C'eût été pourtant bien bon de nous retrouver sous votre toit si hospitalier et nous vous sommes bien reconnaissants d'avoir pensé à nous.

Avec nos très vifs regrets, voulez-vous accepter, chers Amis, l'assurance de notre fidèle amitié (*ou* de nos sentiments affectueux).

N. B. — *Ces réponses doivent être très rapides, afin de permettre à vos amis de fixer leurs projets et d'inviter d'autres personnes à votre place sans attendre le dernier moment.*

Lettre à une amie pour se dédire après une acceptation.

Chère Amie,

Vous me voyez couverte de confusion et de regrets; une brusque aggravation de l'état de santé de ma mère (*ou* un très fâcheux contretemps professionnel, ou familial) vient bouleverser tous nos plans.

J'en serais moins affectée si cela ne modifiait en même temps les vôtres, et je ne sais comment me faire excuser pour ce bien involontaire faux bond.

Il nous est impossible de mettre à exécution notre bon projet de séjour. Quelle malchance et quelle déception! J'espère que ce changement de programme ne va pas amener pour vous trop de complications.

Je pense maintenant que tout était trop beau et que nous nous réjouissions trop fort. C'est avec une vraie peine que je renonce à vous dire : à bientôt.

Croyez, chère Amie, à ma fidèle affection.

Lettre à des amis après un premier séjour.

Chers Amis,

Vous êtes vraiment des amis incomparables et votre accueil est un enchantement. Je comprends aussi votre attachement à ce beau pays dont vous nous avez fait les honneurs. Tout a été mis en œuvre pour nous distraire et nous séduire, et vous y avez ajouté l'art de faire oublier à vos hôtes qu'ils représentent pour vous une fatigue et un encombrement.

Vous ne pensez qu'à leur faire plaisir et je voudrais que vous sachiez combien largement vous avez atteint votre but.

Merci, mes chers Amis, nous garderons de ce séjour dans ce ravissant Virieu un souvenir enchanté.

Croyez à notre reconnaissante et fidèle amitié.

Lettre après un séjour classique chaque année.

Chère tante Madeleine,

Cette douce habitude que vous m'avez fait prendre chaque été est pour moi une source de joie jamais déçue.

Chaque fois je reviens réconfortée, reposée, ravie, avec une bonne provision de forces pour le restant de l'année. Vous êtes toujours si bonne que j'en arrive à oublier mes scrupules et j'ai peur maintenant de n'avoir pas su vous aider et de m'être montrée naïvement encombrante — on est si bien chez vous!

Vous ne pouvez savoir quel plaisir j'éprouve chaque année à retrouver les lieux et les êtres... et les bêtes aussi, tout m'est familier et indulgent, et vous réussissez à me donner l'impression d'être un peu chez moi.

Permettez-moi de vous redire ma reconnaissance avec toute ma respectueuse affection.

Lettre de remerciement après un séjour, appelée familièrement « lettre de château », à une parente.

Chère tante Lucie,

Ce petit séjour fut délicieux. Il représente dans ma vie fatigante un îlot de détente et de joie dont je vous garde une immense reconnaissance.

J'ai cependant quelques scrupules à vous avoir encombrée ainsi et je crains que mon repos n'ait été au détriment du vôtre. Mais je sais combien vous pensez peu à vous-même, c'est d'ailleurs la raison pour laquelle vous savez créer une atmosphère où l'on se sente si bien chez soi.

Merci de tout mon cœur, chère tante Lucie, je garde un souvenir merveilleux de mes vacances auprès de vous. Permettez-moi de vous embrasser avec toute mon affection.

Un ménage avec des enfants peut utiliser cette lettre en la mettant au pluriel : Notre petit séjour fut délicieux, etc.

Lettre d'un jeune homme aux parents de son ami chez lesquels il vient de passer quelques jours.

Madame,

Permettez-moi de venir vous exprimer ma reconnaissance pour m'avoir accueilli avec tant de bonté.

Vous savez ma solide amitié pour Hubert, j'étais ravi de passer avec lui ces quelques jours, dans sa famille, et de me sentir traité comme un fils de la maison.

J'espère que je ne vous ai pas trop dérangée par mon encombrante présence; je me suis pleinement détendu et amusé, et je garde un souvenir merveilleux de ce séjour.

Veuillez, Madame, trouver ici, avec ma gratitude, l'expression de mes respectueux sentiments, que vous voudrez bien transmettre aussi à Monsieur Lebel. J'écrirai bientôt à Hubert.

Lettre à des amis que l'on a visités au passage et qui vous ont retenus.

Chère Marie-Jeanne,

Quelle charmante petite halte vous nous avez procurée! Je suis un peu honteuse, à retardement, que nous nous soyons ainsi laissé si facilement convaincre de descendre nos valises. Mais vous avez l'art d'accueillir et votre amitié est si simple que nous n'avons pas su résister!

Notre joie a été grande de vous retrouver sans la limite des heures dans cette bonne soirée où tous les liens se renouent comme si l'on ne s'était jamais quittés.

Votre installation nous a fort séduits et vos charmants enfants ont fait notre conquête; nous les connaissions si mal.

Merci donc de tout cœur pour le plaisir que vous nous avez donné. Partagez en ménage notre vive amitié.

Lettre à une famille étrangère dont vous recevez l'enfant au pair.

Madame,

Nous attendons John avec beaucoup de joie. Sa chambre sera prête à l'accueillir à partir du 1er juillet et Hubert fait mille projets pour rendre son séjour aussi agréable et instructif que possible.

Notre vie familiale est très simple, il la partagera comme un enfant de la maison. Je n'ai pas de personnel et j'assume seule tout le travail ménager. Je demanderai donc à John ce que je demande à Hubert : faire son lit, sa chambre, et me rendre quelques menus services.

Je souhaite vous donner pleine sécurité, et alléger votre séparation par l'assurance de très joyeuses vacances pour John.

Veuillez croire, Madame, à mes sentiments les meilleurs.

Lettre à une famille étrangère qui va recevoir un enfant au pair

Madame,

Ma fille Colette compte s'embarquer lundi prochain et sera, je crois, à 18 h 07 à Londres, Victoria Station. Je vous la confie avec une totale tranquillité, sûre qu'elle trouvera dans votre foyer l'accueil amical qui l'acclimatera tout de suite. S'il était possible qu'elle soit attendue à la gare, j'en serais rassurée, car elle est assez timide. Sa connaissance de l'anglais est très rudimentaire et, sans qu'elle veuille l'avouer, je la sens très émue. Elle portera un tailleur de flanelle grise, une petite blouse de surah rouge.

Elle se réjouit beaucoup de découvrir sous un autre ciel et sur un autre sol une vie familiale qu'elle se sent toute prête à aimer. Elle sera heureuse de participer en toutes choses à votre existence quotidienne, partageant avec Barbara et Ann les besognes ménagères comme elle partagera leurs plaisirs. Elle m'aide beaucoup à la maison et ne manque pas d'expérience.

Je souhaite qu'elle profite au maximum de cet enrichissement qui lui est proposé. Rien n'est plus formateur pour les jeunes que de franchir les frontières, et Colette a beaucoup de chance de le faire dans des conditions aussi attrayantes.

Je me réjouis, en retour, d'accueillir Barbara en décembre, en vraie fille, comme je sais que vous recevrez Colette.

Je compte sur vous pour me tenir au courant des incidents de santé ou autres qui pourraient survenir, mais cela est, j'espère, précaution superflue.

Veuillez croire, Madame, à mes sentiments les meilleurs.

Lettre à une jeune fille inconnue à l'étranger (amie d'amie) pour lui demander de trouver une famille d'accueil.

Nom et adresse.

Mademoiselle,

Mon amie Laure Gasquet m'engage à m'adresser à vous. J'espère que votre amitié pour elle me fera pardonner cette indiscrétion. J'ai le plus grand désir d'aller passer quelques mois en Angleterre, soit dans une famille, soit dans un pensionnat. Voudriez-vous me donner quelques conseils et peut-être même des adresses?

Je peux rendre des services dans une famille, car je couds très bien et je mettrai volontiers la main à l'ouvrage en m'occupant d'enfants, à condition de n'être pas traitée comme une subalterne ni accablée de travail. Je suis étudiante et, projetant une licence d'anglais, je désire posséder à fond cette langue.

Votre expérience me serait très utile et je vous aurais une grande reconnaissance si vous vouliez bien m'en faire profiter. Cela m'éviterait de commettre des gaffes ou des erreurs.

Avec tous mes remerciements à l'avance pour l'aide que vous voudrez bien m'apporter, croyez, Mademoiselle, à mes sentiments les meilleurs.

Lettre à une agence à l'étranger pour demander une famille susceptible de recevoir son enfant.

Nom et adresse.

Madame,

Votre adresse m'est indiquée par des amis qui m'engagent à me confier à vous. Je cherche pour mon fils une famille qui l'accueillerait à titre d'échange (A) pendant un mois. Il a dix-sept ans, est sportif, gai, complaisant. Il parle très mal l'anglais et doit le travailler sérieusement en vue de son prochain examen. Je souhaite pour lui une famille comportant de la jeunesse, avec possibilité de tennis, promenades, etc., catholique de préférence et d'un milieu social à peu près analogue au nôtre.

Mon mari est chirurgien (*), nous aimons beaucoup la musique et nous serions heureux d'accueillir à notre tour un enfant, garçon ou fille, pendant la période où mon fils serait en Angleterre (mois d'août). J'ai encore deux filles de douze et quatorze ans et un fils de dix-neuf ans. Nous habitons une grande maison avec jardin et menons une vie intéressante pour des jeunes. Notre jeune hôte partagerait la chambre d'un de nos enfants.

Voici quelques adresses où il vous sera loisible de vous procurer sur nous des renseignements, tout d'abord les amis qui nous ont engagés à nous adresser à vous :

(Indiquer quelques personnes autant que possible de caractère officiel — professions libérales ou bien maire, curé de la paroisse, pasteur, etc.)

(A) *Ou bien, s'il s'agit d'hôte payant, vous arrêtez à* (*) *et enchaînez :* quelles seraient les conditions de pension pour tout le mois d'août. *Et vous reprendriez ensuite à :* Voici.

Veuillez recevoir, Madame, mes salutations distinguées.

CHAPITRE VII

LE MARIAGE

Toute la correspondance préliminaire d'un projet de mariage doit être rédigée avec la plus grande circonspection. Les renseignements sont le plus souvent demandés à des amis intimes de la famille dans laquelle on souhaite entrer, et l'on ne saurait user de trop de discrétion pour éviter de blesser ou de nuire moralement si le projet ne pouvait aboutir.

Il faut autant que possible choisir, pour obtenir des précisions dont dépendra le bonheur de deux familles, les personnes qui, par leur caractère, présentent le plus de garantie au point de vue du tact et de la sincérité. Un prêtre, un pasteur, un magistrat, un notaire, habitués à étudier les âmes et les caractères et surtout à garder un secret, paraissent généralement indiqués. Mais on aura fréquemment à s'adresser à d'autres personnes moins formées par leur état à la réserve et à la prudence.

Lettre à une tierce personne pour organiser une entrevue.

Chère Amie,

Il m'est venu l'autre jour une idée, que je crois heureuse, en pensant à votre nièce Brigitte. Le fils d'une de mes amies, colon en A.-O. F., doit rentrer cet été pour un assez long congé; il a trente-trois ans et sa situation maintenant bien assise lui fait souhaiter de fonder un foyer. Il appartient à une famille de professeurs, notaires, agriculteurs. C'est un garçon énergique et très droit. Physiquement dans une très bonne moyenne, fort sympathique et bien portant. Vous pourriez prendre, au sujet de cette famille, des renseignements auprès des X, qui les connaissent depuis toujours.

Que penseriez-vous de ce projet?

Je serais ravie de contribuer au bonheur de votre nièce, que je trouve charmante. Je vous propose de ménager une rencontre, qui pourrait avoir lieu chez vous ou chez moi, à l'insu des deux jeunes gens. Ce serait moins gênant pour l'un et pour l'autre et les laisserait ainsi plus naturels. Répondez-moi bien vite et croyez, chère Amie, à mes sentiments affectueux.

Lettre à l'intéressé lui-même pour organiser une entrevue.

Mon cher Jacques,

Vous m'avez très gentiment exprimé souvent votre confiance. Vous savez l'affection que je vous porte et le bonheur que je vous souhaite. J'ai pensé avec insistance à vous tous ces temps derniers en voyant ma petite amie Colette, qui me semble faite pour vous. Elle a vingt-deux ans, est petite, a jolie tournure, est bonne et charmante. Fille d'officier, excellente famille des deux côtés, parfaitement élevée, intelligente et débrouillarde (A). Elle adore la campagne. Vous voyez que cet ensemble correspond tout à fait à vos exigences. Evidemment, il reste l'impondérable qui détermine tout et dont vous restez seul juge. Pour cela, il vous faudrait la rencontrer à son insu, de manière à pouvoir vous retirer sans aucune gêne si l'étincelle ne jaillit pas.

Je vous propose de venir passer le week-end à la maison. Je donnerai un bridge samedi soir et vous pourrez, au milieu de nous, l'observer tout à votre aise (B).

Donnez-moi vite une réponse courageuse, mon cher Jacques, et recevez mes affectueux souvenirs.

(A) *Ajouter ici tous les renseignements supplémentaires appropriés : fortune, alliances, précision de situation de la jeune fille, etc.*

(B) *Ou encore :* Je vous retrouverai comme par hasard avec ma jeune amie à la Galerie de tableaux, rue La Boétie. *Ou :* à la librairie « Le Portulan », où nous irons choisir des livres samedi, vers 4 heures.

Lettre affirmative d'une jeune fille à la suite d'une entrevue.

Chère Madame,

Ma mère m'apprend vos projets et la peine que vous vous donnez pour moi. Je vous en suis profondément reconnaissante et viens vous dire tout de suite l'excellente impression produite par votre jeune ami. Il paraît, en effet, que mon partenaire au bridge (ou le jeune homme rencontré au « Portulan ») est, dans votre esprit, un compagnon possible pour moi. Je connais la sûreté de votre jugement et cela me confirme dans la sympathie éprouvée lors de cette rencontre.

Certes, je sais qu'on ne peut se fier à une première impression, mais je suis toute disposée à une étude plus approfondie, à condition que lui-même le souhaite de son côté, ce qui n'est pas encore prouvé.

Je ne sais comment vous exprimer ma gratitude. Quelle

que soit l'issue du projet ébauché, je garderai le souvenir de votre dévouement et de votre sollicitude à mon égard.

Veuillez croire, chère Madame, à mes sentiments respectueux.

Lettre négative du jeune homme après l'entrevue.

Chère Madame,

Votre sollicitude à mon égard rend ma lettre un peu difficile. J'aurais voulu répondre avec élan à la proposition que vous avez eu la bonté de me faire. La jeune fille que j'ai rencontrée grâce à vous me paraît, en effet, remplie de toutes les qualités que vous me décriviez, mais il lui manque, me semble-t-il, cette mystérieuse attirance indispensable pour envisager le bonheur.

Je voudrais que vous ne m'en veuilliez pas de cette dérobade. Peut-être suis-je un rêveur ou un sentimental qui s'ignore, mais je ne peux encore me résoudre à un mariage de raison.

J'espère que vous ne vous découragerez pas; j'ai en vous une absolue confiance et ma reconnaissance est grande. Vous vous donnez si gentiment tant de peine pour l'insupportable garçon que j'ai conscience d'être.

Veuillez agréer, avec mes excuses, l'expression de mes respectueux hommages.

Lettre de rupture, après plusieurs entrevues, à l'intermédiaire du mariage arrangé.

Chère Madame,

Vous avez été si bonne de penser à moi et de vous occuper de moi que je viens abuser de cette bonté. C'est à vous que je préfère confier ma décision, si pénible qu'elle puisse m'apparaître. Malgré toutes les qualités découvertes chez Martine R... et les projets ébauchés, je dois honnêtement me rendre à l'évidence : elle n'est pas la femme qu'il me faut, je craindrais autant de la rendre malheureuse que d'être malheureux moi-même. Or, elle mérite le bonheur et de tout cœur je souhaite qu'un autre, plus digne que moi, la rencontre bientôt.

Voulez-vous accepter cette tâche pénible et ingrate de lui faire part de cette décision? J'avoue n'avoir pas eu le courage de le lui dire moi-même, et j'ai pensé aussi que votre délicatesse féminine saurait mieux adoucir le fait. Je crains de vous sembler bien peu élégant et j'espère que vous voudrez bien, avec votre grande indulgence, comprendre et pardonner.

Veuillez croire, chère Madame, à mes hommages respectueux.

Lettre pour annoncer des fiançailles à l'intermédiaire d'un mariage arrangé.

Chère Madame,

Il est bien naturel que vous soyez la première à connaître notre décision. C'est à vous que nous devons notre bonheur et cela équivaut à une dette de reconnaissance impossible à éteindre.

Vous avez vraiment un cœur et un jugement incomparables, puisque, avant nous, vous aviez senti et deviné que nous étions faits l'un pour l'autre; soyez-en remerciée avec tout notre élan.

L'avenir nous apparaît sous un jour radieux et vous en êtes la bonne fée. Nous avons décidé de nous marier le 24 avril; notez tout de suite cette date afin de nous apporter la joie de votre présence. Naturellement, rien n'est encore officiel, c'est un secret que nous vous demandons de partager avec nous; l'annonce des fiançailles aura lieu dans une dizaine de jours seulement.

Pierre et moi, avec notre cœur joyeux, vous prions de croire, chère Madame, à nos sentiments respectueux et reconnaissants.

Lettre à une future belle-mère inconnue.

Chère Madame,

Mon désir est si grand de vous connaître et Jean-Louis m'a tellement parlé de vous que je ne peux attendre de vous rencontrer. Je sens déjà que je vais vous aimer de tout mon cœur comme une fille et je sais bien que, dès maintenant, nous nous retrouverons dans ce dessein identique : le bonheur de Jean-Louis.

Combien je suis émue à la pensée de l'idéal que vous avez sûrement conçu pour celle qui sera sa femme, et de tout ce qui me manque pour atteindre cet idéal! Une maman doit toujours être très exigeante pour son fils. Mais vous m'aiderez à le mieux connaître. Vous me raconterez les histoires de « quand il était petit », vous me montrerez les photographies d'autrefois, du temps où je n'étais pas dans sa vie. Nous vous attendons tous à la maison avec impatience, chère Madame; je suis bien certaine que Jean-Louis ne pourra être parfaitement heureux que le jour où nous nous connaîtrons toutes deux.

Veuillez croire à mes sentiments respectueux.

(*C'est la famille du jeune homme qui doit faire les premières démarches.*)

Lettre d'une mère à la future belle-mère de son fils qu'elle ne connaît pas encore.

Madame,

La distance qui nous sépare m'oblige à remplacer par cette lettre la visite que j'aimerais tellement vous faire.

Mon désir est bien grand de connaître la famille qui, désormais, sera celle de mon fils, mais je sais que vous comprenez tous ces sentiments d'émotion et que vous les éprouvez vous-même.

Je veux, en tout cas, vous dire avec quel cœur votre fille sera accueillie parmi nous et quelle hâte nous avons tous de la voir arriver. Tout ce que nous en dit Jacques et les photos qu'il nous a envoyées nous la font pressentir telle que nous la désirions pour notre fils.

J'imagine que Jacques vous a donné sur sa famille tous les renseignements que vous pouviez souhaiter, mais je suppose que votre préoccupation maternelle attend quelques précisions sur l'avenir de ce futur jeune ménage.

(A) Nous ne pouvons, malheureusement, constituer de dot à Jacques, mais il a la petite part qui lui revient en propre de sa marraine. De plus, nous possédons beaucoup de meubles et d'argenterie et bien largement pour monter leur maison. En ce qui nous concerne et pour l'avenir, je trouve plus simple de vous donner l'adresse de notre notaire, Mᵉ Rambaud, qui pourra vous fournir toutes précisions.

Nous aimerions savoir vers quelle époque vous envisageriez de fixer le mariage. A cause de ses affaires, mon mari ne sera pas libre du 7 au 24 septembre. Toute autre date nous conviendra très bien.

Nous pourrons parler plus en détail de tout cela au moment des fiançailles officielles que Jacques nous annonce pour le 9 du mois prochain. J'espère que la bague sera prête à temps. Notre bijoutier vous soumettra ses projets dans une semaine. Christiane pourra, ainsi, fixer son choix.

Veuillez croire, Madame, à mes sentiments les meilleurs.

(A) *Tout ce passage à mettre au point selon le cas particulier.*

Annonce de fiançailles. Lettre à une amie.

Ma chère Anne,

Il faut que tu sois sans tarder dans le secret des dieux : je viens de prendre une très grande décision et avec un cœur léger et radieux. Oui, tu l'as deviné, il s'agit bien de mes fiançailles. Je n'arrive pas moi-même à croire à la réalité d'un pareil bonheur. Mon fiancé s'appelle Jean-Louis Renault. Il a vingt-six ans. Si je te dis qu'il est beau, intelligent, charmant, tu souriras en pensant que toutes les fiancées répètent les mêmes choses. Alors, je m'abstiendrai, souhaitant simplement te le faire connaître bien vite pour que tu comprennes mon choix. Il est dans les affaires et nous voyagerons beaucoup, ce qui m'enthousiasme, avec Montpellier comme port d'attache.

Nous nous connaissons bien, nous partageons le même idéal de vie et nous avons les mêmes goûts. Il me reste maintenant à te souhaiter de connaître bien vite un semblable bonheur. Je n'aurais jamais imaginé à quel point la couleur de la vie pût changer. Il me semble que je regarde toutes choses avec des verres pleins de soleil!

Je t'envoie, ma chère Anne, ma très vive amitié.

Réponse.

Ma chère Nicole,

Ta lettre m'apporte en même temps une grande surprise et beaucoup de joie. Tu connais ma profonde affection pour toi et rien ne pouvait me faire plus de plaisir que l'assurance de ton bonheur. Merci de me permettre de le partager sans attendre.

Je ne connais pas ton fiancé, mais je suis certaine que tu as très bien choisi; c'est lui que j'aimerais pouvoir féliciter, car je te connais bien, toi, et je sais tout le trésor qu'il a su ainsi conquérir.

J'ai bien hâte de pouvoir rencontrer ton cher Jean-Louis et te contempler dans ton nouveau rôle heureux de fiancée.

Je t'envoie toute mon affection, ma chère Nicole. A bientôt.

Lettre pour annoncer des fiançailles. D'une employée à son employeur.

Monsieur,

Un événement important vient transformer ma vie et je tiens à venir vous en faire part sans tarder, en vous annonçant mes fiançailles. J'épouserai en août prochain André Marcheron, qui est receveur des postes (A). J'ai choisi la période de mon congé pour fixer la date de notre mariage, car je ne veux pas entraver la marche de mon service. Rien ne sera changé, dans l'avenir, et je reprendrai mon travail le 1er septembre, comme d'habitude. Cette nouvelle n'est pas encore officielle, je souhaitais que vous fussiez parmi les premiers à l'apprendre.

Veuillez accepter, Monsieur, l'assurance de mon respectueux dévouement.

Ou bien, à partir de (A) : Cette décision m'obligera dès cette époque à modifier complètement mon emploi du temps, mon futur mari se refusant à me laisser travailler toute la journée hors de chez moi.

J'ai donc voulu que vous soyez avisé aussitôt, bien que rien ne soit encore officiel, afin d'avoir devant vous assez de temps pour me trouver une remplaçante.

Malgré mon bonheur, j'éprouverai un réel regret à quitter une maison où j'ai toujours trouvé compréhension et bienveillance, et je tiens à vous en exprimer ma reconnaissance.

Veuillez croire, Monsieur, que je vous resterai toujours entièrement dévouée.

Réponse.

Chère Marie-Jeanne,

Je vous adresse toutes mes félicitations pour l'heureuse nouvelle. Je vous remercie de me la faire connaître aussi vite, car cela me permet de prendre tout mon temps pour envisager votre remplacement. Je regretterai vivement vos services, dont je n'ai eu qu'à me louer, et je vous souhaite un bonheur que vous méritez bien.

Recevez, chère Marie-Jeanne, mes compliments les meilleurs.

La carte de fiançailles.

On envoie aux amis et aux connaissances une carte de visite sur laquelle on a fait reproduire par la gravure une formule écrite généralement par la mère du fiancé ou de la fiancée. Bien entendu, en temps d'économies, on peut toujours écrire la formule à la main au lieu de la faire graver. Il est d'usage de donner les nom et prénoms du fiancé, mais non les titres ou décorations.

Monsieur et Madame Pierre VERDIER

ont le plaisir de vous annoncer les fiançailles de leur
fille Suzanne avec Monsieur
Philippe-Gaëtan Surcouf-Deville.
14 avril 1954

M. et Mme Théodore **SURCOUF-DEVILLE**

Sont heureux de vous faire part des fiançailles de leur fils Philippe-Gaëtan avec Mademoiselle Suzanne Verdier.

14 avril 1954

"La Girodière", par Les Massues (S.-et-O.)

Annonce par le journal sous la rubrique « Fiançailles ».

On annonce les fiançailles de M. Paul-Raymond LAMBERT-LACROZE, fils de M. Norbert Lambert-Lacroze, industriel, et de Mme, née de Poix, avec Mlle Marie-Thérèse LA TOUR, fille de M. François La Tour et de Mme, née Vieilcastel, décédée.

Ou encore :

M. Pierre Vidal et Mme, née de Baneins, nous prient de faire part des fiançailles de leurs deux filles : Mlle Raymonde VIDAL, avec le lieutenant aviateur René VAUCLERES, fils du Docteur Vauclères et de Mme, née Miramar; Mlle Janine VIDAL, avec M. Jean DROIT, agrégé de l'Université, fils de M. Pierre Droit et de Madame, née Lemaire.

Réponse au faire-part de fiançailles.

Si l'on est peu lié avec la famille qui vous annonce les fiançailles d'un de ses membres, on se contente le plus souvent d'envoyer sur une carte quelques mots de félicitation. Par exemple :

Ernest MANDLER

Très heureux d'apprendre les fiançailles de son élève, présente ses compliments et ses félicitations à Monsieur et Madame Verdier et exprime à leur fille ses plus sincères vœux de bonheur.

29, rue de la Sorbonne, PARIS (Ve)

Autres formules.

Félicitations les plus cordiales. Souvenirs et souhaits affectueux.

M. et Mme Ernest LEDOUX

Très heureux d'apprendre les fiançailles de Philippe, envoient à leur ami et à ses parents leurs plus sincères félicitations.

Le Docteur et Mme Pierre de CLERTANT

s'associent de tout leur cœur à la grande joie de leur amie Fernande et adressent leurs respectueuses félicitations au Docteur et à madame Savoisier.

8, cours des Sablons, BORDEAUX

On emploiera des formules analogues quand on aura appris la nouvelle par le journal, en s'adressant alors de préférence aux parents. Si l'on écrit une lettre au fiancé ou à la fiancée, on y joindra une carte pour les parents sous enveloppe séparée.

Lettre d'un jeune homme pour demander un témoin à son mariage.

Mon Général,

Vous avez appris dernièrement mes fiançailles et vous avez bien voulu, à cette occasion, manifester votre bienveillance à mon égard. Je souhaite aujourd'hui vous demander une grande faveur. Accepteriez-vous de me faire l'honneur de me servir de témoin?

La cérémonie a lieu le 11 août à Limoges. Je connais la multiplicité de vos obligations et cependant je veux espérer que vous ne me refuserez pas cette grande joie. Nul mieux que vous ne peut occuper cette place à côté de moi pour l'acte le plus important de ma vie et je vous aurais une immense reconnaissance si vous consentiez à me l'accorder.

Veuillez accepter, mon Général, l'assurance de mon profond respect.

Autre lettre.

Mon bon Ami,

Veux-tu me faire un très grand plaisir et me prouver la solidité de notre vieille amitié? Alors, accepte de me servir de témoin le 11 août à Limoges, puisque la date de l'événement est fixée.

Nul mieux que toi n'est désigné pour remplir ce rôle et je compte absolument sur ton acceptation.

Crois, mon cher vieux, à mon indéfectible amitié.

Même demande, de la part d'une jeune fille.

Mon cher Oncle,

Notre mariage est fixé au 11 août et je viens vous demander une grande faveur. Vous savez la profonde affection que je vous porte, il me serait très doux de la sentir toute proche au moment où je prononcerai le « oui » solennel. Voulez-vous me donner cette joie en acceptant d'être mon témoin?

J'espère une bonne réponse et vous prie de croire, mon cher Oncle, à mon affectueuse pensée.

Lettre d'un témoin pour accepter.

Mon cher Jacques,

Ta lettre me touche infiniment, j'apprécie à sa valeur le privilège que tu veux m'accorder et je serai à la fois ému et flatté de me trouver à tes côtés au moment le plus important de ta vie. C'est donc avec joie que j'accepte d'être ton témoin, et je te remercie de m'avoir choisi alors que beaucoup d'autres eussent été plus dignes de cet honneur.

Crois à ma solide affection.

Refus.

Mon cher Ami,

Votre demande me touche beaucoup, j'apprécie à sa valeur cette exceptionnelle marque de confiance, mais je ne pourrai malheureusement être à vos côtés comme je l'eusse souhaité. Votre mariage a lieu, en effet, en pleines grandes manœuvres et le devoir me retiendra loin de vous.

Croyez bien que j'aurais aimé jouer le rôle que vous aviez choisi pour moi dans ce grand événement de votre vie. Ma pensée vous entourera et mes regrets iront vous rejoindre.

Croyez, cher Ami, à mes sentiments bien cordiaux.

Lettre pour demander à un parent ou à une notabilité de remplacer un père dans le cortège.

Mon cher Philippe,

Le mariage de Christiane est fixé au 11 août et je viens vous demander si vous accepteriez de remplacer son père pour la mener à l'autel. Vous êtes le plus désigné pour tenir cette place et je sais qu'il aurait été lui-même heureux de vous choisir, vous qu'il aimait tant.

J'espère que vous n'aurez aucun empêchement, votre présence à mes côtés me sera un réconfort au milieu de toutes mes émotions.

Au revoir, mon cher Philippe, je vous envoie mes affectueux souvenirs.

La tenue adoptée sera la jaquette.

Les invitations au mariage.

Les lettres d'invitation officielles sont en général gravées sur de grands feuillets doubles de beau papier assez épais. Sur un feuillet la famille du fiancé, sur l'autre feuillet la famille de la fiancée font part du mariage et invitent à la cérémonie. Ces feuillets sont glissés l'un dans l'autre, en mettant dessus la lettre du fiancé si la lettre est destinée aux amis du jeune homme, et vice versa.

On mentionne tous les titres et décorations des parents et du marié sur les deux feuillets.

Le mot veuve ne s'emploie pas. On dira simplement, par exemple, Mme Carel, ou Mme Denis Carel (avec le prénom du mari décédé). Mais le mot douairière s'emploie pour les veuves portant un titre : la Marquise douairière de L'Epine, la Baronne douairière Faucher.

On envoie des invitations à toutes les relations proches ou lointaines du marié, de la mariée et de leurs parents, y compris les collègues, les confrères, les professeurs, et même les concierges, fournisseurs et anciens domestiques. On n'oubliera pas la couturière chargée de venir habiller la mariée.

Modèles de lettre d'invitation au mariage.

Monsieur Maurice Brissac, Monsieur et Madame Robert Vandœuvre ont l'honneur de vous faire part du mariage de Monsieur Jean Vandœuvre, lieutenant de vaisseau, chevalier de la Légion d'honneur, Croix de guerre, leur petit-fils et fils, avec Mademoiselle Anne Domfranc.

Et vous prient d'assister à la bénédiction nuptiale qui leur sera donnée par Son Excellence Monseigneur Varnoux, évêque d'Agen, le jeudi 26 novembre 19.., à midi précis, en l'église Saint-François-Xavier.

59, rue de Bellechasse (VIIe).

Madame Albert Thizy, le capitaine de frégate Domfranc, officier de la Légion d'honneur, et Madame Pierre Domfranc ont l'honneur de vous faire part du mariage de Mademoiselle Anne Domfranc, leur petite-fille et fille, avec Monsieur Jean Vandœuvre, lieutenant de vaisseau, chevalier de la Légion d'honneur, Croix de guerre.

Et vous prient d'assister à la bénédiction nuptiale qui leur sera donnée par Son Excellence Monseigneur Varnoux, évêque d'Agen, le jeudi 26 novembre 19.., à midi précis, en l'église Saint-François-Xavier.

18, avenue de La Tour-Maubourg (VIIe).

L'invitation au lunch ou à la réception qui suit la cérémonie est gravée sur un carton simple, de format plus petit, que l'on glisse à l'intérieur des feuillets destinés à cette catégorie d'invités.

Madame Lucien DUCELLIER
recevra après la cérémonie religieuse

12, villa Saïd

Si les deux familles ont participé aux frais du lunch, l'invitation est faite au nom des deux mères (parfois aussi des grand-mères si elles reçoivent en même temps).

Madame Albert THIZY
Madame Pierre DOMFRANC
et Madame Robert VANDŒUVRE
recevront après la cérémonie religieuse

On dansera

3 heures à 7 heures
18, avenue de La Tour-Maubourg

R. S. V. P.

Lorsqu'un deuil oblige à faire la cérémonie dans l'intimité, on avertit par un mot les parents et les amis intimes, et par une note dans les journaux les autres amis.

Par suite d'un deuil récent, le mariage de Mlle Christiane DURAND avec M. Gaston TOURNEBRIDE n'aura pas lieu le 13 mars prochain, ainsi qu'il avait été annoncé, et sera célébré à une date ultérieure dans la plus stricte intimité.

Invitation par la voie du journal.

Les personnes qui ont un si grand nombre de relations qu'elles risquent d'oublier, et par suite de blesser, certaines de leurs connaissances feront insérer, une semaine à l'avance, une annonce dans un journal :

Le mariage de Mlle Estelle CARMOSA avec M. Bernard PERRIER sera célébré le jeudi 21 mai, à midi très précis, en l'église Saint-Thomas-d'Aquin.

Un certain nombre de cartes ayant été égarées, on est prié de considérer cet avis comme une invitation.

Il arrive qu'on ne puisse ni voir les personnes qu'on veut inviter au cortège ni leur téléphoner. S'il faut écrire, on prend toujours soin, en demandant à un ami ou parent de faire partie du cortège, de lui dire avec qui il sera placé, et l'on remercie d'avance chaleureusement, car l'acceptation représente pour les invités un dérangement et des frais parfois considérables. Cette invitation sera faite assez longtemps avant le mariage, afin de bien montrer aux invités qu'on n'a pas attendu, pour leur écrire, d'avoir essuyé des refus auprès d'autres personnes qu'on aurait préférées.

Félicitations.

Les personnes qui sont empêchées d'assister au mariage envoient, le jour même, un télégramme de félicitations.

Il est assez difficile de trouver un libellé qui évite à la fois la bizarrerie et la banalité.

Voici quelques-unes des formules les plus courantes :

Nos pensées sont près de vous.

Souhaits les plus cordiaux de bonheur.

Toute la famille se joint à votre joie.

Si l'on envoie une lettre, il faut la mettre à la poste, de manière qu'elle arrive le jour même du mariage.

Pour féliciter un jeune marié.

Mon cher Gustave,

Puisque mes infirmités m'empêchent d'aller au milieu de vos amis vous féliciter et partager votre joie, je vous envoie mes souhaits les plus affectueux. Puisse Dieu bénir votre union et vous donner tout le bonheur que cette terre peut offrir aux hommes et aux femmes de bonne volonté!

De tout cœur avec vous deux.

Votre vieil et fidèle ami,

Après la cérémonie, on peut faire mettre une note dans les journaux.

Ces jours derniers a été célébré, en l'église Notre-Dame du Puy, le mariage de Mlle Odette LA CHASSAGNE, fille de M. Jean La Chassagne, décédé, et de Madame, née de Lussigny, avec le capitaine de corvette Robert PERRAULT, chevalier de la Légion d'honneur, Croix de guerre, fils de M. Henri Perrault, avocat à la Cour, et de Mme, née Le Hello.

Les témoins étaient, pour la mariée : M. Robert La Chassagne, son oncle, et M. Remy Boisrobert; pour le marié : l'amiral d'Arbonne et M. René Vitrac.

Le service d'honneur était assuré par Mlle Baissac et M. Jean La Chassagne, Mlle Christiane La Chassagne et M. Paul Bergier, Mlle Monique Harold et le capitaine Lebeau, Mlle Bernadette Maloir et le lieutenant de Vaunay, Mlle Gilbert Le Hello et M. François Boissy, Mlle Simone Harold et le lieutenant Hubert Marcey.

Télégramme d'excuse pour un empêchement impromptu après acceptation.

Retenu par obstacle imprévu — infiniment désolé, acceptez excuses — vous entoure par pensées et félicitations.

Lettre suivante, aux parents.

Chère Madame,

Nous avons été navrés de cet incident fâcheux qui, au dernier moment, a contrarié tous nos projets. Nous nous faisions une fête de nous trouver auprès de vous et de contempler le nouveau couple tout radieux. Notre pensée vous a suivie dans vos émotions qui, je le sais, teintent d'une touche mélancolique le bonheur des parents.

Veuillez trouver ici, chère Madame, nos excuses et nos regrets, avec nos chaleureuses félicitations et notre sympathie.

Lettre pour demander le choix d'un cadeau.

Ma petite Christiane,

Le grand événement approche et nous ne voulons pas être les derniers à te prouver notre affection d'une manière tangible. Pour que tu conserves un souvenir qui te parle de nous, je pense que la meilleure méthode est de faire appel à tes lumières. Dis-nous bien simplement ce qui pourrait te faire plaisir. J'avais pensé à une corbeille à pain, des dessous de carafe avec porte-couteaux assortis, des assiettes à beurre individuelles et le beurrier, ou encore, dans un autre ordre d'idées, un livre que vous aimeriez tous deux dans une belle édition. Veux-tu choisir ou même nous suggérer un autre objet qui te manque? A moins que tu n'aies dressé une liste des cadeaux souhaités dont tu pourras m'envoyer un exemplaire.

Je compte sur une réponse très rapide, et je t'envoie, ma petite Christiane, toute notre affection.

Réponse.

Ma chère Tante,

Vous êtes bien bonne de penser ainsi à me gâter et je vous en dis, à l'avance, toute ma reconnaissance. J'ai parlé de votre charmante lettre avec Jacques; comme moi, il a déjà reçu pas mal de choses, nous possédons ainsi les objets que vous voulez bien nous proposer. En revanche, il nous manque un huilier et des verres à liqueur, et l'un ou l'autre nous ferait un immense plaisir.

Vous pouvez être sûre que nous n'aurions besoin de rien de tangible pour penser souvent à vous, car vous connaissez ma grande affection et je sais que Jacques se sent déjà tout prêt à la partager.

Permettez-moi, ma chère Tante, de vous embrasser de tout cœur.

Lettre de remerciements.

Chère Madame,

A l'instant m'arrive votre ravissant tête-à-tête et je veux vous dire tout de suite mon immense plaisir.

Vous ne pouviez choisir mieux et je sais bien que nous penserons à vous en nous en servant chaque jour.

Mon fiancé est aussi ravi que moi. Tous deux nous avons admiré l'intuition qui vous a inspirée. Nous vous remercions de tout notre cœur et je vous prie de croire, chère Madame, à mes respectueux souvenirs.

Lettre à des amis pour retourner le cadeau après rupture.

Chère Suzette,

Je ne veux pas que vous appreniez incidemment par d'autres les pénibles changements dans mes projets. Nous avons décidé, Jacques et moi, de renoncer à faire la route ensemble. Les fiançailles sont une période d'étude qui permet de voir clair en soi, et mieux vaut avoir le courage de reconnaître s'être trompé que de rendre malheureux et l'être soi-même.

Tout cela ne va pas sans lutte et sans tristesse, et je sais que je peux compter sur votre réconfortante amitié.

Je vous retourne le charmant souvenir que vous aviez choisi pour une circonstance heureuse et qui ne trouve, ainsi, plus sa destination.

Je reste très touchée de votre pensée et vous envoie, ma chère Suzette, mes fidèles souvenirs.

CHAPITRE VIII

LES INVITATIONS

Invitation à déjeuner sans cérémonie.

Ma chère Amie,

Vous nous feriez un grand plaisir en venant déjeuner mardi prochain à midi et demi; nous aurons nos amis Lanielle, qui aimeraient beaucoup faire votre connaissance (*ou bien :* nous réunissons quelques amis et nous serions heureux de pouvoir compter sur vous).

Croyez, ma chère Amie, à mes affectueux souvenirs (*ou :* mes souvenirs les meilleurs).

Réponse affirmative.

Chère Amie,

C'est avec le plus grand plaisir que j'accepte votre charmante invitation pour mardi; je suis très touchée que vous ayez pensé à moi et me réjouis de faire la connaissance de ces amis dont vous m'avez si souvent parlé (*ou bien :* de passer ce bon moment avec vous et vos amis).

Croyez, ma chère Amie,...

Réponse négative.

Ma chère Amie,

Vous êtes mille fois aimable d'avoir pensé à moi et j'aurais été ravie de pouvoir passer cet agréable moment avec vous; malheureusement, je ne suis pas libre mardi (A) et cela me prive du plaisir d'accepter votre charmante invitation.

Avec tous mes regrets, croyez, chère Amie,...

(A) *On peut donner des raisons, cela est plus aimable quand on est très lié avec la personne invitant. Par exemple :* Malheureusement, je suis retenue ce jour-là par des obligations professionnelles.

Ou : j'avais déjà promis à des amis de déjeuner avec eux ce jour-là, etc.

Ou : c'est malheureusement la veille du départ de Jean-Paul et j'ai tout à préparer pour cette longue absence.

Autre invitation à un repas (plus familière).

Mon cher Charles,

Puisque vous êtes seul en ce moment, faites-nous donc l'amitié de venir partager notre dîner (*ou* notre déjeuner) dimanche soir, tout à fait dans l'intimité. Nous serons heureux d'avoir des nouvelles de Germaine et de Maurice, et de bavarder un peu avec vous.

Toutes nos meilleures amitiés.

Réponse à la précédente : acceptation.

Chère Madame,

Vous êtes infiniment aimable d'avoir pitié de ma solitude. Je serai heureux d'aller dîner (*ou* déjeuner) chez vous dimanche et j'espère que vous me permettrez de vous emmener tous au cinéma (vous choisirez vous-même le film que vous désirez voir).

D'ici là, chère Madame, je vous prie de faire mes amitiés à Monsieur Brenot et à vos enfants, et d'agréer mes hommages respectueux.

Autre invitation à déjeuner (très simple).

Ma petite Suzon,

Veux-tu me faire un grand plaisir? Viens déjeuner avec nous demain. Tu partageras notre repas en toute simplicité, c'est le meilleur moyen de nous voir tranquillement. Je compte sur une bonne réponse et t'attendrai à midi et demi.

Très affectueusement.

Réponse affirmative.

Ma chère Michèle,

Merci de penser à moi. J'accepte très simplement et avec joie, et te dis à demain, heureuse de cette bonne perspective.

A toi de tout cœur.

Réponse négative.

Comme tu es gentille de penser à moi, ma petite Michèle, malheureusement il m'est impossible de venir demain, car j'ai promis à ma tante Marguerite de déjeuner chez elle afin de lui tenir compagnie parce qu'elle est bien seule. (*Ou* je déjeune avec des cousins de passage, etc.) Je suis vraiment désolée de ce contretemps et t'envoie toute mon affection.

Invitation à dîner.

Chère Madame,

Voulez-vous nous faire le plaisir de venir dîner à la maison avec M. Chenet le mercredi 8 décembre à 8 h 30. Nous serions heureux de vous présenter le peintre René Delcourt dont nous vous avons si souvent parlé et qui nous fera l'amitié d'être des nôtres ce soir-là.

Veuillez, chère Madame, partager avec Monsieur Chenet nos plus sympathiques souvenirs et agréer les hommages respectueux de mon mari.

Réponse à la précédente.

Chère Madame,

Nous acceptons avec le plus grand plaisir votre invitation pour le mercredi 8 décembre. Mon mari a une sincère admiration pour le peintre René Delcourt, qu'il a déjà rencontré deux ou trois fois et avec lequel il sera charmé de faire plus ample connaissance.

Recevez, chère Madame, et présentez à Monsieur Delacroix l'expression de nos sentiments les meilleurs, auxquels mon mari joint, pour vous, ses hommages respectueux.

Lettre pour inviter une amie moins intime.

Chère Madame et Amie,

Voulez-vous me faire le plaisir de venir prendre une tasse de thé à la maison le mardi 17 février à 5 heures? Nous entendrons un peu de musique. Il y aura des tables de bridge dans le petit salon.

Recevez, chère Madame et Amie, avec les hommages de mon mari, l'expression de nos meilleures sympathies.

Réponse à la précédente : pour accepter.

Chère Madame et Amie,

Je serai très heureuse d'être des vôtres mardi prochain. J'ai quelques courses inévitables à faire ce jour-là avant d'aller chez vous. Mais j'espère arriver assez tôt pour ne rien perdre de la musique promise.

Veuillez, chère Madame et Amie, m'excuser de ce retard involontaire et recevoir l'expression de mes sentiments les plus sympathiques.

Autres invitations à dîner.

Pour un dîner très simple, voir l'invitation à déjeuner.

Pour un dîner constituant déjà une petite cérémonie, inviter par une carte de visite une semaine à l'avance :

M. et Mme Lionel DENIAU

prient Monsieur et Madame André Bersaint de leur faire le plaisir de venir dîner avec eux mercredi prochain à 8 heures en toute simplicité.

97, rue du Chapitre, LYON

Pour un grand dîner de cérémonie, inviter par carte de visite, quinze jours à l'avance :

Mme Lionel DENIAU

prie Monsieur et Madame André Gersaint de lui faire le plaisir de venir dîner le mercredi 17 à 20 heures

97, rue du Chapitre, LYON

Réponses.

M. et Mme André GERSAINT

prient Monsieur et Madame Deniau d'accepter leurs vifs remerciements pour leur aimable invitation, à laquelle ils auront le grand plaisir de se rendre.

Toutes les invitations reproduites jusqu'ici dans ce chapitre sont plus ou moins familières.

Pour les réceptions et les grands dîners officiels, l'invi-

tation est faite d'ordinaire sur une carte gravée, soit une carte du ménage portant l'invitation manuscrite, soit, ce qui est plus coûteux et un peu plus solennel, un carton entièrement gravé où seuls les noms des invités (et parfois la date) sont écrits à la main.

Le colonel et Madame KERVALEC

prient Monsieur et Madame

....

de leur faire l'honneur
de venir dîner chez eux le

....

9, rue Théodore-Rousseau
R. S. V. P.

On saisira la nuance entre faire l'honneur et faire le plaisir. La dernière formule est plus amicale, moins distante, et convient mieux aux invitations manuscrites.

On ne manquera pas de mentionner « tenue de soirée » ou « tenue de ville » si les invités risquent d'être embarrassés par ce détail. Il faut éviter la gêne d'écrire ou de téléphoner pour se renseigner à ce sujet. Mais, si les invités connaissent les habitudes de la maison, on se dispensera de leur donner cette indication inutile.

Si vous ne pouvez ou ne voulez accepter, cherchez, pour expliquer ce refus, une raison qui ne puisse pas être jugée blessante, et si vous êtes obligé de mentir, prenez garde de ne pas vous trahir par la suite. N'allez pas à la comédie le soir même où vous avez prétexté un voyage d'affaires pour refuser un dîner.

Voici quelques formules d'invitations sur carte :

Madame Raoul BELJARD
sera chez elle le vendredi 26 mars

Thé, bridge, musique.

13, avenue du Mail

R. S. V. P.

La Comtesse de BRÉVANE
recevra le mardi 12 février, de 5 à 8 heures

R. S. V. P.

ou, plus simplement :

Madame Jean-Paul FLORENCE

Thé, porto

Causerie du romancier Pierre Legendre à 5 heures

Samedi 3 mars (4 à 7) **R. S. V. P.**

Madame René VIAL

recevra de 4 à 8 heures
le mercredi 28 février

On dansera

R. S. V. P.

185, rue de Vaugirard

Formules d'acceptation et de refus.

M. et Mme Pierre-Louis BLANCHARD

prient le Docteur et Madame Yvan Debailleul d'agréer l'assurance de leur respectueuse sympathie et les remercient de leur aimable invitation, à laquelle ils se rendront avec le plus grand plaisir.

Madame Jacques RAYNAUD
Clément et Denise RAYNAUD

remercient le Colonel et Madame Noireterre de leur bonne invitation pour le samedi 5 avril et ils seront infiniment heureux de s'y rendre.

Pierre et Jacques CLERTANT

présentent à Madame Leroy-Biron leurs plus respectueux hommages et la remercient vivement de l'invitation qu'elle leur a fait parvenir pour le mercredi 6 décembre. Ils s'y rendront avec le plus grand plaisir.

M. et Mme Christian DESMIER

présentent leurs meilleurs compliments au Colonel et à Madame de Pierre-Scize, et les remercient de leur invitation, à laquelle ils auront le regret de ne pouvoir se rendre, étant retenus par des engagements antérieurs.

Pour inviter au dernier moment un ami en bouche-trou.

Cher Ami,

C'est un service que je viens très simplement vous demander. Etes-vous libre demain soir pour dîner? J'avais invité quelques personnes, me proposant de vous réunir avec d'autres amis un peu plus tard. Au dernier moment, Monsieur Durand-Leroy me fait faux bond. Et c'est à vous que je pense tout de suite pour le remplacer. Il faut toute votre indulgence et votre amitié pour que je puisse ainsi vous prendre au dépourvu, et agir avec une telle désinvolture.

Croyez, cher Ami, ...

P.-S. — J'ai oublié de vous spécifier que la tenue est le...

ou :

Cher Ami,

Voulez-vous me faire le plaisir de venir dîner demain soir à 8 heures? Je suis un peu confuse de vous prévenir aussi tard, mais tout s'est décidé très vite et j'espère que nous arriverons cependant à nous réunir.

Croyez, cher Ami, ...

(*La première lettre sera préférable si le repas est cérémonieux, tenue du soir par exemple, car l'invité ne saurait alors être dupe.*)

Invitation à goûter.

A une amie.

Ma chère Luce,

Vous me feriez grand plaisir en venant goûter (très simplement) samedi prochain. Je réunis quelques amis et (1) votre mari serait le bienvenu parmi les bridgeurs; j'espère une bonne réponse et vous envoie toutes mes amitiés.

(1) *Ou bien :* nous prendrons entre nous une petite tasse de thé.

A une relation.

Chère Madame,

Vous me feriez un grand plaisir en venant prendre une tasse de thé vers 5 heures samedi prochain; je réunis quelques amis et je serais heureuse que vous acceptiez de vous joindre à elles.

J'espère une bonne réponse et vous prie de croire, chère Madame, à mes sentiments les meilleurs.

A une personne inconnue, recommandée par des amis.

Madame,

Notre amie commune, Sabine Leroy, m'apprend votre nouvelle installation dans notre ville. Elle me demande de vous y chaperonner, ce dont je m'acquitterai avec le plus grand plaisir si je peux vous être utile en quoi que ce soit.

Je serai très heureuse, de toute manière, de faire votre connaissance et de parler avec vous de Sabine. Si vous êtes libre samedi soir vers 5 heures, voulez-vous venir prendre une tasse de thé? Vous rencontrerez chez moi quelques-unes de mes amies et nous serons toutes heureuses de vous accueillir dans notre groupe.

Veuillez croire, Madame, à mes sentiments distingués.

Pour demander le concours d'un artiste.

Monsieur,

Notre comité organise une soirée au profit des colonies de vacances pour le samedi 24, et nous souhaiterions donner à cette manifestation un attrait et un relief exceptionnels; si vous vouliez bien accepter de prêter le concours de votre magnifique talent, nous serions assurés d'un total succès.

Nous savons combien vous êtes sollicité de tous côtés. C'est pourquoi, afin de nous donner toutes les chances, nous faisons dès maintenant notre démarche. Nous aimerions savoir le programme que vous pourriez nous proposer, et nous vous prions aussi de nous fixer le cachet que l'on a l'habitude de vous offrir.

Nous espérons ardemment une réponse affirmative et

vous prions de croire, Monsieur, à l'assurance de nos sentiments distingués.

S'il s'agit d'un artiste connu, d'un professeur de conservatoire, il est préférable d'ajouter : Monsieur et cher Maître.

Envoi d'un billet de théâtre.

Chère Amie,

Ainsi que nous en étions convenus un jour, je serais ravie de passer avec vous une soirée au théâtre. On me dit que *l'Heure éblouissante* est une bonne pièce et j'espère qu'elle ne nous décevra pas. Vous trouverez donc dans cette enveloppe le billet qui vous permettra de me retrouver là-bas à 9 heures. Je me réjouis beaucoup de partager ce plaisir avec vous et vous envoie, chère Amie, mes souvenirs les meilleurs.

Ou bien :

Chère Amie,

Le sous-préfet (*ou* le directeur du théâtre) a l'amabilité de me faire parvenir deux fauteuils d'orchestre pour le concert de jeudi prochain, avec un programme alléchant (énumération succincte) ; vous me feriez un immense plaisir en acceptant de m'accompagner pour profiter avec moi de cette faveur.

J'espère que vous serez libre et vous envoie, chère Amie, ...

Réponse.

Combien vous êtes aimable, chère Amie, de penser à moi. Je suis enchantée de cette perspective d'une bonne soirée au théâtre, que j'adore (*ou* au concert). On m'a dit le plus grand bien de *l'Heure éblouissante* et rien ne pouvait me donner plus de joie que d'être choisie pour partager ce plaisir avec vous. Merci infiniment, je serai à l'heure au théâtre, mais la première arrivée attendra l'autre. Croyez, chère Amie, ...

Invitation à une partie de chasse.

M. Justin Filon prie Monsieur Robert Decharme de lui faire l'honneur de venir chasser à La Chassagne le jeudi 12 octobre 19... Déjeuner à 11 heures. Réponse, S. V. P.

Invitation à une promenade.

Bien chers Amis,

Voulez-vous que nous vous emmenions faire une promenade en automobile dimanche prochain? Nous aurons, en nous serrant un peu, de la place pour trois. Afin d'éviter les ennuis d'un repas dominical à l'hôtel, nous emporterons un déjeuner complet pour six. Vous n'aurez donc pas à vous en soucier. Nous avons une table et des chaises pliantes, et si le temps est favorable nous espérons vous prouver que rien n'est plus charmant qu'un déjeuner en pleine forêt par une belle journée.

Nous comptons partir vers 8 h 30, mais nous retarderons — ou avancerons — l'heure à votre gré.

Répondez-nous, autant que possible, par retour du courrier. Vous nous feriez un bien vif plaisir en acceptant.

Recevez, bien chers Amis, nos pensées les plus affectueuses.

Réponse à la précédente : pour accepter.

Chers Amis,

Nous ne savons comment vous remercier de votre charitable pensée. Nous acceptons donc votre invitation de grand cœur, mais à une condition *sine qua non* : c'est que vous nous permettiez d'apporter un pâté et quelques bouteilles de vin.

Quant à l'heure du départ, fixez-la aussi tôt que vous voudrez. Nous nous levons tous très facilement; il fait si bon le matin à la campagne! Et il vaut mieux éviter la cohue en rentrant de bonne heure.

Encore une fois merci, et, d'ici à dimanche, recevez, chers Amis, nos souvenirs les meilleurs.

Invitations dont le mobile n'est pas désintéressé.

Cher Ami,

Mon fils a le plus grand désir de vous rencontrer et, s'il peut se le permettre, de vous poser quelques questions. Il souhaiterait vous demander conseil, car il vous sait plus que tout autre compétent en la matière. Je vous serais moi-même très reconnaissant de bien vouloir un peu éclairer sa lanterne. Le plus simple serait que vous veniez déjeuner avec nous le jour qui vous conviendra, cela vous fera perdre moins de votre temps si compté, et nous procurera, par la même occasion, le plaisir trop rare de passer un moment avec vous.

J'espère que vous ne m'en voudrez pas d'agir aussi simplement avec vous et vous envoie, mon cher Durieux, l'assurance de mes sentiments très cordiaux.

Autre genre :

Ma chère Catherine,

Vous me feriez le plus grand plaisir en venant dîner mercredi prochain, 8 heures, en toute simplicité (*ou* prendre une tasse de thé vers 5 heures); vous trouverez notre

Marie-Claire, et Antoinette, une amie que je serais heureuse de vous présenter Je l'avais perdue de vue et la retrouve courageusement lancée, après bien des épreuves, dans une entreprise de lingerie. Elle crée de ravissantes choses, et je voudrais la faire connaître, car elle le mérite en tout point. Et c'est tout de suite à vous, toujours si efficace, que j'ai pensé pour m'aider à l'épauler.

A mercredi donc, chère Catherine, très affectueusement à vous.

CHAPITRE IX

SERVICES ET RECOMMANDATIONS

Pour demander un service.

Cher Monsieur et Ami,

Je ne me résigne pas sans quelque confusion à vous demander un service assez délicat. Voici ce dont il s'agit.

Mon docteur habituel, m'ayant trouvé une tension artérielle inquiétante, m'a soumis à un régime sévère qui m'a complètement épuisé sans faire baisser sensiblement cette tension. J'ai maintenant des phénomènes de faiblesse, vertiges et palpitations, qui m'incommodent d'autant plus que je n'en avais jamais souffert avant de me soigner. En outre, mes forces nerveuses diminuent et je ne puis plus assurer mon travail quotidien sans une extrême fatigue.

J'ai nettement l'impression que mon docteur a fait fausse route, et je suis décidé à voir un spécialiste. Or, je me suis souvenu que le célèbre professeur X... est un peu votre cousin. Et je me demande si un mot de vous ne pourrait pas m'obtenir une légère diminution de ses prix de consultation, que je sais très élevés. Vous pourriez lui rappeler que je suis un ancien combattant et que mes dix-huit mois de front ont sérieusement ébranlé ma santé.

Vous me direz franchement, j'espère, si vous éprouvez quelque gêne à me rendre ce service, que je vous demande en vous faisant toutes mes excuses.

Je vous prie, cher Monsieur et Ami, de présenter à

Madame Lebœuf mes respectueux hommages, et de croire à ma bien reconnaissante sympathie.

Réponse à la précédente.

Cher Monsieur,

Dès le reçu de votre lettre j'ai écrit à mon cousin.

Il vous recevra le samedi 29 courant à 5 heures, et j'espère que vous bénéficierez d'un tarif auquel votre seule qualité d'ancien combattant vous donnait déjà droit.

Mon principal mérite a été de vous faire obtenir ce rendez-vous, car la sûreté de diagnostic et le succès des cures opérées par le professeur lui ont valu un tel renom qu'il lui est absolument impossible de satisfaire à toutes les demandes de consultation qu'il reçoit.

Avec nos vœux les plus sincères pour votre complète guérison, veuillez recevoir, cher Monsieur, nos souvenirs les meilleurs.

Lettre d'une employée de maison pour répondre à une annonce.

Madame,

Le Courrier du Centre de samedi retient mon attention par votre annonce. Je cherche, en effet, une place analogue à celle que vous proposez et je m'empresse de vous offrir mes services. J'ai vingt-deux ans, j'ai déjà été placée dix mois chez un docteur à Châteauroux, j'ai dû abandonner ce travail pour aller soigner ma mère. Je l'ai perdue quelques semaines plus tard et j'ai trouvé alors une autre place comme bonne d'enfants dans la même ville. Si je me trouve disponible en ce moment, après trois mois, c'est que la famille qui m'emploie part pour le Maroc et que je désire rester en France. J'ai appris à faire de la cuisine bourgeoise, je sais repasser et j'ai l'habitude du ménage. Je tiens à votre disposition les certificats de mes deux places; ils répondront mieux que je ne saurais le faire aux questions que vous vous poseriez à mon égard. J'ajoute que ma santé est excellente et que l'ouvrage ne me fait pas peur.

Voulez-vous me dire si je peux aller me présenter à vous et quels gages vous avez l'intention de donner.

Veuillez agréer, Madame, tout mon respect.

Réponse affirmative.

Mademoiselle,

Votre lettre retient mon attention. Je pense, en effet, que vous êtes la personne que je cherche : capable de me seconder dans le travail de maison, cuisine, ménage, savonnage (le gros linge est donné au-dehors) et repassage. Nous sommes quatre, dont deux enfants de douze et quatorze ans.

Je donne .... francs de gages mensuels, les vacances normales en juin. Nous passons août à la campagne.

Je vous attends mercredi prochain vers 2 heures, avec vos certificats. Nous pourrons parler plus longuement des détails que votre lettre et la mienne n'ont pas abordés.

Recevez, Mademoiselle, mes meilleurs compliments.

Réponse négative.

Mademoiselle,

Je regrette beaucoup de ne pouvoir donner suite à votre lettre. Mais je viens justement d'engager une jeune fille. J'espère que vous trouverez prochainement la place désirée et vous envoie, Mademoiselle, mes meilleures salutations.

Lettre pour remercier un auteur d'un livre dédicacé.

(*Lettre à écrire immédiatement. Après huit jours, on se doit d'avoir lu le livre et de le commenter.*)

Cher Monsieur (A),

Votre livre m'arrive à l'instant. Mon plaisir en est si vif que je m'en voudrais de ne pas vous le dire aussitôt. Votre charmante dédicace, à mes yeux, en double la valeur, par cet autographe qui me le destine. Je n'attendrai pas plus longtemps pour me donner la joie de sa lecture. Mais, comme j'entends aussi la savourer, j'ai préféré réserver à un peu plus tard le privilège de vous en parler. Avec mes chaleureux remerciements, veuillez croire, cher Monsieur (A),...

(A) Cher maître, pour un académicien.

Lettre pour demander un don de livres dédicacés à l'occasion d'une vente de charité.

Monsieur,

Une vente de charité s'organise en faveur des enfants d'anciens combattants pour leur offrir des vacances à la mer ou à la montagne. J'ai eu l'idée d'ouvrir un rayon de livres dédicacés par leurs auteurs.

J'ai déjà recueilli de précieuses adhésions, et j'ai pensé que votre générosité bien connue ne manquerait pas de s'intéresser à notre œuvre. Je suis sûre que tous les volumes que vous voudrez bien nous faire parvenir à l'adresse ci-dessus seront vendus dès le début de l'après-midi et que les prix qu'ils atteindront, grâce à votre dédicace, nous aideront à faire le bonheur de nombreux enfants.

S'il ne vous est pas commode de nous faire envoyer vos livres, je pourrai facilement les faire prendre soit à votre domicile, soit chez votre éditeur.

En vous remerciant d'avance, je me permets de vous dire l'admiration que j'éprouve pour votre talent si varié et si riche, et vous prie d'agréer, Monsieur, l'expression de mes sentiments les plus distingués.

Lettres et cartes de recommandation.

Voici d'abord, écrite sur une carte de visite, une formule un peu sèche, mais que dans certains cas on pourra juger suffisante :

Robert GARMOT

a l'honneur d'accréditer par la présente carte Monsieur Durand auprès de Monsieur Athanase Jacquin.

21, avenue Marcellin

Il est préférable toutefois d'ajouter un mot de salutation avant la recommandation proprement dite :

Denis SIMON-LEGENDRE

se rappelle au bon souvenir de Monsieur de La Guironnie et lui recommande chaleureusement un excellent camarade, Jacques Belin.

32, rue des Innocents

A une dame, on présentera ses hommages respectueux.

Une formule commode est la suivante :

...présente tous ses compliments à Monsieur Untel et se permet de recommander à son bienveillant accueil Mademoiselle Geneviève Perrodin, qui lui remettra cette carte.

Dans la plupart des cas, si l'on souhaite sincèrement rendre service, on prendra la peine d'écrire une lettre.

Pour recommander un ami à un ancien supérieur.

Monsieur,

Vous avez bien voulu, lorsque j'ai dû vous quitter après avoir travaillé sous vos ordres à la direction des usines de Largier, me promettre de vous intéresser à mon avenir si je venais à avoir besoin de votre recommandation.

Je prends la liberté de me rappeler à votre bienveillant intérêt, non pas pour moi-même, mais en faveur d'un ami très intime qui se trouve sans emploi par suite de la faillite de la Société pour le compte de laquelle il travaillait.

C'est un garçon sérieux et méritant, dont la carrière s'annonçait brillante lorsque la fermeture de sa maison l'a brusquement interrompue. Sorti de l'Ecole centrale dans un bon rang, je crois environ cinquantième, il s'est dès le début spécialisé dans la métallurgie et je ne doute pas qu'il soit à même de vous rendre de précieux services s'il vous est possible de lui confier un poste.

Plus jeune que moi de deux ans, il est marié depuis l'année dernière et père d'un bébé de quelques mois. Mais il accepterait néanmoins une situation qui l'obligerait à des déplacements. Ses charges de famille seraient donc une garantie d'application et de bonne volonté, sans créer aucun obstacle aux nécessités des missions dont il pourrait être chargé.

Je vous serais infiniment reconnaissant de m'autoriser à vous le présenter et d'étudier avec lui les possibilités d'emploi que présente l'état actuel de votre personnel ou que pourrait prévoir un de vos projets.

Dans cet espoir, je vous prie d'agréer, Monsieur, avec mon respectueux souvenir, l'assurance de mes sentiments les plus distingués.

Si vous préférez lui écrire directement, voici l'adresse de mon ami :

M. Charles Petitjean, 35, avenue d'Alsace-Lorraine,
Bécon-les-Bruyères (Seine).

Prix littéraires : lettre pour poser sa candidature.

Messieurs,

J'ai l'honneur de soumettre à votre bienveillante appréciation mon recueil de poèmes intitulé *Ondes fugitives,* édité au mois de mai dernier.

Conformément au règlement du prix du Rameau d'or, je vous fais parvenir mon volume en double exemplaire.

Avec l'espoir que mon œuvre ne vous paraîtra pas indigne de retenir votre attention, je vous prie d'agréer, Messieurs, les assurances de ma considération la plus distinguée.

Lettre personnelle à un membre du jury.

Monsieur,

J'ai présenté mon roman intitulé *les Déboires d'Hercule* au prix du Roman classique et cet ouvrage vous sera remis par le secrétaire dans quelques jours.

Il est bien difficile à un candidat de faire valoir une œuvre dont il connaît le premier les imperfections. Cependant, Mme de La Trémière m'a encouragé à vous envoyer ce mot. Elle a lu mon livre, l'apprécie, et me fait espérer que votre jugement confirmera le sien.

De toute façon, je serai heureux de savoir que ces pages où j'ai cherché à donner le meilleur de moi-même seront lues avec bienveillance par un des écrivains que j'admire le plus.

Je vous prie, Monsieur, d'excuser cette démarche peut-être insolite et d'agréer l'expression de mes sentiments distingués.

Si l'écrivain auquel on écrit est quelque peu célèbre, et si on lui a déjà été présenté, on l'appellera Monsieur et Cher Maître, et même Cher Maître tout court.

Si le candidat a été reçu par la femme de l'écrivain, il n'omettra pas de lui faire présenter ses hommages respectueux.

Lettre pour appuyer une demande de pension.

Monsieur,

Notre amie commune, Mme Renaudot, dont le mari vous était cher comme à moi-même, constitue son dossier de pension. Je l'aide de mon mieux, mais ces formalités menacent d'être longues.

Connaissant l'affection qui vous unissait à ce pauvre Renaudot depuis tant d'années, et pensant que votre situation au ministère vous permettrait d'intervenir utilement, Mme Renaudot m'a prié de vous signaler son cas.

La longue maladie de son mari, les frais de toute sorte auxquels il a fallu faire face ont complètement épuisé les quelques économies que le ménage avait pu faire. Aucun des deux enfants n'est en âge de travailler. Si notre amie n'avait pu obtenir un prêt grâce à l'obligeance d'un parent, la misère serait déjà installée au foyer.

Nous vous saurions donc un gré infini de bien vouloir, d'une part, donner à Mme Renaudot tels conseils que vous jugeriez utiles pour établir et faire parvenir sans de trop longs délais son dossier à qui de droit, et, d'autre part, si cela vous est possible, de vous employer à faire hâter la liquidation de sa pension. Enfin, notre amie aimerait savoir si vous jugez opportun d'adresser une demande d'avance sur sa pension.

Je vous prie d'agréer, Monsieur, avec mes remerciements anticipés, l'expression de ma respectueuse sympathie.

Parmi les lettres difficiles à écrire, il faut compter celles par lesquelles on demande un service d'argent, et peut-être plus encore les lettres de refus. En voici deux exemples :

Lettre pour emprunter de l'argent.

Cher Ami,

La démarche que je fais aujourd'hui m'est très pénible et il faut toute votre amitié (*ou* toute ma confiance en vous) pour que je m'y résigne.

Un concours de circonstances très fâcheux me met provisoirement dans une situation assez critique. Je ne peux prévoir des rentrées d'argent avant le mois d'août et je me tourne vers vous pour m'aider à franchir cette passe.

Vous serait-il possible de m'avancer une centaine de mille francs jusqu'en août? Naturellement, je suis prêt à vous donner toutes les garanties que vous pourriez souhaiter et dans la forme que vous choisirez.

Il s'agit vraiment d'un immense service et, si j'en mesure l'importance, je n'ignore pas non plus la solidité de votre sympathie pour ceux qui se débattent dans les difficultés de la vie.

Croyez, cher Ami,...

Réponse négative.

Cher Ami,

Votre lettre me consterne, car elle me plonge dans un cruel embarras. J'aurais vraiment éprouvé un grand plaisir à vous aider à sortir de cette passe difficile, mais je me trouve, en ce moment... (A), moi-même assailli par de nombreuses échéances auxquelles il me faut faire face, et dans l'impossibilité de répondre à votre attente.

J'espère très vivement que vous trouverez un autre appui plus efficace que le mien et que vous allez rapidement rétablir l'équilibre de vos affaires.

Avec tous mes regrets, croyez, cher Ami,...

(A) *Ou bien...* sollicité de plusieurs côtés par des demandes analogues et dans l'impossibilité matérielle de répondre affirmativement à tous, j'espère, etc.

Lettre de recommandation à un ancien supérieur pour une employée de maison.

Madame,

Ma camarade Lucile Badon cherche une place de femme de chambre et j'ai pensé que vous connaîtriez peut-être, parmi vos relations, une bonne maison où l'envoyer. Elle est très sérieuse, active et sait admirablement coudre. Je serais très contente qu'elle puisse trouver une famille où elle soit heureuse et appréciée comme elle mérite de l'être : une maison dans le genre de la vôtre, dont j'ai gardé un si bon souvenir. Je vous remercie beaucoup de ce que vous voudrez bien faire pour elle et vous prie de recevoir, Madame, mes très respectueuses salutations.

Lettre pour demander un service.

Chère Amie,

Il m'est toujours désagréable de mettre mes amis à

contribution. Mais je sais aussi que cette preuve d'amitié ne saurait être osée avec des indifférents; voulez-vous, en me pardonnant, trouver là une marque de ma confiance et de mon affection? (*Ou* de ma sympathie.)

Suit le service à demander.

Lettre à une personne influente pour lui recommander quelqu'un.

Monsieur,

Vous allez recevoir la visite d'un de mes amis que je recommande à votre bienveillance. Je vous sais sollicité de tous côtés et je répugnerais à contribuer à cet accablement s'il ne s'agissait vraiment d'un être dont je suis sûr comme de moi-même. Il a, de plus, une quantité de dons et de mérites dont je ne saurais me prévaloir et je suis certain que, là où vous pourriez songer à le placer, il rendrait les plus éminents services.

Je vous serais infiniment reconnaissant d'examiner sa candidature avec une toute particulière attention.

Veuillez me pardonner de vous importuner, Monsieur, et croire à mes sentiments distingués.

Autre lettre, plus familière.

Cher Ami,

Pardonnez-moi d'ajouter à la masse de sollicitations diverses dont vous êtes accablé au poste si important où vous êtes placé, et veuillez examiner avec votre bienveillance coutumière le candidat que je me permets de vous adresser. Je ne m'y suis décidé, d'ailleurs, qu'en raison de sa valeur exceptionnelle. Si vous pouviez faire quelque chose pour lui, vous me donneriez une réelle satisfaction, car c'est un homme qui mérite, à tous égards, qu'on s'occupe de lui.

Merci à l'avance et veuillez agréer, cher Ami, l'expression de mes sentiments les meilleurs.

Remerciements.

Monsieur (*ou* Cher Ami),

Sans tarder, je veux vous remercier pour l'accueil que vous avez réservé à mon candidat. Il m'a dit avoir été reçu par vous avec une extrême bienveillance et je vous en suis très reconnaissant, quelle que soit l'issue future de cette entrevue.

Veuillez agréer, Monsieur, ...

Ou bien

Monsieur (*ou* Cher Ami),

Mon protégé (*ou* mon candidat) m'apprend à l'instant l'heureux résultat de son entrevue avec vous. Je n'en attendais pas moins de votre bienveillance, mais je veux sans tarder vous en exprimer ma grande reconnaissance. J'espère ne pas avoir ajouté un fardeau trop pesant à votre lourde tâche; mon candidat méritait d'être aidé et nul ne pouvait le faire mieux que vous. Je suis ravi de cette heureuse conclusion et vous adresse mes chaleureux remerciements.

Veuillez agréer, cher Ami, etc.

Lettre du candidat ou du protégé.

PREMIÈRE LETTRE

Cher Monsieur (*ou* Monsieur),

J'ai été reçu avec une extrême bienveillance par Monsieur Laurel. Je sais parfaitement que, sans vous et votre démarche, je serais passé inaperçu. Quel que soit le résultat de cette entrevue, je vous en garderai une profonde reconnaissance.

Veuillez croire, cher Monsieur, à mes sentiments dévoués.

DEUXIÈME LETTRE

Vous m'aviez fait promettre de vous tenir au courant de mes recherches et démarches. Monsieur Laurel m'a convoqué hier pour me proposer... tel poste, qui me convient tout à fait et que je me suis empressé d'accepter.

Je ne saurai jamais vous exprimer assez ma reconnaissance. Il me reste à souhaiter ne pas décevoir la confiance que vous m'avez ainsi témoignée; vous savez que je m'y emploierai totalement.

Veuillez, etc.

Lettre pour refuser une proposition de situation.

Monsieur,

Je suis très sensible à la confiance que vous me témoignez et désolé de ne pouvoir accepter votre proposition. Depuis notre dernière entrevue, les circonstances ont évolué et je me trouve maintenant chef de rayon aux Grands Magasins des Récollets. Je regrette infiniment de ne pouvoir travailler sous votre direction, comme je l'aurais tant souhaité. Je vous prie de m'excuser et de croire, Monsieur, à ma respectueuse et très vive reconnaissance.

Lettre à un supérieur pour excuser une absence.

Monsieur le Directeur,

J'ai l'honneur de vous informer que le malaise dont vous a parlé mon mari dans sa lettre d'avant-hier a dégénéré en une véritable maladie, avec une forte fièvre, qui le retiendra probablement à la chambre pendant plus d'une semaine.

Je joins à cette lettre le certificat délivré par le docteur.

Mon mari me charge de vous dire que tous les dossiers qu'il a laissés à son bureau sont en ordre, sauf le dossier

Roy, dont quelques pièces, avec un projet de lettre inachevé, se trouvent dans le sous-main, sur son bureau.

Je vous prie d'agréer, Monsieur le Directeur, l'expression de mes sentiments les plus distingués.

Lettre pour demander à une jeune femme de vendre à une vente de charité.

Chère Madame,

Notre comité d'organisation est en train de mettre sur pied notre prochaine vente de charité au profit des œuvres antituberculeuses, au mois de juin. Il s'agit de trouver pour chaque comptoir la vendeuse idéale. Nous avons pensé que vous étiez toute désignée pour présider aux destinées du comptoir des ouvrages de dames par votre goût, votre habileté et votre compétence.

Il ne s'agit pas, bien entendu, d'assumer seule cette tâche, mais de vous entourer de personnes de bonne volonté et de collaboratrices que vous saurez mieux qu'une autre choisir et animer.

Veuillez croire, chère Madame, à mes sentiments les meilleurs.

Réponse affirmative.

Chère Madame,

Il m'est bien difficile de refuser le concours que vous sollicitez, malgré ma tâche quotidienne. Vous pouvez, par principe, compter sur moi. Je vais dès maintenant faire autour de moi le rappel des bonnes volontés.

Veuillez croire,...

Réponse négative.

Chère Madame,

Je suis désolée de vous décevoir, mais il m'est impossible

d'assumer la tâche que vous avez prévue pour moi. Ma santé, très fragile en ce moment (*ou* d'autres collaborations déjà promises), m'oblige à décliner la responsabilité d'un comptoir. Peut-être Madame Guichaud-Laurière accepterait-elle de me remplacer; vous gagneriez sûrement au change et je ferais tout mon possible pour l'aider dans la faible mesure de mes moyens.

Avec tous mes regrets, veuillez croire, chère Madame,...

Pour remercier un critique.

On est parfois embarrassé, surtout au début d'une carrière littéraire, pour exprimer sa reconnaissance aux confrères qui ont fait l'éloge d'une œuvre qu'on vient de publier.

Et d'abord, faut-il toujours remercier? En principe, oui. C'est poli, et c'est sage. Mais il faut éviter l'écueil où sombrent certains débutants : la basse flagornerie. Quelque aveugle que soit la vanité d'un écrivain, il y a des bornes à cette cécité, surtout chez les hommes d'expérience, et, si vos louanges sentent trop l'insincérité, elles perdent tout leur prix.

Il faut montrer que vous êtes reconnaissant de la peine qu'on a prise de parcourir, sinon de lire, après des milliers d'ouvrages, votre nouveau livre, et sensible aux éloges qu'on veut bien en faire.

Evitez surtout d'envoyer de longs commentaires qui tendraient à prouver à cet homme serviable que, malgré tout le bien qu'il a dit de votre ouvrage, il n'en a pas compris le sens profond. Au lieu de lui montrer qu'il vous a lu à la légère et qu'il a confondu le frère de votre héroïne avec le secrétaire du colonel, cherchez plutôt quelque point où vous puissiez le louer de sa perspicacité.

Monsieur et cher Confrère,

Je reçois ce matin l'article que vous avez bien voulu consacrer à mon dernier livre *le Sourire de Satan.*

Permettez-moi de vous dire combien je suis touché que vous ayez parlé si longuement, et en termes si heureux, d'une œuvre qui ne se recommandait à vous que par elle-même. Je suis particulièrement sensible à ce que vous dites de la scène de la montagne, dont je ne savais plus, à force de la remanier, si elle me plaisait ou me déplaisait. Votre délicate analyse me rassure et m'encourage.

Puissiez-vous être aussi indulgent pour le livre dont j'achève actuellement le manuscrit et dont vous recevrez, je pense, un exemplaire avant la fin de l'année.

Avec mes remerciements, je vous prie d'agréer, Monsieur et cher Confrère, l'assurance de ma sympathique admiration pour votre œuvre à la fois de critique et de romancier.

Parfois la critique n'a consacré qu'un paragraphe ou même que quelques lignes à votre œuvre. Vous proportionnerez votre réponse à l'importance de l'écrivain et de l'article.

Remerciements pour une courte note.

Monsieur,

Permettez-moi de vous remercier d'avoir bien voulu citer mon poème *Musiques perdues* dans votre dernière chronique de *la Libre Patrie.* Vous avez su en quelques mots trop flatteurs dire l'essentiel de ce que j'avais tenté de faire.

Veuillez agréer, Monsieur, l'expression de mes sentiments reconnaissants et distingués.

CHAPITRE X

FÊTES ET VŒUX

Lettres de fête.

Les lettres de fête ne s'envoient guère qu'entre amis intimes. Elles sont donc relativement faciles à rédiger. On profite d'ordinaire de la circonstance pour donner de ses nouvelles et parler de ses projets, et pour toute cette partie les lettres de fête rentrent dans le cadre de la correspondance générale.

Les formules les plus habituelles particulières à ce genre de lettres sont les suivantes :

Je vous envoie, à l'occasion de votre fête, les vœux les plus affectueux...

Bonne et heureuse fête, mon cher Ami, et tous nos meilleurs souhaits, non seulement pour toi, mais pour tous les tiens, qui nous sont chers comme toi-même...

Vous savez, chers Amis, que nous sommes de cœur avec vous aujourd'hui, et que nous désirons bien sincèrement que vos vœux les plus chers soient comblés cette année...

C'est demain votre fête, ma chère Marraine. Comme je voudrais être près de vous et vous embrasser tendrement en vous exprimant tous les souhaits affectueux que je formule à votre intention.

Permettez à votre élève toujours reconnaissant de venir vous dire, au jour de votre fête, combien il souhaite voir se réaliser les souhaits que lui dicte sa respectueuse et fidèle affection...

Les cartes du Nouvel An.

L'habitude se perd d'envoyer des cartes de visite à l'occasion du Nouvel An. Cependant, il serait impoli de ne pas envoyer sa carte en réponse à ceux qui vous ont envoyé la leur.

Vous remercierez donc, en ajoutant sur votre carte personnelle ou, si vous êtes marié, sur votre carte de ménage, quelques mots aimables. Par exemple :

Remerciements sincères. Vœux de bonheur.

Souvenirs et vœux affectueux.

Remerciements et souhaits bien cordiaux.

Vœux et souvenirs sympathiques.

Ou telle autre formule plus originale et correspondant à la situation.

La lettre du Nouvel An.

On a conservé la lettre de Nouvel An, surtout pour les amis auxquels on a peu l'occasion d'écrire pendant le reste de l'année. Cette excellente habitude permet aux amis séparés de ne pas se perdre complètement de vue et d'échanger des nouvelles au moins une fois l'an.

Vœux et remerciements (d'une dame à une autre).

Chère Madame,

Vous avez eu tant d'amabilité pour nous pendant notre séjour à Dax que nous saisissons l'occasion du Nouvel An pour nous rappeler à votre bon souvenir et vous présenter nos vœux les plus sincères pour l'année qui va commencer.

Nous n'oublierons jamais votre accueil de cet été et nous espérons bien vous revoir en juillet prochain.

Mon mari vous présente ses hommages respectueux et se joint à moi pour vous prier d'agréer, chère Madame, nos compliments les plus sympathiques.

D'un fils à sa mère.

Ma chère Maman,

Je suis bien triste d'être loin de toi et de te savoir seule en ces journées de fête de famille. Mais il ne m'a pas été possible d'arranger mon congé pour aller passer même une journée près de toi. Sois du moins assurée que mes pensées et mes vœux les plus affectueux s'en vont vers toi et que j'évoque avec émotion les matins d'autrefois où j'allais, au saut du lit, t'embrasser en te souhaitant une bonne et heureuse année.

Quel souvenir je garde de ta tendresse et des gâteries dont tu me comblais, et comme je comprends mieux qu'alors la valeur de tes sacrifices et mon immense dette de gratitude!

A mon tour, je voudrais pouvoir t'entourer de soins et t'épargner toute inquiétude, tout souci, comme tu n'as cessé de le faire pour le petit garçon que j'étais.

J'espère aller te voir pendant mon congé de Pâques et te trouver en excellente santé. Pour moi, je me porte bien, et, malgré les exigences d'un travail assez fatigant, je trouve le temps de me promener et de fréquenter quelques bons amis, comme Charles Roussel et les Hyvernat. J'ai dîné et passé la soirée de jeudi dernier chez les Dupuis, qui se souviennent très bien de t'avoir rencontrée à Genève, et qui m'ont chargé pour toi de leurs meilleurs souvenirs.

J'écrirai aujourd'hui à tante Fanny et aux Bourdon.

Envoie-moi bien vite de tes nouvelles et reçois, ma chère Maman, avec mes souhaits les plus ardents pour ton bonheur, mes baisers les plus reconnaissants, les plus tendres.

A un ami marié.

Mon cher Jacques,

Le jour de l'An me fait faire un examen de conscience, et je suis confus de penser que je t'ai si longtemps laissé sans nouvelles. Il faut dire que ces derniers mois ont été particulièrement durs pour moi. Ce n'est pas que j'aie fait un gros chiffre d'affaires, mais les quelques transactions que j'ai réussi à conclure ont été laborieuses, et m'ont donné chacune plus de peine et de soucis que vingt bonnes affaires au temps de la prospérité générale. J'ai perdu aussi beaucoup de temps sur des pistes qui n'ont rien donné.

Je pense avoir l'occasion, au cours d'un voyage projeté pour février ou mars, de m'arrêter à Tours, et j'espère bien trouver le temps d'aller vous dire bonjour à Amboise. Je serai heureux de vous revoir tous en bonne santé. D'ici là, donne-moi des nouvelles de tous. J'ai appris par Alphonse que ton petit Lucien avait eu une forte angine : j'espère qu'il est complètement remis maintenant.

Je ne sais si mon frère t'a écrit récemment. Il est toujours satisfait de sa situation à Dakar, mais ma belle-sœur a eu des couches difficiles, et leur petite Antoinette leur donne beaucoup d'inquiétude : elle s'alimente mal et ne prend presque pas de poids. Je me demande si ce climat convient bien à des enfants d'Européens. Jean sera peut-être obligé de ramener en France sa femme et son bébé, et de retourner seul à Dakar pour quelque temps.

Fais-moi l'amitié de m'envoyer une longue lettre pour me dire si tu es content de la marche de tes affaires, en attendant que je puisse aller bavarder avec vous.

Embrasse bien fort tes chers enfants pour moi, partage avec ta charmante femme mes vœux et mes souvenirs les plus sympathiques, et reçois pour toi, mon cher Jacques, l'accolade fraternelle de ton vieux camarade.

A un bienfaiteur.

Monsieur,

Permettez-moi de vous présenter mes vœux les plus sincères pour la nouvelle année. C'est pour moi l'occasion de vous remercier une fois de plus de tous les services que vous m'avez rendus. Je voudrais pouvoir m'en acquitter autrement que par des vœux et des prières. Mais si ma situation et la vôtre ne me laissent guère entrevoir la possibilité de vous être jamais utile, soyez assuré du moins que je serai toujours prêt à vous témoigner ma gratitude.

Je vous souhaite la santé et le bonheur pour vous et pour votre famille, et le succès dans vos nombreuses entreprises.

Je vous prie d'agréer, Monsieur, l'expression de mes sentiments respectueux et reconnaissants.

Réponse à une lettre de jour de l'An (à un obligé).

Mon brave Bernard,

Je suis touché de ce que vous me dites dans votre lettre. J'ai été très heureux de vous rendre service en souvenir de vos bons parents et de notre lointaine enfance.

Recevez à votre tour mes meilleurs vœux pour vous et les vôtres, et croyez-moi toujours votre fidèlement dévoué.

D'un ménage à un autre.

Bien chers Amis,

Nous pensons affectueusement à vous en ces jours de fête. Ne pouvant nous réunir comme nous l'avons fait si joyeusement il y a deux ans, nous vous envoyons nos souhaits les plus cordiaux pour vous, pour vos enfants et pour leur bonne grand-mère.

Recevez, chers Amis, nos souvenirs fidèles et nos vœux d'heureuse année.

Lettre de vœu à un ancien professeur.

Cher Monsieur,

Si je ne veux pas que ma lettre soit noyée dans le flot qui vous parviendra, il me faut me hâter. Car je sais combien tous ceux qui ont eu le privilège de vous avoir pour guide en gardent un souvenir vivace et reconnaissant. Je suis certain pour ma part que, sans vous, je ne serais pas ce que je suis et que toute ma vie dépendra, à un certain point de vue, de ce que vous m'avez donné. Je profite donc de cette nouvelle année avec ses traditions pour vous redire mon fidèle attachement et vous assurer de mes vœux nombreux et chaleureux. Puisse-t-elle vous apporter de grandes satisfactions et, avec les « nouveaux » qui vous sont destinés, des sujets intéressants susceptibles de profiter de toute votre influence et de votre enseignement.

Les anciens se reportent bien souvent en pensée à ces trois trimestres passés ensemble.

Veuillez croire, cher Monsieur, à mes sentiments de respectueuse admiration (*ou* affection).

Lettre à un supérieur hiérarchique qui vous a témoigné de la bonté.

Monsieur,

Je ne veux pas laisser passer cette occasion de vous exprimer mon attachement et le souvenir reconnaissant que je garde de vos bontés pour moi. Si mes vœux pouvaient avoir quelque pouvoir j'en serais profondément heureux, car je voudrais, pour vous et votre famille, toutes les réussites et toutes les satisfactions. Puisse cette nouvelle année vous en réserver une très large part. Permettez-moi, Monsieur, de vous renouveler l'assurance de mes sentiments fidèles et respectueux.

A un vieil oncle célibataire.

Mon cher Oncle,

Tu dois me trouver bien négligent et silencieux; ma pensée va très souvent te rejoindre, mais la bousculade des jours fait remettre au lendemain les lettres projetées. Aussi je considère la coutume des vœux de Nouvel An comme un excellent rappel à l'ordre et j'en profite sans tarder pour te dire ma profonde affection. Je sais que les souhaits que l'on exprime n'ont guère d'influence sur les événements, mais s'il en était autrement tu serais comblé de satisfactions et de joies. J'espère surtout que ta santé va se maintenir et que tu trouveras enfin dans un nouveau traitement un soulagement réel à tes pénibles douleurs. Promets-nous de venir jusqu'à nous au cours de cette année, tu sais avec quelle joie nous aimerions te recevoir et t'entourer. Cette promesse serait pour nous la plus agréable des perspectives de l'an neuf.

Veux-tu croire, mon cher Oncle,...

Vœux à une tante éprouvée.

Ma chère Tante (*ou* Chère Tante Alix),

Je voudrais que mes vœux précèdent un peu la masse de ceux que vous allez recevoir et qu'ils vous disent ma fidèle affection. Je sais combien les jours de fête peuvent sembler lourds aux cœurs éprouvés, en soulignant le contraste du vide douloureux avec les joies d'autrefois. On se sent plus seul à sentir les autres heureux, mais je souhaite fortement alléger un peu cette impression de pesante solitude par cette pensée dont je vous entoure.

Je sais qu'il est des absences que personne ne peut combler; de tout mon cœur j'espère que cette nouvelle année vous apportera l'apaisement avec toutes les douceurs et les satisfactions possibles pour vous aider dans votre grande épreuve.

Veuillez croire, ma chère Tante,...

Vœux à une grand-mère.

Chère Bonne-Maman,

J'aurais voulu pouvoir arriver ce matin dès votre réveil avec un énorme bouquet de fleurs pour vous apporter mes vœux.

Puisque nous sommes séparés l'un de l'autre, c'est un énorme bouquet de souhaits et de tendresse que je vous envoie avec cette lettre. Puisse cette nouvelle année vous laisser toujours aussi jeune, active et gaie pour notre bonheur à tous.

Puissiez-vous n'avoir, par vos petits-enfants, que des joies. Je vous promets formellement de faire tout ce qui est en mon pouvoir pour ma petite part.

Je vous embrasse, ma chère Bonne-Maman, avec tout mon cœur si proche du vôtre.

Lettre pour souhaiter la bonne année à ses parents.

Chère Maman et cher Papa,

On reproche toujours leur forme conventionnelle aux vœux de la nouvelle année et je voudrais pouvoir rajeunir cette vieille habitude en lui apportant la chaleur de mon affection et de ma sincérité. On ne prend plus guère le temps, en famille, d'exprimer ses sentiments et je n'aurai garde de laisser échapper cette occasion de vous dire tout ce que je voudrais de bon, d'agréable, de réconfortant pour vous. Une année s'achève, une autre va commencer; celle qui passe a été, pour moi, pleine de votre sollicitude. C'est toujours auprès de vous que je me sens protégé, soutenu; je voudrais bien que l'année nouvelle ne vous apporte, par moi, que satisfactions et joies.

Avec toute mon affection, je vous embrasse, ma chère Maman et mon cher Papa, comme j'aurais aimé le faire dans la réalité; la séparation, heureusement, n'est que matérielle et nos cœurs sont unis.

Lettre à un mari à l'occasion des noces d'argent.

Mon cher Jean,

Cet anniversaire revêt une solennité toute particulière : un quart de siècle s'est écoulé depuis que nous avons échangé nos promesses pour le meilleur et pour le pire! Ce que je voulais te dire aujourd'hui, ce sont toutes les pensées qui me montent du cœur en regardant en arrière. Nous sommes différents des gosses que nous étions alors, et pourtant, malgré les épreuves, je retrouve intacts l'essentiel de nous-mêmes et toutes les raisons pour lesquelles je t'avais choisi. Je voudrais tellement que tu éprouves le même sentiment. Il est passé bien des orages, des difficultés, des épreuves, mais les racines sont si profondément accrochées et mêlées que rien n'a pu être ébranlé. Si parfois je t'ai déçu ou fait de la peine, pense que c'est plutôt l'imperfection inévitable de toute nature humaine qui en est responsable. Ma volonté, elle, a toujours tendu à te rendre heureux, malgré mes maladresses et parfois mes échecs.

En ce jour d'anniversaire, il m'est doux de te renouveler mes promesses, en toute connaissance de cause et avec une confiance aussi inébranlable.

CHAPITRE XI

PÉTITIONS, REQUÊTES, LETTRES D'AFFAIRES MILITAIRES ET ADMINISTRATIVES

Lettres ou demandes adressées aux autorités supérieures par des officiers de réserve.

... Corps d'armée.
... Division.
... Brigade.
(Corps ou Service)
Objet :

Le (Capitaine, Lieutenant, etc.) de réserve (*ou* de l'Armée territoriale) [*nom et prénoms*] affecté au (*service d'affectation d'après le décret de nomination*), en résidence à ......, au (Général ...... *grade et emploi du chef de corps*).

(*Indiquer en quelques mots l'objet de la lettre.*)

La lettre ne doit contenir, entre cet en-tête et la signature, aucune appellation telle que Mon Général ou Monsieur le Ministre, ni aucune salutation.

Elle se termine simplement par la signature, sans indiquer le grade.

Objet :

Demande d'ajournement, de devancement d'appel.

En vue de me conformer aux prescriptions de l'instruction du 2 février 1909, j'ai l'honneur de vous demander de vouloir bien, pour les motifs ci-après, m'accorder un ajournement (*ou* un devancement) d'appel.

(*Développer ici les raisons qui font solliciter la faveur.*)

Nota. — *En cas de maladie, y joindre un certificat du médecin, dont la signature sera légalisée par le maire.* (*Pour les médecins civils seulement.*)

(*A adresser au chef de corps ou de service, actif ou territorial.*)

Objet :

Envoi de volume, revue ou article de journal publié.

Pour me conformer aux prescriptions de la circulaire du 17 août 1910, j'ai l'honneur de vous adresser ci-joint un exemplaire du volume (de la revue *ou* du journal) que j'ai récemment publié.

A envoyer : 1° *un exemplaire au cabinet du ministre* (*correspondance générale*) ; 2° *un exemplaire à l'état-major de l'armée* (*bibliothèque*).

Objet :

Lettre avisant l'autorité militaire de l'obtention, à titre civil, d'une décoration ou d'une distinction honorifique.

Pour me conformer aux prescriptions de l'art. 98 de l'instruction ministérielle du 2 février 1909, j'ai l'honneur de vous rendre compte que, par décret (*ou* par décision ministérielle) en date du ..., j'ai été promu (*indiquer la décoration obtenue ou la distinction dont on a été l'objet*).

Ci-joint en communication mon brevet (*ou* ma lettre ministérielle) vous permettant l'inscription de cette décoration sur mes pièces matricules.

(*A adresser au chef de corps ou de service, actif ou territorial.*)

Objet:

Demande en vue d'être réintégré dans les cadres.

Entièrement guéri de la maladie qui m'avait fait placer hors cadres, ainsi qu'en font foi les certificats ci-joints délivrés par l'autorité militaire, j'ai l'honneur de vous demander de vouloir bien me réintégrer dans les cadres et m'affecter de préférence au ...e régiment de ..., stationné à ...

(*A adresser au ministre* [*direction de l'arme*] *par la voie du chef de corps ou de service.*)

Objet :

Demande pour être admis à suivre les conférences et exercices pratiques d'une école d'instruction.

Désirant prendre part aux conférences sur l'utilisation du nouveau matériel du Génie, et participer aux exercices de coordination de cet arme avec les éléments légers d'Infanterie, qui auront lieu à l'Ecole d'instruction de (*indiquer la localité*), j'ai l'honneur de vous prier de vouloir bien m'autoriser à suivre les cours de cette école.

(*A adresser au directeur de l'Ecole d'instruction la plus rapprochée de la résidence.*)

Lettres de soldats (caporaux ou sous-officiers).

Pas plus que les officiers, les soldats ne doivent introduire de formules de politesse quand ils ont à écrire à leurs chefs par la voie hiérarchique.

Ils indiqueront dans l'en-tête le corps d'armée, la division, la brigade et le corps auxquels ils appartiennent, comme on l'a dit plus haut pour les officiers de réserve, inscriront en haut et à gauche l'objet de leur demande, et dateront en haut et à droite.

Si cela est nécessaire, ils mettront leur adresse au-dessous de leur signature.

Demande de congé définitif par un simple soldat.

X..., le 2 juillet 19..

Objet :

Demande de congé définitif.

Le chasseur DUTANT Jules au Général commandant la subdivision militaire de ...

Dutant (Jules-Bertrand), chasseur au 21e bataillon de chasseurs, en garnison à ..., demande la permission de vous exposer que, à la suite d'une fièvre typhoïde, sa santé demeure très chancelante, ainsi que l'atteste le certificat ci-joint du médecin-major.

Comme il ne sera pas en état de supporter les fatigues des exercices et surtout des grandes manœuvres qui précéderont la libération de sa classe, il sollicite de votre bienveillance un congé définitif, qui lui permette d'achever sa convalescence dans sa famille.

Jules DUTANT.

Chasseur DUTANT Jules
3e Cie du 21e bataillon de chasseurs
à X... (département).

(*A transmettre par la voie hiérarchique, avec les certificats nécessaires.*)

Pour demander des nouvelles d'un soldat malade.

Bouligneux, le 3 avril 19..

A Monsieur le Directeur de l'hôpital militaire de ...

Monsieur le Directeur,

Voudriez-vous avoir la bonté de me donner d'urgence des nouvelles de mon neveu, le nommé Ernest Baroit, soldat à la 5e compagnie du 3e bataillon de chasseurs à pied en garnison à Montbéliard. Ce soldat est entré à l'hôpital au mois de février dernier et, depuis cette époque, je n'ai reçu aucune lettre de lui. Notre inquiétude est très grande.

Dans l'espoir que vous voudrez bien me renseigner le plus tôt possible, je vous prie d'agréer, Monsieur le Directeur, avec mes remerciements anticipés, l'assurance de mes sentiments respectueux.

Pierre CHAMONAL.

M. Pierre CHAMONAL
« Le Grand Clos »
Bouligneux (Ain).

Demande de travailleurs militaires à un colonel.

Bersac, le 15 mai 19..

M. Béal Pierre, cultivateur à Bersac,
à Monsieur le Colonel du ... régiment d'infanterie, à ...

Mon Colonel,

J'ai l'honneur de vous faire connaître que mon exploitation agricole comprend 150 hectares, dont 50 hectares de blé et 50 hectares d'avoine, et cette année la main-d'œuvre est absolument insuffisante pour les travaux de la moisson. Je viens donc vous prier de vouloir bien permettre à ... soldats de votre régiment (ou aux soldats Béal Jean-Marie, de la 4e compagnie, et Charron Prosper, de la 1re compagnie) de m'aider aux travaux de la moisson, du 15 juillet au 15 août prochain.

Ces hommes trouveront dans ma ferme un salaire rémunérateur et une nourriture saine et abondante.

Dans l'espoir que vous accueillerez favorablement ma

demande, je vous prie d'agréer l'assurance de mes sentiments respectueux.

BÉAL Pierre,
Hameau des Maladières,
Bersac (Périgord).

Si le travailleur demandé est le fils du cultivateur, la demande est faite sur papier libre.

Si le travailleur est étranger à la famille, la demande est présentée sur une feuille de papier timbré.

Dans le cas ci-dessus, un fils et un étranger à la famille, il convient d'utiliser un papier timbré.

Elle est libellée au nom du chef de corps (Colonel), mais adressée à la préfecture.

La signature du demandeur est légalisée par le maire, qui certifie l'exactitude des faits énoncés dans la demande et, en outre, affirme que dans le village il n'y a aucune maladie contagieuse

Lettre d'un militaire pour demander une permission.

Le (*grade et nom*).
au ... (*unité commandée*)
à Monsieur le (*grade et emploi du destinataire*).

J'ai l'honneur de vous demander de bien vouloir m'accorder une permission de ... jours, avec solde de présence, valable du ... au ... 1953 pour me rendre au mariage de mon frère, à ...

Au cours de cette permission, mon adresse sera : chez ..., n° ..., rue ... (*ville, département*).

Signature.

Lettre d'un sous-lieutenant sortant d'une école militaire à son futur chef de service.

Mon Commandant,

Affecté, à ma sortie de l'Ecole ..., au 2ᵉ bataillon du 56ᵉ régiment d'infanterie, et appelé à servir sous vos ordres, je me fais un devoir de venir vous exprimer mon respectueux dévouement.

Je me mets entièrement à votre disposition. J'ai obtenu du commandant de l'Ecole une permission qui expire le 6 septembre 1953. J'ai l'intention de la passer 56, rue de La Vallière, à Formentin-Mayenne. Si ma présence n'est pas indispensable au bataillon avant cette date, je rejoindrai donc ma garnison le 6 septembre au matin.

Veuillez agréer, mon Commandant, l'expression de mes sentiments respectueux.

Demande d'autorisation de prendre part à un examen, à une course, etc.

J'ai l'honneur de demander l'autorisation de prendre part aux épreuves d'admission à l'Ecole... à sa prochaine session.

Signature.

J'ai l'honneur de demander l'autorisation de prendre part au concours hippique de . . ., du . . . au . . .

Signature.

Lettre d'un militaire pour demander l'autorisation de contracter mariage.

J'ai l'honneur de vous demander de bien vouloir m'accorder l'autorisation de contracter mariage avec Mademoiselle Sonia-Marie-Gabrielle-Antoinette Lecarton, domiciliée à Angers (Maine-et-Loire), 9, rue de la République.

Ma fiancée, Française d'origine, est née le 6 mars 1930 et exerce la profession de modiste (*ou* est sans profession); ci-joint : 1° un extrait de l'acte de naissance; 2° un extrait du casier judiciaire de ma fiancée.

Si la fiancée est de nationalité étrangère :

Ma fiancée, de nationalité belge, est née le 6 mars 1930 à Bruxelles et est sans profession. Elle a résidé en Belgique à l'adresse suivante : 6, rue de la Monnaie, Bruxelles.

Ci-joint : 1°, 2° (*voir plus haut*) et 3° : une déclaration de ma fiancée (Je soussignée, Sonia-Marie-Gabrielle-Antoinette Lecarton, déclare renoncer expressément, en vue de mon mariage avec le sergent Léonard Blin, à la faculté qui m'est offerte, par l'article 38 de l'ordonnance du 19 octobre 1945 portant code de la nationalité française, de décliner la qualité de Française. Fait à Bruxelles, le 19 octobre 1953.)

Signature.

CHAPITRE XII

LA MORT

Lettre d'une femme à un supérieur de son mari pour lui annoncer le décès de ce dernier.

Monsieur le Directeur,

Il est de mon devoir de vous apprendre tout de suite mon immense épreuve. J'ai la douleur de vous faire part de la mort de mon mari, survenue hier soir. Voulez-vous avoir la bonté de la faire connaître à tous les membres du personnel qui furent ses camarades de travail?

Les obsèques auront lieu vendredi prochain 18, à 9 heures du matin, en l'église Saint-Louis.

Veuillez accepter, Monsieur le Directeur, l'expression de ma considération.

Télégrammes pour annoncer un décès.

François mort ce matin. Lettre suit.

Mère décédée. Obsèques vendredi onze heures.

Cousine Jeanne morte subitement. Prévenez Pierre.

Le faire-part de décès : dans les journaux.

De nos jours, ce faire-part remplace, la plupart du temps, la lettre d'invitation. En voici quelques exemples :

Nous apprenons la mort de M. Léon CARRIER, docteur

ès sciences, chevalier de la Légion d'honneur, décédé, muni des sacrements de l'Eglise, le 27 janvier, en son château de Neuville-les-Roches (Seine-et-Marne). Les obsèques auront lieu lundi 29 janvier, à 10 heures, en l'église Saint-Pierre-de-Chaillot, où l'on se réunira. Ni fleurs ni couronnes. Le présent avis tient lieu d'invitation.

L'incinération de Mme Alphonse LÉGER aura lieu demain 4 mars, à 15 heures, au cimetière du Père-Lachaise, où l'on se réunira. Cet avis tient lieu d'invitation.

Mme Ernest Chandet, Mlle Jeanne Chandet, M. et Mme Henri Chandet ont la grande douleur de faire part de la mort du Docteur Ernest CHANDET, ancien interne des hôpitaux, médecin honoraire de l'Assistance publique, décédé dans sa 75e année. Selon la volonté expresse du défunt, les obsèques ont été célébrées dans la plus stricte intimité. Cet avis tient lieu de faire-part.

En province, on envoie encore parfois la lettre d'invitation aux obsèques.

Cette lettre est adressée à toutes les personnes parentes et amies, et aux relations qui, pense-t-on, pourront assister aux obsèques. Elle est imprimée et envoyée avec toute la hâte nécessaire. C'est d'ordinaire une lettre double, envoyée sous enveloppe gommée.

Ce sont les proches parents qui invitent, c'est-à-dire les grands-pères et grand-mères, père et mère, veuf ou veuve, frères, sœurs, beaux-frères et belles-sœurs.

Voici quelques renseignements sur la façon de rédiger cette invitation :

1° Une veuve défunte est désignée par son nom d'épouse et de jeune fille. *Exemple :* Mme Paul Ribout, née Jeanne-Marie Descombes;

Exemple de lettre d'invitation.

Vous êtes prié d'assister au service, convoi et enterrement de

Monsieur Pierre-Marc PERRIN

Avocat au Conseil d'Etat et à la Cour de cassation,
Officier de la Légion d'honneur,
Croix de guerre,

décédé le 3 janvier, muni des sacrements de l'Eglise, en son domicile, 8, allée Verte, à Bazouges, dans sa 59e année,

Qui auront lieu le jeudi 6 janvier à midi précis en l'église de la Trinité, sa paroisse.

De Profundis.

On se réunira à l'église.

DE LA PART DE

Madame Pierre PERRIN, son épouse;
Du Commandant Jacques PERRIN
et de Madame Jacques PERRIN, ses enfants;
Madame Paule PERRIN, Fille de la Charité, sa fille;
Monsieur et Madame Jean DUBOIS, ses enfants;
Mademoiselle Monique PERRIN;
Monsieur Bernard DUBOIS, ses petits-enfants;
Monsieur Jean VINCENT, son beau-frère.

L'inhumation aura lieu au cimetière Vieux.

2° Tous les parents au même degré doivent être mentionnés dans le même alinéa;

3° Quel que soit leur âge, les parents du défunt viennent avant la belle famille, les gens mariés avant les célibataires, les garçons avant les filles, et les religieuses avant les filles non mariées;

4° Une religieuse est désignée par son nom de jeune fille et son nom de religieuse suivi du nom de son ordre. Exemple : Mme Rose Hermann, en religion sœur Marthe de l'Enfant-Jésus, religieuse de Saint-Vincent-de-Paul;

5° On ne mentionne pas les décorations des parents, mais on donne tous les titres et décorations du défunt;

6° L'invitation est parfois faite, en même temps, par la famille et par l'administration ou le groupement auquel appartenait le défunt, par exemple le Conseil général (dans ce cas, le préfet invite aussi) ou une grande société.

Les catholiques mentionnent toujours si le défunt est décédé muni des sacrements de l'Eglise. Si les circonstances du décès n'ont pas permis d'administrer les sacrements, ils remplacent la formule habituelle par décédé subitement, ou rappelé à Dieu, ou endormi dans la paix du Seigneur.

Le De Profundis *des catholiques est remplacé pour les enfants par* Laudate pueri Dominum, *et chez les protestants par un verset de la Bible.*

La lettre de faire part.

La lettre de faire part s'envoie parfois en même temps que l'invitation, mais le plus souvent dans le mois qui suit les obsèques.

On y donne plus de détails que dans la lettre d'invitation. On mentionne toute la famille jusqu'aux cousins issus de germains, en indiquant pour chacun les titres et décorations.

La formule finale des catholiques « Priez pour lui » est remplacée, chez les protestants, par un verset biblique, parfois choisi d'avance par le défunt lui-même.

Exemple de lettre de faire part.

M

Madame Louis DURAND;
Le Docteur Henri DURAND, médecin-chef de l'hôpital Saint-Jean, et Madame Henri DURAND;
Monsieur Paul DURAND, élève de l'École centrale;
Monsieur CADET, conseiller général, et madame CADET;
Madame Louise DESBATS, directrice de l'École supérieure de Bourg-la-Reine, chevalier de la Légion d'honneur;

Les familles ROUSSEL et BLONDEAU

Ont la douleur de vous faire part de la perte qu'ils viennent d'éprouver en la personne de

Monsieur Louis DURAND

Ingénieur,
Officier de la Légion d'honneur,

leur époux, père, beau-père, oncle, grand-oncle et cousin, décédé subitement le 18 septembre 19..., à La Baule-sur-Mer, à l'âge de 78 ans.

Priez pour lui.

7, avenue des Gobelins, Paris.

Les condoléances.

On répond à un faire-part de décès, lorsque le défunt ou ses parents ne sont pas des amis intimes, par une simple

Pierre MARLIER

prie Madame Brun de bien vouloir agréer, avec ses respectueux hommages, ses bien vives et bien sincères condoléances.

M. et Mme René BELLICI

prient Mme de Biez de bien vouloir agréer, avec leurs respectueux souvenirs, l'expression de leur douloureuse sympathie à l'occasion du deuil cruel qui la frappe.

carte sur laquelle on ajoute quelques mots à la main. Voici quelques formules :

Avec ses respectueuses condoléances.

Souvenirs émus et sincères condoléances.

Sentiments de douloureuse sympathie.

Aux amis un peu intimes, il vaut toujours mieux répondre par une lettre, fût-elle très courte.

A un ami.

Cher Monsieur,

Très ému par la douloureuse nouvelle dont vous venez de me faire part, je vous exprime toute ma sympathie dans la dure épreuve qui vous est imposée et vous prie d'agréer mes plus vives et plus sincères condoléances.

A un ménage ami.

Chers Amis,

Nous apprenons avec une pénible surprise le coup dont vous venez d'être frappés. La dernière fois que nous avons vu Madame Lebreton, elle semblait être en parfaite santé et promise à une longue et heureuse vieillesse. Nous la connaissions assez pour apprécier son intelligence, restée si vive, et sa grande bonté pour tous et surtout pour vos enfants. Quel déchirement pour vous!

Il ne nous est pas possible de nous rendre aux obsèques, mon mari ne peut prendre de congé, et je suis retenue à la chambre par une grippe légère. Mais croyez que nous prenons la part la plus sincère à votre grand chagrin et recevez, chers Amis, l'expression de nos sentiments attristés et fidèlement sympathiques.

Condoléances de Victor Hugo à Lamartine.

A titre de curiosité, voici la lettre de condoléances que Victor Hugo écrivit à Lamartine pour la mort de sa femme.

Hauteville-House, 23 mai 1863.

Cher Lamartine,

Un grand malheur vous frappe ; j'ai besoin de mettre mon cœur près du vôtre. Je vénérais celle que vous aimiez.

Votre grand esprit voit au-delà de l'horizon ; vous apercevez distinctement la vie future. Ce n'est pas à vous qu'il est besoin de dire : espérez. Vous êtes de ceux qui savent.

Elle est toujours votre compagne ; invisible, mais présente. Vous avez perdu la femme, mais non l'âme. Cher ami, vivons dans les morts.

V. H.

Remerciements pour une lettre de condoléances.

Cher Monsieur et Ami,

Je suis très sensible à la part que vous prenez à mon chagrin. Dans le désarroi où m'a plongé ce deuil si subit, il me semble que seule la pensée des amis qui me demeurent fidèles me donne la force de vivre et de penser à l'avenir.

Veuillez recevoir, cher Monsieur et Ami, avec mes remerciements, l'expression de ma meilleure sympathie.

Il est d'usage, huit jours après l'enterrement, d'envoyer une carte de remerciements à toutes les personnes qui ont assisté aux obsèques et exprimé leur sympathie par une lettre. Cette carte porte les noms des proches parents et ces mots « avec leurs remerciements » ou « vous remercient de la sympathie que vous leur avez témoignée ».

Madame Pierre MOREL
Messieurs Jacques et Bernard MOREL
Mademoiselle Odile MOREL
Monsieur et Madame Louis VANEL
Madame André JACQUOT
vous remercient de la sympathie que vous leur avez témoignée.

On peut aussi remercier en faisant mettre une note dans le journal :

M. Jean Bigot, M. et Mme Noël Bigot et leur famille, le préfet de la Haute-Garonne, le Conseil général et le département de la Haute-Garonne, dans l'impossibilité de répondre aux innombrables marques de sympathie qui leur sont parvenues à l'occasion de la mort de M. Paul BIGOT, sénateur et président du Conseil général, vous prient de trouver ici l'expression de leurs bien vifs et très sincères remerciements.

M. et Mme François Nardot et leur famille, très touchés des nombreux témoignages de sympathie qui leur ont été adressés lors du décès de M. Maurice NARDOT, présentent ici, avec leur reconnaissance, leurs sincères remerciements.

Lettre à un homme pour la perte d'une mère très âgée.

Cher Ami,

Ma pensée est avec vous. Je sais combien lourde est votre perte et quel arrachement du cœur représente ce vide.

Quel que soit l'âge d'une mère, elle reste unique et incomparable. A elle on doit tout et la nécessité de sa présence existe à un degré que l'on est seul capable de mesurer.

C'est une période de votre vie définitivement achevée et ceux qui n'ont pas d'espérance (ou de tâche à remplir) sont bien à plaindre.

Je veux que vous sachiez ma pensée présente et fidèle, cher Ami; partagez-la avec Madame G. (*ou* Antoinette), ainsi que l'expression de mes sentiments de vive compassion.

Lettre à une femme qui vient de perdre son mari.

Chère Madame,

La douloureuse nouvelle me parvient à l'instant et ma pensée vous entoure avec une infinie compassion. Je sais qu'il n'est pas de mots pour l'exprimer ni pour tenter de consoler. Vous voilà désormais seule sur le chemin de la vie, où il était normal de pouvoir marcher aux côtés de votre incomparable compagnon. Il semble que désormais vos soucis seront multipliés par deux puisqu'il ne sera plus là pour les partager.

Mais n'est-ce pas doux de conserver le souvenir de ce beau passé? Cette pensée vous aidera dans les jours à venir, ainsi que la volonté de continuer les tâches entreprises à deux.

Si je peux en quoi que ce soit vous aider et alléger votre fardeau, pensez que cela me serait une vraie satisfaction. Je ne veux pas me montrer importune, mais je souhaite vous donner la certitude que je répondrai au premier appel.

Veuillez croire, chère Madame, à toute ma profonde sympathie dans votre épreuve.

Lettre à une mère qui vient de perdre un enfant après une longue maladie.

Chère Amie,

Dès que j'ai appris la déchirante conclusion à ces longs mois torturants, mon cœur est allé près du vôtre. Je sais qu'il n'est pas de mots pour consoler. Pendant longtemps j'attendais le miracle; je suis certaine que, tout en connaissant la gravité du mal, vous l'espériez aussi et la réalité doit vous sembler trop cruelle pour la comprendre totalement. C'est vous qui êtes à plaindre puisque vous restez; pour notre chère Marie-Hélène, elle a fini de souffrir et connaît maintenant la récompense à son admirable résignation. Je sais que cette pensée seule vous permet d'accepter. Je voudrais aussi que la certitude de sentir votre douleur partagée vous soit un adoucissement.

Je ne cesse de penser à vous (*ou* je prie pour vous); voulez-vous, ma chère Amie, me permettre de vous embrasser avec tout mon cœur compatissant?

Lettre à une mère qui vient de perdre un enfant accidentellement.

Chère Madame,

C'est à peine si j'ose venir à vous tant j'imagine votre désir de fuir tout ce qui n'est pas votre douleur. Mais j'éprouve une trop grande compassion pour ne pas essayer de vous l'exprimer.

La brutalité de cet arrachement dépasse, je le sais, l'imagination; il est tellement contre nature de voir partir avant soi celui qui avait été mis au monde pour vous prolonger et vous survivre.

Il est sans doute trop tôt pour vous parler encore d'apaisement; le jour viendra cependant où vous pourrez trouver une douceur dans les souvenirs de ce trop court passage sur la terre. Je le désire avec tout mon cœur.

Veuillez croire, chère Madame, à ma pensée sans cesse à côté de vous, je voudrais partager votre intolérable épreuve pour tenter de l'alléger un peu.

Lettre à une amie, mariée, qui vient de perdre sa mère.

Combien je suis attristée, ma chère Bernadette, de n'avoir pu être auprès de vous en ces jours d'épreuve, je comprends et partage si largement un pareil arrachement.

Je sais la place immense que votre mère (1) tenait dans votre cœur. La disparition d'une mère a toujours un caractère unique et irréparable, (2) mais, selon l'intimité et l'union des familles, cela peut être plus ou moins tragique et je sais combien vous étiez indispensable l'une à l'autre. (3) Du fait de l'immense privation de maternité, il semble que vous aviez reporté sur notre chère disparue, en plus de votre amour filial, tout ce que vous ne pouviez donner aux enfants que l'existence vous a refusés.

Et maintenant, vous voilà poussée dans la vie, à la place des chefs de famille; plus jamais vous ne serez pour personne « la petite qui peut s'appuyer ».

Mon amitié mesure, dans toutes ses nuances, la force de votre douleur.

(4) Ainsi le Seigneur réserve à chacun sa part, faite à sa mesure. Il reste cette confiance totale et absolue avec laquelle on accepte et on espère.

Je sais que les paroles sont bien impuissantes à porter la consolation, je voudrais simplement qu'il vous soit doux de vous sentir entourée d'affection. Je vous embrasse, ma chère Bernadette, avec tout mon cœur compatissant.

1. Avec une personne plus âgée que soi, moins intime, il est préférable de dire « Madame votre mère ».

2. Cette phrase se supprime si l'on n'est pas assuré de la grande intimité et de la parfaite entente familiale.

3. Si la correspondante a des enfants, remplacer par :
Vous avez heureusement le meilleur et le plus puissant dérivatif en la personne de vos enfants que leur grand-mère aimait tant. En

la remplaçant désormais auprès d'eux, vous aurez l'impression de la faire revivre encore.

4. Si cela ne correspond pas à vos convictions, le remplacer par : C'est la pensée fidèle qui prolonge la vie de ceux que nous aimons et tous ceux qui ont connu votre mère garderont d'elle l'ineffaçable souvenir de sa bonté, de son accueil charmant, de ses dons exceptionnels.

Lettre à une sœur qui vivait avec la disparue, toutes deux célibataires.

Chère Mademoiselle,

C'est seulement hier que j'ai appris la douloureuse conclusion à vos jours d'angoisse et de lutte.

J'avais beaucoup espéré que l'inexorable diagnostic du docteur aurait un démenti et que vous conserveriez longtemps encore celle qui vous était si chère.

Je sais l'immense vide que ce départ laisse dans votre cœur, il semble que vous perdiez une seconde fois tous ceux que vous aimez et que cette chère sœur représentait et remplaçait auprès de vous.

Veuillez trouver ici toute ma compatissante sympathie, et, puisque je ne pourrai malheureusement être présente à la triste cérémonie, ma pensée vous accompagnera tout au long de cette journée.

DEUXIÈME PARTIE

CORRESPONDANCE COMMERCIALE

Partie revue par Françoise de QUERCIZE

CHAPITRE PREMIER

PRINCIPES GÉNÉRAUX

Il sera utile de relire les *Conseils pour écrire une lettre* donnés au début de la première partie. Certaines indications, notamment en ce qui concerne la ponctuation, peuvent prendre une importance capitale dans une lettre où de gros intérêts sont en jeu. Mais la correspondance commerciale obéit à des règles particulières, plus formelles que celles qui régissent la correspondance ordinaire.

Lois générales : la rapidité.

Le maximum de service dans le minimum de temps, telle est la formule qui s'impose à toute correspondance de caractère commercial.

La concurrence économique et industrielle exige de chacun un effort croissant pour lutter de vitesse. Cet effort ne s'exerce pas seulement au stade de la production, c'est-à-dire à l'usine, à la mine ou à la ferme ; il doit également être assuré à celui de la distribution, c'est-à-dire à l'entrepôt et au magasin, et jusqu'aux bureaux de correspondance et de comptabilité. Tout un ensemble de procédés ingénieux, souvent admirables, a été imaginé et mis au point en un demi-siècle, qui a bouleversé entièrement la routine pesante dont s'enorgueillissait l'administration de nos vieilles maisons de commerce.

Le télégraphe, le téléphone, les différentes machines de bureau (à écrire, à calculer, ronéo, etc.), le téléimprimeur, le dictaphone et les plus récentes inventions sont tous nés du même besoin : gagner du temps, aller plus vite que le rival, arriver le premier.

La correspondance commerciale a donc pour loi suprême la concision. Nous ne voulons pas parler ici de la rapidité mécanique avec laquelle la lettre est expédiée, mais de la façon même dont elle est conçue et rédigée. Elle doit contenir tout l'essentiel; elle n'a pas le droit de renfermer quoi que ce soit d'inutile. Chaque alinéa, chaque phrase, chaque mot doit apporter sa pierre à l'édifice et justifier sa présence.

Cela, quoique facile à comprendre, n'est pas toujours aisé dans la pratique et demande une attention constante, comme le sait bien quiconque a dirigé des services de correspondance. Le chef distrait, le correspondancier négligent se laissent entraîner par l'habitude à dicter ou à écrire des lignes, parfois des phrases entières, qui font perdre du temps à tous ceux entre les mains desquels la lettre passera et ne servent qu'à discréditer les responsables.

L'exactitude.

Une seconde loi, non moins essentielle, enjoint au correspondancier de ne jamais rien écrire d'inexact ni même d'imprécis.

Un attachement rigoureux à la vérité est une nécessité absolue : la moindre inexactitude entraîne des corrections, des réclamations, des retards, peut faire manquer une affaire et même éloigner un client. Rien n'est plus fatal au succès que le soupçon de mauvaise foi. A notre époque, où les nouvelles marchent si vite, perdre la confiance d'un seul client, c'est s'exposer à perdre toute une clientèle.

Un autre aspect de l'exactitude est la précision. Il faut non seulement dire la vérité, mais encore la serrer d'aussi près que possible. Un bon correspondancier ne dira donc pas : *en réponse à votre dernière lettre*, mais, *en réponse à votre lettre du* 14 *courant*, *du* 14 *écoulé* ou *du* 14 *juin*, car la Maison à laquelle il écrit a pu, dans l'intervalle, écrire d'autres lettres que le correspondancier n'a pas encore entre les mains. Il ne dira pas : *nos conditions sont les mêmes que pour votre précédente commande du même article*, ce qui obligerait le lecteur à se reporter aux factures antérieures, mais il répétera le texte même de ces conditions, en indiquant, si cela est utile, que ces conditions n'ont pas changé.

D'une manière générale, tout en rattachant la lettre à la correspondance précédente, il faut s'efforcer de ne pas obliger le lecteur à faire des recherches, qu'on peut lui éviter en ajoutant simplement les quelques mots ou chiffres qu'on a sous les yeux.

On pourrait donner vingt exemples de l'utilité d'un chiffre précis. Vous annoncez la visite d'un voyageur. Si vous employez une expression vague, comme *incessamment* ou *sous peu*, le client, que vous laissez ainsi dans l'incertitude, et qui a besoin d'organiser son temps, par exemple pour faire un voyage, ne saura pas s'il peut attendre votre voyageur avant de partir. Si, au contraire, vous lui fixez une date, même approximative, mais toujours aussi précise que possible, par exemple *entre le dix et le quinze du mois prochain*, il saura à quoi s'en tenir. Il y a là une série d'habitudes à prendre, qui consistent essentiellement à préférer aux mots imprécis des chiffres, des dates et des heures.

On ne craindra pas de multiplier les alinéas et même de leur donner un numéro et un titre, afin de mettre dans une lettre un peu longue le maximum d'ordre et de clarté. Et on prendra soin, en répondant à une lettre ainsi subdivisée, de rappeler le numéro et le titre de chaque alinéa.

En vue de faciliter les classements ultérieurs, il faudrait même rédiger sur des feuillets distincts et numérotés les questions qui ressortissent à des affaires différentes entre les mêmes Maisons, ou faire faire des copies permettant le classement dans plusieurs dossiers.

On évitera avec le plus grand soin toute expression qui pourrait être interprétée de deux ou plusieurs façons différentes.

Enfin, il faut que le correspondancier soit très au courant des termes techniques propres aux affaires courantes de la Maison. Sinon, on risque de donner l'impression fâcheuse que la Maison est dirigée par des amateurs et non par des commerçants sérieux.

La prudence.

Une loi dont on reconnaît moins volontiers la nécessité, c'est celle qui défend de faire le jeu de l'adversaire, que cet adversaire soit le concurrent auquel on a livré bataille, ou le correspondant même, client ou fournisseur, car toute discussion d'affaires procède d'une rivalité où il serait maladroit ou même dangereux de donner à l'interlocuteur des armes contre soi.

Le bon correspondancier ne se contentera donc pas de se mettre au courant de la partie technique, mais il étudiera à fond le côté juridique des questions qu'il aura à traiter. On n'a pas toujours affaire à des gens d'une honnêteté scrupuleuse. Dans les périodes de marasme comme dans celles de grande prospérité, votre bonne foi peut être surprise par des gens que les difficultés réduisent aux expédients ou des ambitieux auxquels la griserie du succès fait plus ou moins perdre le sens moral.

Cette prudence n'est pas incompatible avec une parfaite courtoisie, d'autant plus indispensable qu'on doit dire des choses plus dures. S'il arrive, par exemple, qu'un de vos correspondants tarde à répondre à une lettre urgente, ne l'accusez pas brutalement de mauvaise volonté. Laissez écouler un délai raisonnable, étant donné les circonstances de temps et de lieu — au minimum le temps nécessaire pour que votre lettre, peut-être mal adressée, mais portant extérieurement votre propre adresse, ait pu vous être retournée par la poste. Ecrivez alors une seconde fois la lettre, que, par politesse, vous supposerez avoir été égarée. Mais si vous avez quelque raison de soupçonner la bonne foi de votre correspondant, il sera prudent d'envoyer la lettre en recommandé.

L'oubli des convenances est toujours une maladresse et souvent une marque d'infériorité.

Par convenance encore, on évitera de dire trop souvent *je* et *nous*, surtout au début de l'alinéa. On emploiera de préférence *vous, votre Maison, vos clients*. Par exemple, au lieu de *je vous enverrai*, dites : *vous recevrez*.

Le correspondancier doit en toute occasion faire preuve de bon sens et de tact. Il doit se mettre, et se tenir, au courant des habitudes de la Maison, étudier soigneusement le dossier de l'affaire au sujet de laquelle il écrit, se rendre un compte exact et de la position de sa Maison et de celle de la Maison ou de la personne à laquelle il s'adresse.

Avant tout, il devra s'inspirer de la tactique suivie par le chef d'entreprise et se défendre avec rigueur de la contrecarrer plus ou moins sournoisement : il faut que chaque ligne écrite ou dictée justifie la confiance du chef.

Fonctionnement d'un service de correspondance : le courrier à l'arrivée.

Le courrier est remis à la personne chargée de sa réception et de son enregistrement. Celle-ci ouvre elle-même toutes les lettres et en prend connaissance rapidement. Au fur et à mesure qu'elle les décachette, elle inscrit sur le *registre* (ou *répertoire*) *de correspondance :*

1° Le nom du correspondant;

2° La date d'envoi de la lettre indiquée par le correspondant;

3° La mention des pièces jointes, s'il y a lieu;

4° En quelques mots l'objet de la lettre.

Elle s'assure que toutes les pièces indiquées comme jointes se trouvent effectivement dans l'enveloppe et met soigneusement à part tous les papiers de valeur, tels que chèques, traites, lettres de change ou contrats.

Un employé appose sur la lettre ou le document, autant que possible au-dessous de la *date d'envoi,* c'est-à-dire en haut et à droite, un timbre indiquant la *date d'arrivée,* en général sous la forme suivante :

Reçu le **19 - VIII - 51**
Répondu le ....

Cette date ainsi portée n'a pas la valeur officielle du timbre apposé par le bureau récepteur de la poste, mais celui-ci ne peut faire foi que si l'enveloppe fait corps avec la lettre (1) comme dans les différentes formes de cartes-

(1) C'est la raison pour laquelle on envoie parfois une lettre recommandée pliée et non sous enveloppe, afin d'empêcher le correspondant de prétendre qu'il n'a reçu qu'une enveloppe vide.

lettres. Ce timbre, sans être un constat officiel, n'en est pas moins très utile comme référence.

Certaines Maisons trouvent avantage à employer un *horodateur*, qui précise l'heure même de l'arrivée.

Le courrier est ensuite trié puis remis au chef d'entreprise. Celui-ci se réserve de répondre lui-même à toutes les lettres importantes, et donne ses instructions pour que le courrier courant soit remis, pour étude et réponse, aux services compétents de l'entreprise.

Pour les lettres courantes, le chef d'entreprise se contente soit de donner des notes orales à son correspondancier ou à sa secrétaire, soit de porter sur la lettre même des notes succinctes ou des signes conventionnels, par exemple :

au lieu de

Sans réponse	il inscrira	*S. R.*	ou, par ex.,	le signe	×
A répondre	—	*A. R.*	—	—	═
Accepter conditions	—	*A. C.*	—	—	≡ O
Refuser	—	*R. F.*	—	—	≡ R
Réponse pressée	—	*R. P.*	—	—	≣
Téléphoner	—	*R. T.*	—	—	━
Télégraphier (dépêche)	—	*R. D.*	—	—	═

ou tels autres signes dont il sera convenu avec ses secrétaires.

Ces indications sont généralement portées au crayon de couleur et le correspondancier, pour indiquer qu'il en a pris connaissance, les surcharge de ses initiales.

Le correspondancier joue donc, dans une maison de commerce, un rôle d'autant plus important qu'on lui témoigne plus de confiance et qu'on lui laisse plus d'initiative. Il peut même arriver qu'il écrive dans une langue étrangère que le chef d'entreprise ne connaît pas, ce qui oblige ce dernier à signer pour ainsi dire les yeux fermés.

Lorsqu'il a les qualités requises de tact, de discrétion, d'ordre, et qu'il sait donner à ses lettres une belle tenue, c'est un des auxiliaires les plus précieux du chef d'entreprise.

Dictée de la lettre.

Il n'est plus d'usage de rédiger les lettres courantes que la secrétaire se bornait à recopier sur sa machine. Seul un correspondancier débutant et malhabile a recours à cette méthode.

Lorsqu'il s'agit d'une lettre longue et difficile à concevoir, exigeant une attention soutenue, il est utile de noter, avant la dictée, son plan, les éléments essentiels de son argumentation, les références invoquées, afin d'étayer la dictée proprement dite sur un schéma général, ce qui laissera plus de liberté pour le choix des expressions.

Mais un bon correspondancier, qui a bien étudié son dossier, doit être capable de dicter. Cela fait gagner du temps.

La secrétaire note le texte qui lui est dicté soit à la main (sténographie), soit à l'aide d'une machine (sténotypie). Les deux méthodes permettent une notation à un rythme extrêmement rapide, allant jusqu'à celui d'une conversation courante. Elles reposent sur le principe de la simplification phonétique de l'orthographe — une seule lettre ou un seul signe par son, et toujours la même lettre ou le même signe pour le même son. De ce fait, quiconque connaît la méthode de notation employée peut relire le texte sans difficulté, surtout avec le procédé mécanique sténotypique.

Le dictaphone ou le magnétophone enregistrent les paroles prononcées. Avec ces appareils il est permis de dicter du courrier en l'absence d'une secrétaire. Il suffit à celle-ci, à son retour, de remettre l'appareil en marche pour entendre distinctement, et autant de fois qu'elle le voudra, les paroles enregistrées.

Disposition de la lettre de commerce : le format.

Il est essentiel de soigner la présentation de la lettre de commerce. On est tenté, en effet, à première vue, de classer le genre, la solidité et la prospérité de la Maison d'après l'aspect matériel de la lettre, la qualité du papier, l'élégance de l'en-tête, et même la netteté de l'impression. Une lettre souillée de bavures, de ratures, mal équilibrée, indique une incurie, une négligence des détails, qu'on peut craindre de retrouver aussi bien dans la fabrication que dans la comptabilité.

Les deux formats habituellement employés sont le papier dit « commercial » de 21 centimètres sur 27, et, pour le mémorandum, un format égal à la moitié du précédent.

Parmi les autres formats, on peut citer le papier commercial plié en deux, et utilisé comme le papier à lettres de la correspondance ordinaire, c'est-à-dire en commençant soit sur la première, soit sur la quatrième des pages ainsi formées. Cela donne à la lettre une allure plus personnelle, qui est surtout recherchée par ceux qui tiennent à ce que leur activité ne puisse être confondue avec des professions commerciales (membres de professions libérales, banquiers, officiers ministériels).

Pour les communications très courtes, on emploie quelquefois la carte-lettre, mais, comme son format en rend le classement moins facile, il est préférable de ne l'employer que pour les notes peu importantes.

La carte postale a l'avantage d'être économique et l'inconvénient d'être livrée à toutes les indiscrétions. On n'en fera donc qu'un usage très prudent.

L'en-tête.

L'en-tête de la lettre de commerce mentionne obligatoirement :

le nom ou la raison sociale de la Maison; l'adresse; le ou les numéros d'inscription au registre du commerce ou au registre des métiers du département.

Elle peut en outre donner diverses indications, notamment :

la nature de l'activité de la Maison; le ou les numéros de téléphone; l'adresse télégraphique; le numéro de compte courant postal, etc.

On ne manquera pas de noter pour les sociétés, selon le cas, les mots :

Société anonyme au capital de F...; Société en commandite simple...; Société par actions...; Société à responsabilité limitée...

On peut encore donner l'adresse du siège administratif, des succursales, des fabriques, des maisons dont on est représentant ou concessionnaire, les récompenses obtenues aux expositions, la mention « membre du jury », Hors Concours, et, en général, tout ce qui peut être utile.

La date.

Il est indispensable de dater complètement toute lettre de commerce ou d'affaires.

Comme l'adresse se trouve imprimée dans l'en-tête, on se contente de faire précéder la date du nom de la ville, suivi d'une virgule.

Exemple : *Nantes, le* 20 *Avril* 19...

On écrit en majuscule la première lettre du nom du mois dans la date, mais non dans le corps de la lettre.

Pour certaines circulaires, au lieu de dater, on imprime,

généralement entre parenthèses, les mots : (*date de la poste*).

La vedette.

On entend par vedette le nom et l'adresse du correspondant. L'inscription de la vedette est une précaution importante, puisqu'elle précise à qui la lettre est adressée.

La vedette se place habituellement à droite, à environ 4 centimètres au-dessous de la date : c'est la vedette à la française. Dans l'espace ainsi laissé en blanc sera apposé le timbre indiquant la date d'arrivée de la lettre.

Cependant, une coutume venant de l'étranger tend à se généraliser : c'est la vedette à l'américaine, alignée à gauche sur le corps de la lettre.

Si la raison sociale contient un nom de femme, on pourra éviter ce qu'il y aurait d'un peu gauche à dire : *Madame X et Messieurs Y Z*, en employant l'expression : *Maison X Y Z*.

La marge.

On laisse d'ordinaire une marge d'un peu plus du cinquième de la largeur de la page.

Une marge étroite est incommode pour le correspondant qui a besoin d'espace pour ses annotations et peut être interprété comme le signe d'une inquiétante lésinerie. Une marge spacieuse donne à la lettre un cachet plus élégant.

Le paragraphe commence avec un retrait d'un centimètre. Ce retrait doit être le même pour tous les alinéas.

A droite, on laissera un bon centimètre d'espace.

Il est parfois assez délicat de couper les mots à la fin de la ligne. Il faut éviter de ne mettre qu'une partie infime du mot soit à la fin de la ligne comme *é- tant*, soit au commencement, comme *indivi- se.* Dans ces deux cas, il vaut mieux ne pas couper, faire passer le mot *étant* à la ligne suivante, et achever sur une seule ligne le mot *indivise.*

Bien entendu, on ne coupe jamais après une apostrophe, comme *l'*, *qu'*, *jusqu'*, ni entre les différentes parties d'une date, ni au milieu d'une syllabe. On ne coupera donc pas un mot comme *étaient* ou *voyaient*, ou même *voyage.*

Arrivé au bas de la page, il vaut mieux prendre une nouvelle feuille que d'écrire au dos. On prendra soin alors de numéroter les pages.

Le début de la lettre.

La plupart des lettres de commerce peuvent se ramener, en ce qui concerne le début de la lettre, à un petit nombre de formules. Celles-ci varient selon l'objet de la lettre et la qualité du correspondant. Voici les principales.

Lettre pour entamer une affaire ou offrir ses services.

Nous avons l'honneur de vous informer...
Nous prenons la liberté de vous informer...
Sous les auspices de M..., j'ai l'honneur de vous...
J'ai le plaisir de vous faire connaître...
Je suis dans l'obligation de...
Je me vois dans l'obligation de...

Demande de renseignements.

Je vous prie de me dire, autant que possible par retour du courrier...

Nous vous serions obligés de nous faire connaître...

Vous m'obligerez en me donnant des renseignements sur...

Pour passer une commande.

Veuillez, je vous prie, m'expédier le plus tôt possible...

Je vous serais obligé de nous faire parvenir dans le plus bref délai possible...

Au reçu de cette lettre, veuillez nous adresser...

D'ordre et pour compte de Messieurs Armand et Cie, j'ai l'honneur de...

Je vous prie de prendre note que...

Prière de nous adresser immédiatement...

Pour rappeler une lettre précédemment écrite, ou confirmer un télégramme ou une conversation téléphonique.

Je vous confirme ma lettre du 17 *avril dernier par laquelle...*

J'ai eu le plaisir de vous écrire...

Nous vous avons informé par notre lettre du...

Comme suite à notre conversation téléphonique de ce jour, je vous confirme...

Pour répondre à une demande de renseignements ou à une commande.

J'ai bien reçu votre lettre du 8 *octobre m'exprimant votre désir de...*

En réponse à votre lettre du 13 *courant, nous avons l'avantage de...*

Répondant à votre carte postale de ce matin, j'ai le regret de...

J'ai bien reçu votre lettre du 5 *courant et je vous confirme la mienne de la même date, qui s'est croisée avec la vôtre...*

Je m'empresse de vous informer...

Conformément à votre demande du 12 courant...

Me conformant à vos intructions données le 3 courant, j'ai l'avantage de vous annoncer...

J'accepte les conditions que vous me proposez par votre lettre du...

En exécution de vos ordres, j'ai l'honneur de vous expédier...

Suivant la demande que vous nous avez faite par votre lettre du ..., nous vous adressons, par le présent courrier...

La Maison dont il est question dans votre lettre du...

Nous avons examiné la demande formulée par votre lettre du...

Je suis en mesure de vous donner satisfaction...

Je suis disposé à donner suite à...

Réclamation d'argent. Avis de traite.

Je prends la liberté d'attirer votre attention sur...

En couverture de nos factures des 11 et 24 courant, nous prenons la liberté de...

Occupé en ce moment de mes recouvrements, je trouve votre compte débiteur de F ... que vous restez me devoir sur mon relevé de compte du 28 février dernier. Je vous serais obligé de bien vouloir...

Je suis dans l'obligation de...

Je me vois dans l'obligation de...

Envoi de fonds.

Nous vous prions de trouver, ci-joint, en un chèque (ou par mandat-lettre), *la somme de ... F et nous vous serions obligés de nous accuser réception de cet envoi, pour la bonne règle...*

En règlement de votre facture...

En règlement de votre relevé de compte du 30 juin, j'ai fait virer à votre compte (bancaire ou chèque postal) *n° ... à ... la somme de ... F.*

Je vous prie de payer pour mon compte à...

En possession de votre relevé du 30 avril dernier, j'ai l'avantage de vous envoyer ci-inclus...

Accusé de réception.

Nous avons bien reçu votre lettre du 25 mai, des plis de laquelle nous avons retiré un chèque de...

J'ai bien reçu par l'intermédiaire de MM. Hartmann et Cie...

Je suis en possession de votre lettre du...

Nous prenons bonne note du désir exprimé par votre lettre du...

Je m'empresse de vous remercier...

Comme suite à votre lettre du...

En confirmation de...

Pour recommander.

J'ai l'honneur de vous recommander tout particulièrement...

Nous recommandons à votre bienveillant accueil...

Pour s'excuser, refuser, reconnaître une erreur.

Nous regrettons vivement de ne pouvoir satisfaire...

J'ai le regret d'être obligé de vous informer...

Nous croyons devoir vous faire remarquer, en réponse à votre lettre du...

C'est avec regret que j'apprends...

Je me vois dans la nécessité de décliner vos offres...

Malgré mon vif désir, je ne puis donner suite à vos propositions...

Je suis au regret de ne pouvoir vous donner une réponse favorable.

J'apprends avec un vif regret qu'une erreur s'est glissée...

La salutation finale.

On a donné, pages 13 à 21 du présent livre, toutes les formules employées dans les lettres non commerciales.

Voici quelques formules plus fréquemment employées entre commerçants :

Agréez, Madame, mes salutations les plus empressées.

Voulez-vous croire, Monsieur, à l'assurance de nos sentiments dévoués.

Agréez, Monsieur, mes salutations distinguées.

Agréez, Monsieur, mes sincères salutations.

Dans l'espoir d'être favorisés de vos ordres...

Dans l'espoir de vos prochains ordres, je vous prie de...

Dans l'espoir que vous accepterez ces conditions, nous vous prions...

En attendant le plaisir de vous lire, nous vous prions d'agréer...

Toujours dévoués à vos ordres,nous vous présentons,M...

Dans l'attente d'une prompte réponse, je vous prie d'agréer, M...

Veuillez activer ma commande et agréer, M...

Veuillez nous accuser réception de cet envoi et agréer...

Nous serions particulièrement heureux de traiter avec vous d'autres affaires et, dans cette attente, nous vous prions d'agréer, Messieurs, l'expression de nos sentiments distingués.

La formule finale doit toujours former un alinéa séparé.

On peut tout au plus faire précéder la salutation proprement dite d'une formule d'usage comme celles qui sont indiquées ci-dessus ou :

Nous espérons que ces renseignements vous donneront satisfaction, et vous présentons, Monsieur, nos salutations distinguées...

Espérant avoir bientôt la faveur de vos ordres...

En vous remerciant d'avance de votre amabilité...

ou quelque autre expression analogue.

On calculera la fin de la lettre de manière à ne pas être obligé de renvoyer la salutation en tête d'une nouvelle page. On s'arrangera soit pour faire passer aussi en haut de cette page la fin de la phrase précédente, soit pour faire tenir la salutation au bas de la page, tout en laissant un espace suffisamment large pour la signature.

On notera que les mots *Madame, Monsieur, Messieurs,* sont toujours placés entre deux virgules.

Le *téléimprimeur,* qui joint la célérité de la communication téléphonique à la précision définitive de la lettre dactylographiée, ne change rien à la forme même de la lettre, bien que son emploi tende à la rendre, par économie, aussi sommaire que possible. C'est une sorte de machine à écrire, qui, mise en communication avec l'appareil du correspondant, lui fait imprimer un double exact de la lettre tapée par celui qui écrit.

La signature.

A moins d'une circonstance spéciale, par exemple le départ d'un courrier maritime, l'ensemble de la correspondance n'est soumis que vers la fin de la journée au chef d'entreprise, assez tard pour que le correspondancier ait pu obtenir des différents services tous les éléments de sa réponse, assez tôt pour que celui qui va signer puisse lire sans trop de hâte les lettres dont il assume l'entière responsabilité.

La signature devrait toujours être complète et lisible.

Les dactylographes calculeront donc la disposition du corps de la lettre de manière à laisser, après la formule finale, la place nécessaire à la signature. Celle-ci sera assez rapprochée de la formule finale pour qu'on ne puisse y intercaler une ligne après la signature donnée.

Le fondé de pouvoir qui signe pour son commettant ajoute au-dessus de son nom *P. P*^{on} (par procuration) et signe lisiblement.

Un employé non fondé de pouvoir, autorisé par son chef à signer certaines lettres peu importantes, inscrira le nom de son chef (ou la raison sociale) au-dessus de son nom.

Par exemple : *pour Dupont* ou *pour Bertrand, Lion et C*^{ie},

M. Ducros.

On pourra faire une économie appréciable en centralisant, avant le départ du courrier, toutes les lettres préparées par les différents services, et en groupant sous une même enveloppe les lettres destinées aux mêmes correspondants. Il sera bon, dans ce cas, de les numéroter.

L'enveloppe.

La coutume tend à se généraliser d'employer des *enveloppes* dites *à fenêtre,* qui permettent de n'écrire l'adresse qu'une seule fois, en pliant la lettre de telle sorte que la vedette vienne exactement s'encadrer sous une partie transparente de l'enveloppe. L'économie de temps qui en résulte n'est pas très importante, mais on a la certitude absolue de ne jamais se tromper d'enveloppe.

Beaucoup de Maisons joignent à leur correspondance une enveloppe à leur propre adresse et timbrée d'avance, surtout pour les offres de service. C'est un des nombreux procédés imaginés pour éliminer les moindres obstacles qui pouraient empêcher ou retarder le déclenchement de la commande.

L'adresse.

Le *livre d'adresses* doit être soigneusement tenu à jour au fur et à mesure des changements de nom, de raison sociale, de rue ou de numéro.

Certaines Maisons, surtout celles qui envoient beaucoup de circulaires et d'imprimés sous bande, emploient l'*adressographe*, qui imprime d'un seul mouvement l'adresse entière des clients habituels. Les clichés doivent être tenus à jour avec le même soin que le livre d'adresses.

Le registre de correspondance.

On doit tenir deux registres différents pour les lettres reçues et les lettres envoyées. Le registre « départ » sera tenu selon les principes exposés page 196 au sujet du registre « arrivée ». Il peut être utile, dans une entreprise où le courrier est abondant, d'affecter chaque lettre reçue ou envoyée d'un numéro de classement.

Le classement de la correspondance.

Le Code de commerce, livre Ier, titre deuxième, article 8, après avoir formulé l'obligation pour tout commerçant de tenir un livre-journal, ajoute :

Il est tenu de mettre en liasse les lettres missives qu'il reçoit, et de copier sur un registre celles qu'il envoie.

« L'emploi généralisé de la machine à écrire a supprimé l'usage de l'ancienne presse à copier, mais la machine ne permet pas la reproduction des indications manuscrites, notamment de la signature. Aussi l'usage tend-il à se généraliser, pour les documents importants ou les manuscrits, de la reproduction photographique dite « photocopie ». Outre son indiscutable fidélité, le procédé permet de réduire ou d'agrandir le format des documents. Des archives volumineuses peuvent être ainsi intégralement conservées et ramenées à un volume très réduit par photographie sur un microfilm. Un simple appareil agrandisseur en permet une lecture facile.

L'ancien registre appelé *copie de lettres* n'est plus aujourd'hui qu'une collection classée des doubles de la correspondance obtenus au moyen du papier carbone.

On y joint un répertoire alphabétique, on donne aux lettres un numéro d'ordre, et, à l'aide de la date et du numéro, on retrouve immédiatement le texte des lettres dont on peut avoir besoin.

Comme la machine à écrire permet d'imprimer en même temps plusieurs exemplaires de la même lettre, il peut être utile de classer ces doubles dans différents dossiers correspondant aux services intéressés (fabrication, voyageurs, comptabilité, etc.).

Le meilleur classement.

La pierre de touche d'un bon classement est la rapidité avec laquelle on classe et retrouve n'importe quel document.

Il faudrait donc trouver une combinaison où chaque document n'ait qu'une seule place. La plus simple est le classement par date, et, pour les documents d'une même date, le classement alphabétique. C'est le mode de classement généralement adopté pour la correspondance envoyée.

Pour les lettres reçues, on préfère d'ordinaire le classement par clients, en joignant parfois à la lettre reçue un des doubles de la lettre envoyée, ce qui permet d'avoir aussitôt en main tous les documents relatifs à une affaire. On a alors un dossier par client, chaque dossier portant un numéro d'ordre qui peut correspondre au numéro du compte du client. La façon la plus pratique de numéroter ces dossiers, dans les Maisons qui gardent longtemps les mêmes clients, est de donner à chacun un numéro dans l'ordre où ils sont entrés en relations avec la firme, le premier client en date portant et gardant le numéro 1, le second le numéro 2, et ainsi de suite.

Un des principes élémentaires pour tout « archiviste » est de ne jamais autoriser qui que ce soit à retirer un document de ses archives. Lui seul peut le faire, et il a soin, s'il remet un document, de le remplacer par une fiche indiquant à qui le document a été remis et à quelle date.

Un autre principe est de ne jamais laisser s'accumuler les documents à classer. La même besogne qui semble légère à la fin de chaque journée devient écrasante si on la néglige pendant une semaine.

Quant à la disposition même des dossiers, le succès croissant du classement dit « vertical » tend à prouver que c'est le meilleur système inventé jusqu'à ce jour; c'est, en effet, celui avec lequel il est le plus facile de placer et d'enlever les documents sans déranger les autres dossiers ou pièces du même dossier.

La correspondance intérieure.

Dans les Maisons très soigneusement organisées, bien que les différents services soient reliés par téléphone, on prend soin de confirmer par écrit toutes les communications de quelque importance.

Un employé passe à intervalles réguliers dans les différents services pour y prendre ou y déposer les documents.

On évite ainsi bien des négligences et on repère facilement le service où quelque étourderie a été commise. Nul ne peut objecter qu'il n'a pas entendu ou qu'il a mal compris les instructions données.

CHAPITRE II

LA CIRCULAIRE

La circulaire est une lettre type par laquelle une entreprise transmet à un grand nombre de correspondants une communication identique.

Bien qu'on cherche souvent, pour flatter les destinataires, à lui donner l'allure d'une lettre personnelle, elle est le plus souvent imprimée.

De même la signature est rarement manuscrite, sauf lorsqu'il s'agit précisément, en annonçant la fondation d'une Maison, l'entrée d'un nouvel associé ou la nomination d'un fondé de pouvoir, de donner aux clients le modèle des signatures qui engagent la responsabilité de la Maison.

La date est souvent imprimée, parfois remplacée par ces mots entre parenthèses : (date de la poste).

On s'adresse au client par la majuscule M., *complétée ou non, selon le cas, par les autres lettres de* Monsieur, Madame, Messieurs *ou* Mesdames. *On peut donner à la circulaire un certain ton de bonhomie en imprimant :* Monsieur et cher Client.

Voici les principaux cas où l'on envoie une circulaire :

1° *Fondation ou transformation d'une Maison ou d'une succursale;*

2° *Changement d'adresse ou de raison sociale; agrandissement ou ouverture de nouveaux rayons;*

3° *Avis de passage d'un voyageur;*

4° *Circulaires de saison; mercuriales;*

5° *Avis et rapports divers (convocation d'actionnaires, annonce d'émission);*

6° *Offres de service; annonce de soldes.*

Fondation d'une Maison de Banque.

Banque DUPONT, LENOIR et Cie
38, rue de l'Hôtel-de-Ville,
Lyon.

MM. X... et Cie
22, rue Thiers,
Roanne.

Lyon, le 1er Mars 19..

Messieurs,

Nous avons l'honneur de porter à votre connaissance que nous venons de fonder dans cette ville, au capital initial de 200 millions de francs, une Maison de Banque sous la raison sociale :

DUPONT, LENOIR et Cie.

Nous nous occuperons des affaires ordinaires de banque et de bourse ainsi que de l'escompte et de l'encaissement des effets de commerce payables en France et à l'étranger.

Les capitaux importants dont nous disposons, notre expérience personnelle, notre organisation et notre matériel comptable et mécanographique moderne, nous mettent à même de soigner au mieux les intérêts de nos correspondants, et vous pouvez être assurés que nous apporterons l'attention la plus scrupuleuse à l'exécution des ordres que vous voudrez bien nous confier.

Inclus vous trouverez notre tarif ainsi qu'une circulaire qui vous donnera tous détails relatifs à nos opérations habituelles.

Veuillez prendre bonne note de nos signatures ci-dessous et nous vous prions d'agréer, Messieurs, l'assurance de notre haute considération.

N/S Lenoir signera : DUPONT, LENOIR et Cie.

Constitution d'une Société commerciale.

Imprimerie MARIUS MARCHAND.
Maison fondée en 1796.
VVE M. MARCHAND, Succ^r^,
25, Cours Pierre-Puget, Marseille.

Marseille, le 25 Mars 19..

M...,

J'ai l'honneur de vous informer que, suivant acte reçu par Me Vergniol, notaire à Marseille, j'ai constitué, sous la raison sociale :

V. MARCHAND et Cie,

une Société en commandite simple en vue de continuer l'exploitation du fonds de commerce de l' « Imprimerie Marius Marchand ».

Mon fils, M. Victor Marchand, licencié ès lettres et en droit, qui dirige la Maison depuis plus de trois ans, en sera le seul gérant.

Permettez-moi d'espérer que vous voudrez bien reporter sur lui la confiance dont vous m'avez toujours honorée et veuillez agréer, M..., mes salutations empressées.

Vve M. MARCHAND.

Désignation d'un gérant.

Imprimerie MARIUS MARCHAND.
Maison fondée en 1796.
V. MARCHAND et Cie, Succr,
25, cours Pierre-Puget, Marseille.

Marseille, le 25 Mars 19..

M...,

Me référant à la circulaire ci-contre, j'ai l'honneur de vous informer que j'ai été désigné comme gérant de la Société en commandite simple :

V. MARCHAND et Cie.

Les contrats en cours seront exécutés comme par le passé. Mon ancien personnel me reste fidèlement attaché, et, grâce à l'installation de matériel nouveau, nous pourrons livrer un travail encore mieux fini dans des conditions de célérité accélérée.

J'ose donc espérer que vous voudrez bien me conserver votre confiance. Soyez assuré que, de mon côté, je ne négligerai rien pour la mériter.

Veuillez agréer, M..., l'expression de ma considération très distinguée.

V. MARCHAND.

M. V. Marchand signera : VICTOR MARCHAND ET Cie.

Cession de commerce.

Paris, le 9 Mars 19..

Monsieur,

J'ai l'honneur de vous informer que je cède mon atelier de photographie et de photogravure avec mon magasin d'appareils photographiques et cinématographiques à M. M. Bergeron, mon représentant et fondé de pouvoir, dont vous avez déjà pu apprécier les nombreuses qualités, et qui continuera, à la même adresse, le même genre d'affaires que moi.

Vous remerciant de la confiance que vous m'avez toujours accordée, je vous prie de vouloir bien la reporter sur mon successeur, qui fera tous ses efforts pour la mériter.

Veuillez agréer, Monsieur, mes salutations empressées.

Avis du successeur.

Paris, le 9 Mars 19..

Monsieur,

Ainsi que vous en informe la circulaire ci-contre, M. P. Darbois m'a cédé la suite de son commerce, dans lequel il laisse une partie de ses capitaux.

J'espère que vous voudrez bien me continuer la confiance que vous avez accordée à mon prédécesseur, en me favorisant de vos ordres. De mon côté, je ferai tout ce qui dépendra de moi pour maintenir les bonnes relations que vous avez entretenues jusqu'alors avec la Maison.

Veuillez agréer, Monsieur, l'expression de mes sentiments dévoués.

M. Bergeron.

Changement de domicile. — Établissement de succursales. — Un associé se retire. — Direction confiée à un employé.

Messieurs,

Nous avons l'honneur de vous faire savoir que, par suite de l'extension considérable prise par nos affaires, nos bureaux et magasins ont été transférés, à dater de ce jour, 24, rue Lafayette, Paris.

De plus, nous avons établi à Londres, Vienne et Buenos Aires des succursales et des dépôts, qui, comme notre

Maison principale, s'occuperont de l'achat et de la vente de toutes sortes de denrées coloniales.

Monsieur Müller, qui, pendant vingt ans, fut l'un de nos associés, se retire des affaires; son fils, M. Robert Müller, lui succède et, le 1er mars, entrera comme associé dans notre Maison, dont la raison sociale reste inchangée.

Nous avons confié la direction générale de notre entreprise à M. L. Martin, qui, comme chef de notre service d'achats, a fait preuve des qualités les plus brillantes jointes à la connaissance approfondie de nos opérations.

Nous profitons de cette occasion pour vous remercier de la confiance dont vous nous avez honorés jusqu'à ce jour, et vous priant de bien vouloir nous continuer la faveur de vos ordres, nous vous présentons, Messieurs, nos salutations les plus distinguées.

MÜLLER et KOHN.

N/ S/ Robert Müller signera : MÜLLER et KOHN.
M. L. Martin, à qui nous donnons procuration, signera :

P. Pon de Müller et Kohn,
LÉON MARTIN.

Avis de décès. — La Société est dissoute.

Nous avons la douleur de vous annoncer la mort de Monsieur Emile Schwarz, décédé à Berne le 21 janvier.

M. Schwarz, notre chef unique, qui pendant de nombreuses années a déployé dans la direction de notre Maison le zèle le plus infatigable et la prévoyance la plus éclairée, ne laissant que des mineurs incapables de prendre la suite des affaires de leur père, la Société en commandite Schwarz et Cie a été déclarée dissoute aujourd'hui même par arrangement à l'amiable, et nous avons chargé M. R. Vogt, notaire, 14, Wagnerstrasse, de la liquidation des marchandises ainsi que du règlement de toutes les dettes actives et passives.

Pour la confiance que vous avez bien voulu témoigner à notre ancienne Société, nous vous adressons nos remerciements les plus sincères et nous vous prions d'agréer, Messieurs, l'assurance de notre haute considération.

SCHWARZ et Cie, en liquidation.

Avis d'une nouvelle installation.

Paris, le 10 Octobre 19..

Monsieur et cher Client,

Nous avons le plaisir de vous informer que, devant le développement incessant de notre chiffre d'affaires et de notre clientèle, nous avons dû nous rendre acquéreurs de vastes locaux situés aux n°s 10, 12 et 14 de la rue B... Vous trouverez la photographie ci-contre.

Nos différents services s'y trouveront groupés et beaucoup plus à l'aise, avec des installations modernes.

Nous nous rapprochons sensiblement en même temps du bureau de poste, des banques, de notre transporteur habituel. Nous y trouverons également l'appoint très appréciable de moyens de locomotion plus proches et plus nombreux.

Notre production y sera accélérée, intensifiée et perfectionnée; nos livraisons y seront plus rapides et plus soignées.

En résumé, chacune de nos différentes branches gagnera de précieux avantages, grâce à de multiples améliorations dont nous serons heureux de vous faire profiter.

Nous constituerons un stock important des articles de vente courante afin de pouvoir livrer à lettre lue.

Nous pourrons y ajouter la fabrication de quelques-uns

des nombreux articles nouveaux qui nous sont demandés.

Dans la certitude que cette nouvelle installation nous vaudra de votre part des ordres plus importants et plus nombreux, nous vous prions de recevoir, Monsieur et cher Client, avec nos remerciements anticipés, l'assurance de nos sentiments très dévoués.

Le Directeur,

N. B. — Notre téléphone reste toujours : Gobelins 06-32.

Avis de reprise de la fabrication.

Messieurs,

Nous avons l'honneur de vous informer que nous venons d'achever la construction de notre nouvelle usine, et que nous reprendrons dès la semaine prochaine la fabrication de nos chaussures.

Nous avons installé nos ateliers selon la technique la plus moderne et nous nous sommes assuré le concours des meilleurs dessinateurs, des plus habiles coupeurs, et, en général, des ouvriers les plus qualifiés. Ainsi pouvons-nous vous assurer de l'indiscutable qualité des articles que nous mettrons sur le marché.

Vous recevrez entre le 13 et le 16 janvier la visite de notre représentant, qui vous soumettra nos tout derniers modèles.

En attendant la faveur de vos ordres, nous vous prions d'agréer, Messieurs, nos civilités empressées.

Avis d'établissement d'une succursale.

Madame,

Nous avons l'honneur de vous informer qu'en raison de l'insuffisance de nos locaux et de l'impossibilité matérielle de les agrandir, nous venons d'établir une succursale rue de Rome, à proximité de la gare Saint-Lazare.

Nos clients de la rive droite et ceux de la banlieue ouest de Paris gagneront ainsi un temps appréciable en faisant leurs achats dans ces nouveaux magasins, où ils trouveront aux mêmes prix avantageux les articles irréprochables qui font le succès de notre Maison.

En vous remerciant de la confiance que vous avez bien voulu nous témoigner jusqu'ici, nous vous prions d'agréer, Madame, nos respectueuses salutations.

Avis d'ouverture d'un rayon nouveau.

Manufacture
de chapeaux et casquettes
Grand luxe
ROYAL EPSOM
26, rue des Bourguignons,
LILLE.

Téléphone 25-80

Société anonyme des Etablissements
D. HERMANT,
au capital de 50 000 000 de francs.

Lille, le 16 Octobre 19..

Monsieur,

Nous avons l'honneur de vous informer que nous venons de nous assurer le concours de M. Gaston, ancien directeur technique des Etablissements Breton, pour diriger un atelier de chapeaux piqué et fantaisie pour hommes, dames, fillettes et enfants, que nous venons d'adjoindre à notre fabrication de casquettes.

Nous espérons que vous voudrez bien nous continuer la confiance que vous avez toujours accordée à cette fabrication et pouvons vous assurer que tous nos efforts tendront à vous donner entière satisfaction.

Nous avons mis en préparation une collection avec des éléments nouveaux et notre représentant vous la soumettra à son prochain passage, qui aura lieu dans le courant du mois de novembre. Nous vous avertirons auparavant de la date exacte de son voyage.

Si d'ici-là vous désiriez recevoir quelques échantillons dont vous pourriez avoir besoin, nous sommes à votre entière disposition pour vous les faire parvenir sur votre demande par retour du courrier.

Dans l'attente de vos ordres, nous vous prions d'agréer, Monsieur, nos meilleures salutations.

D. Hermant.

Avis d'adjonction d'un rayon de T. S. F.

M.....,

L'extension prise par nos affaires au cours des dix dernières années et les vœux souvent exprimés par notre fidèle clientèle nous ont décidés à établir dans nos magasins de nouveaux rayons de vente spécialement consacrés à tout ce qui concerne la radio et la télévision.

Les amateurs de T.S.F. pourront, dès le 1er décembre prochain, venir admirer notre exposition de divers modèles des plus grandes marques : Ducretet-Thomson, Pathé-Marconi, Philips, Telefunken, etc.

La longue tradition de bon goût et de qualité de notre maison nous imposait de porter notre choix sur les appareils dont les garanties de précision et de mise au point sont les meilleures.

Nous vous prions d'agréer, M , nos plus distinguées salutations.

Annonce de publicité par T. S. F.

Société anonyme des
Fabriques bonneterie d'Alençon

Alençon, le 18 Mai 19..

Monsieur,

Dans quelques jours, Radio-Luxembourg va diffuser

pendant six mois un programme publicitaire à notre nom. Vous trouverez au verso de cette lettre le thème attrayant de ces émissions qui vont aider à la diffusion de nos trois marques. Nous fabriquons exclusivement trois qualités de bas en Nylon qui répondent aux deux premiers désirs de la clientèle féminine : finesse et résistance.

Le bien que nous pourrions vous dire de nos fabrications pourrait vous sembler exagéré; nous n'insisterons donc pas ici. Mais venez les voir et vous serez convaincu. Demandez-nous des échantillons de nos trois marques : vous apprécierez notre fabrication et vous vous attacherez votre clientèle en lui fournissant nos articles.

Voici nos prix au détail :

Pompadour	700 F la paire	Votre remise 33 1/3 p. 100.
Manon...............	850 F la paire	
Lenclos	1 200 F la paire	

La publicité constante par T.S.F., par journaux et par panneaux à apposer chez vous et en vitrine déclenchera vos ventes. Assurez-vous d'être servi en temps utile.

Retournez-nous tout de suite la carte ci-jointe; nous vous documenterons complètement par retour du courrier.

Vos dévoués,

FABRIQUES DE BONNETERIE D'ALENÇON.

Envoi d'ouvrages avec facture conditionnelle.

Madame,

J'ai l'avantage de vous adresser par colis postal à domicile quelques ouvrages nouveaux de bonne vente que je signale particulièrement à votre attention.

Inclus facture conditionnelle s'élevant à F....

J'ai joint à mon envoi un exemplaire de la dernière édition de mon catalogue général, très complet, comme vous le verrez; je vous rappelle qu'en dehors des ouvrages de mon fonds, je suis en mesure de vous fournir tous ceux qu'il vous conviendrait de me demander.

Dans l'espoir de vos prochains ordres, je vous prie d'agréer, Madame, mes respectueuses salutations.

Envoi de catalogue.

Nous avons l'honneur de vous faire savoir que notre vente annuelle de soldes commencera le 1er juillet à tous nos rayons de tissus et de bonneterie.

Inclus, vous trouverez notre catalogue.

Nos prix s'entendent net, sans escompte, franco de port à partir de £ 4 dans toute l'étendue du Royaume-Uni; toutefois nous devons tenir compte d'une partie des frais d'expédition en ce qui concerne un petit nombre d'objets très lourds. Emballage en sus.

Tous les ordres sont payables d'avance ou contre remboursement, retour des fonds à votre charge. Les timbres ne sont pas acceptés en paiement.

Les marchandises ne donnant pas satisfaction peuvent être retournées et échangées, sauf les articles fabriqués sur commande spéciale. Les réclamations faites à réception sont seules admises. Domicile et lieu d'exécution : Londres.

Dans l'attente de vos ordres, qui recevront nos meilleurs soins, nous vous présentons, Messieurs, nos salutations empressées.

Avis de hausse.

En raison de la hausse continue des matières premières et de l'augmentation des salaires et des impôts, nous nous trouvons dans l'obligation de relever de 10 % notre dernier tarif.

A dater de ce jour, tous nos prix antérieurs sont rigoureusement annulés. Toutefois, dans l'intérêt de notre clientèle, nous acceptons encore aux conditions précédentes les ordres relatifs aux articles marqués d'une croix, dans lesquels il nous reste des stocks achetés à des cours très avantageux.

Veuillez honorer nos Etablissements de votre visite; elle vous convaincra de la haute qualité de nos marchandises, et, dans l'espoir de vos ordres qui seront l'objet de nos meilleurs soins, nous vous présentons, Messieurs, nos bien sincères salutations.

Avis de solde.

Monsieur,

Ayant été honoré de votre visite et favorisé de vos ordres dans le cours de l'année, je me fais un devoir de vous informer que

du 28 janvier au 28 février prochain

nous allons, comme chaque année,

après notre inventaire, solder tout notre stock

à des prix extrêmement intéressants en costumes, pardessus, chaussures, cravates, chemises, chaussettes.

Je me permets d'espérer votre visite. Sans vous engager en rien, elle vous permettra de vous rendre compte des abattements que j'ai consentis sur mes prix, et vous conduira peut-être à me favoriser de nouveau de vos ordres.

Dans l'espoir d'avoir pu vous être agréable, agréez, Monsieur, je vous prie, mes bien respectueuses salutations.

Offre de service d'un fabricant en temps de crise.

Madame,

Les véritables intérêts d'une industrie sont liés à la sauvegarde de ses ouvriers et de ses ouvrières ; nous ne voulons pas que les nôtres chôment, pas plus les cousettes de Paris que les tisserands de Lyon, de Roubaix et de toute la France.

C'est dans ce dessein d'intérêt national que nous avons décidé d'abandonner temporairement toute idée de bénéfice.

Jusqu'à ce que la situation économique se soit stabilisée, nos prix seront réduits au minimum indispensable pour garder nos portes ouvertes et conserver notre personnel.

Certains que vous apprécierez la valeur de notre effort, ainsi que l'avantage que vous pouvez en retirer, et espérant pouvoir compter sur l'honneur de votre visite, nous vous prions d'agréer, Madame, l'expression de nos sentiments dévoués.

Le Directeur :

P.-S. — La collection sera présentée tous les jours à 11 heures et à 15 heures.

Circulaire d'un marchand d'automobiles.

Monsieur et cher Client,

Vous désirez acquérir ou changer votre voiture.

Vous recherchez un modèle conforme à l'usage auquel vous le destinez, économique, puissant, rapide, confortable, sûr. Nous sommes assurés de pouvoir vous donner satisfaction.

En voiture neuve : Beurtot, dont nous sommes concessionnaires officiels, vous présente, en voitures tourisme et véhicules utilitaires, une gamme absolument complète.

En voiture d'occasion : nous disposons continuellement d'un choix important de voitures de toutes marques, entièrement révisées par nos soins et capables de rendre encore des services appréciables.

Toutes nos voitures sont vendues *payables à tempérament*.

Un atelier muni d'un outillage moderne et un service de dépannage sont en outre à votre disposition.

Consultez-nous, vous y trouverez votre intérêt.

Dans cette attente, veuillez agréer, Monsieur et cher Client, nos bien sincères salutations.

N.B. — Nous pouvons également vous fournir aux meilleures conditions des véhicules de puissance et charge supérieures.

Circulaire de dactylographe.

Monsieur,

Ni les éditeurs ni les directeurs de théâtre n'ont l'habitude de rembourser les auteurs de leurs frais de dactylographie. Ces travaux restent à votre charge.

Allégez cette charge :

CONFIEZ-NOUS VOS ŒUVRES A DACTYLOGRAPHIER.

Nos prix sont moins chers que ceux de nos concurrents. Veuillez en juger vous-même : nous ne vous facturerons *la page de 25 lignes (60 signes par ligne) que ... francs, et ... pour cinq exemplaires.*

Moins chers — Aussi précis — Aussi soignés
Plus rapides.

Un coup de téléphone et nous voici. Vous nous remettez votre manuscrit, ou vous nous dictez. Le temps d'aller, de taper, de revenir, vous avez votre travail.

Et quand il faut régler la facture..., puisqu'il faut toujours en arriver là, vous constatez que vous avez, grâce à nous, fait une économie appréciable.

Essayez une fois. C'est le vœu que nous formons, certains que vous aurez pleine satisfaction.

Nous vous prions d'agréer, Monsieur, l'expression de nos sentiments les plus dévoués.

Offre de service d'une Maison de dactylographie.

Monsieur,

J'ai l'honneur de venir mettre à votre disposition le matériel perfectionné dont je suis pourvu pour l'exécution de tous travaux de dactylographie et d'impression au duplicateur.

Je me permets d'attirer votre attention sur les résultats obtenus avec mes machines à changement de caractères et à frappe contrôlable.

Je possède également des caractères spéciaux avec dispositif approprié permettant de reproduire tous travaux comportant des formules mathématiques, soit en copie directe, soit au duplicateur.

Je suis entièrement à votre disposition pour vous fournir tous renseignements complémentaires.

Veuillez agréer, Monsieur, l'assurance de mes sentiments distingués.

Nota. — Tous les travaux sont payables à la livraison.

Circulaire de marchand de vin au 1er janvier.

Monsieur et cher Client,

TOUS MES VŒUX !

Que cette lettre vous apporte d'abord les vœux que je

forme pour vous, le bonheur de votre famille et la prospérité de vos affaires durant l'année qui vient.

QUELQUES RENSEIGNEMENTS.

L'abondance de la dernière récolte et sa médiocre qualité avaient fait fléchir sérieusement les cours à la production. J'avais suivi le mouvement en mettant mes prix en harmonie par plusieurs baisses successives.

Mais à la suite de récentes mesures administratives — vous avez bien entendu parler du *blocage* et de la *distillation obligatoire?* — qui immobilisent quelques millions d'hectolitres et réduisent d'autant les quantités disponibles, *la tendance nouvelle est à la hausse*. On note partout des écarts importants entre les cours actuels et ceux qui étaient pratiqués il y a un mois. De sorte qu'il faut considérer comme *fort intéressants, et même exceptionnels, les prix de mon tarif actuel.*

POUR VOUS AIDER.

Mais bien acheter n'est pas tout pour vous : il faut bien revendre, et je veux vous y aider. *Je vais faire un*

GROS EFFORT PUBLICITAIRE DANS LES JOURNAUX ET PAR AFFICHES

qui vous sera de grande utilité.

Achetez donc le *Journal parisien* les mardi, jeudi et samedi, et vous pourrez juger de l'aide que je vous apporte.

Croyez-moi, Monsieur et cher Client, votre tout dévoué.

Offre de vente au prix de gros.

M......,

Vous avez besoin de meubles — de bons meubles.

Notre *Fabrique* qui, depuis de longues années, approvisionne plusieurs grands magasins, ainsi qu'un grand nombre de marchands revendeurs et de détaillants, vous les fournira, par faveur exceptionnelle, *au prix de gros*.

C'est spécialement à votre intention, à la suite de sollicitations diverses et d'arrangements nouvellement intervenus, que nous avons établi le bon d'achat ci-joint, de couleur mauve, que nous réservons strictement aux *membres du corps enseignant*.

Utilisez-le à nos magasins. Quelle que soit l'importance de vos achats, il vous donnera droit, pour chacun d'eux, *au prix de gros* et à des conditions particulières de livraison, d'expédition et de règlement.

Des prix uniques, à qualité égale, et des meubles en bois de surchoix, travaillés suivant les vieilles traditions du Faubourg, que les connaisseurs recherchent pour leur cachet particulier de distinction, voilà ce que les marchands détaillants, nos clients habituels, trouvent à notre *Fabrique*. Leurs ventes en sont largement facilitées; ils nous marquent leur satisfaction en nous réservant toutes leurs commandes, et les affaires se multiplient dans une amicale confiance réciproque. Tel est le secret de notre prospérité continue.

Vous pensez bien que nous ne pouvons changer nos méthodes de vente spécialement pour vous. Dès que vous aurez présenté votre bon d'achat, vous serez traité comme nos plus anciens clients et avantagé comme tel.

Venez, sans engagement, voir les meubles qui ornent nos salles d'exposition; ils vous donneront une idée du *sérieux* de notre *fabrication* et vous vous rendrez compte de la *conscience* que nous apportons dans nos transactions. Nous mettons à votre disposition notre expérience et notre documentation. Tous renseignements, photographies, études, devis, vous seront fournis gratuitement sur simple demande.

Vos bien dévoués.

Circulaire d'expert comptable.

M......,

Il ne vous suffit pas de tenir des livres; il faut, pour éviter tout ennui envers l'Administration, que vos livres soient tenus correctement.

Commerçants, industriels, vous devez vous adresser à des spécialistes qui établiront votre comptabilité dans les formes exigées par la loi. Alors, les contrôleurs trouveront facilement tous les renseignements utiles et ils ne vous taxeront pas arbitrairement. Vous paierez des impôts, mais vous ne verserez exactement que ce que vous devez payer.

Les experts comptables se chargent d'organiser, vérifier, contrôler, mettre à jour votre comptabilité, d'établir vos déclarations annuelles et, le cas échéant, de discuter avec l'Administration les points qui peuvent donner lieu à des interprétations différentes.

Pour vous, c'est la tranquillité, la suppression de travaux lassants, dont la complexité s'aggrave chaque année sous le flot de nouveaux textes, ou que vous n'avez pas le temps matériel de faire.

L'Administration sait ce que sont les experts comptables; elle sait qu'ils sont tenus à des règles disciplinaires qui font que leur honorabilité ne saurait être mise en doute. Pour elle, le contrôle, la vérification d'une comptabilité, l'établissement d'un bilan par un expert sont une garantie d'exactitude et de sincérité.

Songez à cela et recevez, M..., mes salutations distinguées.

Avis de passage d'un voyageur.

Lille, le 15 Avril 19..

MM. Lenoir, Piérat et Cie, successeurs de Dulieu frères, ont l'honneur de vous présenter leurs compliments et de vous informer de la prochaine visite en votre ville de M. Lesire, voyageur de commerce.

Ils espèrent que vous voudrez bien lui réserver la faveur de vos ordres, à l'exécution desquels ils donneront, comme d'habitude, leurs soins les plus attentifs.

LENOIR, PIÉRAT et Cie.

Avis de passage d'un représentant.

Lyon, le 10 février 19..

Monsieur,

J'ai l'avantage de vous donner avis du passage de mon représentant, M. Leroux, qui vous fera sa visite annuelle vers la fin de ce mois.

J'espère que vous voudrez bien lui réserver, comme chaque année, la faveur de vos ordres.

Veuillez agréer, Monsieur, mes salutations empressées.

L. CLERMONT.

Avis de passage d'un voyageur devenu employé intéressé dans la même Maison.

Nantes, le 18 Mars 19..

Monsieur,

Je suis heureux de vous informer que M. Jean Cassagne, voyageur de commerce chez mon prédécesseur, reste attaché à notre Maison comme employé intéressé.

Comme par le passé il continue à visiter nos clients et s'efforcera de toujours mériter le bon accueil que vous lui avez réservé jusqu'ici.

De mon côté, je ferai tout mon possible pour vous donner entièrement satisfaction dans l'exécution des ordres que vous voudrez bien lui confier.

Je vous prie d'agréer, Monsieur, mes salutations distinguées.

P. DUMAS.

M. Cassagne sera à Nantes vers le 15 avril. Vous serez avisé ultérieurement de la date exacte de son passage.

Rapport sur l'exercice financier d'une Société.

SOCIÉTÉ DES GENS DE LETTRES
fondée en 1838
reconnue comme Etablissement d'utilité publique.

Rapport sur l'exercice 19..

Mes chers Confrères,

Nous avons l'honneur de vous faire connaître les résultats financiers de l'exercice 19... Ces résultats, par eux-mêmes et surtout en raison des circonstances économiques partout défavorables, sont en tout point très satisfaisants.

L'exploitation de la propriété littéraire s'est élevée en 19.. à..., soit une augmentation de ... sur l'exercice précédent — et l'excédent de recettes est de ..., soit une augmentation de ... Mais, en réalité, cette augmentation s'élève à ..., car le Comité a créé, par prévoyance, une réserve de F.... pour les cotisations en retard.

M. A... B..., notre commissaire aux comptes, a, suivant l'usage, procédé au contrôle annuel de nos finances. Il a constaté la parfaite exactitude et la sincérité des comptes qui vous sont présentés.

La même constatation a été faite par M. A... B... en ce qui concerne les comptes particuliers détaillés à l'appui du bilan, c'est-à-dire le compte de gestion de l'exercice 19.. pour l'exploitation de la Société, ceux du Denier des veuves et de la Caisse des retraites. Enfin, le portefeuille de nos titres a fait l'objet d'un pointage détaillé d'après les récépissés de dépôt de la Banque de France, et l'évaluation en a été refaite pour chaque nature de valeurs.

Dans ces conditions, le présent exercice, exact et régulièrement clos, est de nature à vous donner toute satisfaction.

Pour la Commission des Comptes :

(*Signature.*)

Convocation de sociétaires à une assemblée générale.

Paris, le 22 Février 19..

Monsieur et cher Confrère,

J'ai l'honneur de vous faire savoir que la *Société des Gens de Lettres* se réunira en *assemblée générale ordinaire annuelle, en la salle des Conférences de la Mairie du Xe arrondissement*, 72, *rue du Faubourg-Saint-Martin* (Métro : Château-d'Eau),

LE DIMANCHE 13 MARS 19..

Vous êtes instamment prié d'assister à cette séance.

Cette Assemblée est convoquée pour *une heure trois quarts;* l'appel nominal aura lieu à *deux heures très précises.*

Dans cette séance, il sera procédé :

1° Au vote pour le renouvellement du tiers sortant des membres du Comité, par l'élection de huit membres, en remplacement de MM. ...;

2° A la lecture du rapport annuel sur la situation de la Société;

3° A la lecture du rapport financier et à l'approbation des comptes de l'exercice 19..;

4° A l'examen des questions portées à l'ordre du jour.

Recevez, Monsieur et cher Confrère, l'expression de mes sentiments cordiaux et dévoués.

Le Président de la Société des Gens de Lettres.

P.-S. — L'Assemblée générale ordinaire ne peut, à une première réunion, se constituer ni prendre de décision valable qu'autant que le nombre des membres présents est égal *au quart plus un* du nombre des Sociétaires demeurant à Paris.

Ses décisions sont prises à la majorité des membres présents. Le vote a lieu par assis et levés, à moins que le scrutin ne soit réclamé par dix membres (art 8 des statuts).

L'élection des membres du Comité, conformément à l'article 8 des statuts, se fera au scrutin secret, à la majorité des membres présents.

Modèle de pouvoir pour se faire représenter à une Assemblée générale.

On trouvera les principales formules de pouvoir à la Troisième partie, chapitre V : **La gestion des affaires d'autrui.**

CHAPITRE III

L'OFFRE DE SERVICE

Beaucoup d'offres de service, lorsqu'elles s'adressent à un grand nombre de clients, sont de véritables circulaires, auxquelles les procédés modernes d'impression permettent de donner l'allure de lettres personnelles.

En principe, celui qui rédige une offre de service espère recevoir une réponse qui lui sera directement adressée. Il ne manquera donc pas de préciser :

1° *A quel titre et avec quelles références il écrit au destinataire ;*

2° *Quelle marchandise il se déclare prêt à fournir, ou quel genre de travail il peut effectuer ;*

3° *Quels avantages il est à même d'offrir. Il insistera en particulier sur les points qu'il juge le plus propres à décider le destinataire à accepter ses propositions. Il s'efforcera aussi de prévoir toutes les objections possibles et de les réfuter d'avance. D'une manière générale, il essaiera de se mettre à la place de celui auquel il écrit, afin de mieux saisir les arguments à invoquer.*

Toute une organisation de vente par correspondance a été élaborée sous le nom de follow up system. *En voici les traits principaux :*

1° *On se procure, le plus souvent au moyen d'annonces dans les journaux, mais aussi en consultant les divers annuaires et bottins, une liste d'adresses de clients éventuels;*

2° *On en dresse un répertoire sur fiches, qui seront consultées et complétées à intervalles réguliers;*

3° *On écrit (à des intervalles calculés de manière à intéresser de plus en plus le client sans l'importuner) des lettres qui insistent sur les divers avantages des articles à placer;*

4° *On abandonne les clients récalcitrants après un nombre donné de vaines tentatives (quatre ou cinq);*

5° *On tient en haleine la clientèle acquise par une correspondance régulière et l'envoi de catalogues et de prix courants;*

6° *On soumet chaque nouveau client à toute la série du traitement, que l'on adapte, bien entendu, aux circonstances qui se présentent et d'après les expériences faites.*

Dans ce système, qui est presque automatique, le pivot est le correspondancier ou archiviste qui assure l'ordonnance des lettres à envoyer successivement. Mais l'élément initial du succès est la qualité de la rédaction des lettres types, destinées à être reproduites à un très grand nombre d'exemplaires, et dont dépendra la décision du client. Car l'idée maîtresse de cette méthode est de donner à chaque client l'illusion flatteuse que chacune des lettres qu'il reçoit a été composée tout spécialement pour lui. On a, en effet, inventé des machines qui donnent l'illusion parfaite de la dactylographie : mêmes caractères, même encre. Il n'y a plus qu'à ajouter l'adresse du client à la machine à écrire et à signer à la main.

Les demandes d'emploi entrent dans la catégorie des offres de service. Leur composition est, pour l'auteur, de la plus haute importance. Beaucoup d'acceptations et de refus ont été décidés à la simple lecture d'une lettre bien ou, au contraire, mal tournée.

Voici les points principaux à développer :

1° *Comment on a appris qu'une place se trouvait vacante;*

2° *Quelles aptitudes particulières on possède pour cette situation. Etudes. Apprentissage. Occupations antérieures. Qualités. Age. Situation de famille;*

3° *Quelles références on peut fournir et quels certificats ou copies de certificats on joint à la lettre ou l'on offre d'envoyer.*

Le point le plus délicat est le second, car il faut naviguer entre deux écueils :

a) *Ou bien ne pas dire assez de bien de soi-même, au risque de faire pencher la décision du patron vers un autre candidat moins modeste qui aura mieux su se faire valoir;*

b) *Ou dire trop de bien de soi-même et donner une impression fâcheuse de vantardise.*

En général, on restera autant que possible dans le domaine des faits et des chiffres (durée des services, appointements antérieurs, preuves matérielles des services rendus) et on ajoutera le minimum d'appréciations personnelles sur soi-même.

Une *Maison* étrangère désire entrer en relation avec des fabricants français.

Nous avons l'honneur de vous faire parvenir, par même courrier, divers échantillons de . . . . . dont nous sommes acheteurs en quantités importantes. Nous vous serions obligés de les examiner avec soin et de nous soumettre des contretypes de votre fabrication. Voulez-vous nous indiquer vos meilleurs prix franco gare Bruxelles, règlement à 30 jours fin de mois 3 %, mois de livraison non compris.

Il s'agit d'articles que nous suivons depuis plus de vingt ans et dont la qualité doit être sauvegardée dans ses moindres détails.

Dans ces articles, pour lesquels la demande ne cesse point d'être active, notre chiffre s'élève en moyenne à près de 24 millions de francs par an ; tous nos ordres s'entendent livrables à disposition sur une période déterminée ne dépassant pas douze mois.

Notre clientèle consistant surtout en Maisons d'exportation, nous comptons que vous ne négligerez rien pour nous permettre de soutenir avantageusement la concurrence étrangère ; vous n'ignorez pas les méthodes commerciales de nos anciens fournisseurs : ils lutteront avec acharnement pour reconquérir les marchés qu'ils ont perdus ; veuillez donc nous fixer au plus tôt vos limites extrêmes, et, s'il vous est possible de nous garantir des livraisons irréprochables et régulières, nous vous accorderons volontiers la préférence à prix égal.

En cas de commande, nous vous indiquerons avec plaisir toutes références utiles.

Nous espérons que vous pourrez entreprendre ces articles ; sinon vous nous rendriez grand service en nous indiquant l'adresse d'autres fabricants capables de nous donner satisfaction.

Dans l'attente d'une prompte réponse, veuillez agréer, Messieurs, nos salutations empressées.

Des représentants offrent leurs services.

Par nos amis communs, MM. Lopez et Cie de notre ville, nous avons appris que vous n'êtes pas représentés en Amérique du Sud et nous prenons la liberté par la présente de vous adresser nos offres de service.

Depuis douze ans, nous opérons ici pour les Maisons suivantes :

P. et fils,	Tapis	à	Beauvais,
L. frères,	Soieries	à	Lyon,
L. et Cie	Cotonnades	à	Rouen,

qui vous donneront très volontiers sur notre compte tous renseignements désirables.

Nous avons d'excellentes relations dans le monde des importations en gros et nous sommes persuadés que nos placements ont toujours donné à nos fabricants la plus entière satisfaction.

Nous croyons devoir attirer votre attention sur le chiffre considérable qui se traite en Amérique du Sud dans votre genre d'affaires, et si vos conditions répondent à l'attente de la clientèle de tout premier ordre que nous visitons, nous sommes en mesure de vous promettre à bref délai des résultats satisfaisants.

Ayant à évincer la concurrence américaine, anglaise et allemande, il est indispensable de coter dès le début vos limites extrêmes, et, dans l'attente de votre réponse, nous vous prions d'agréer, Messieurs, nos salutations empressées.

Autre offre de représentation.

Messieurs,

Sous les auspices de la Société d'études cinématographiques, avec laquelle vous êtes en relations d'affaires suivies, je prends la liberté de vous soumettre une proposition capable d'intéresser votre Maison.

La vente de vos articles sur la place de Marseille a été,

je le sais, assez faible jusqu'ici. Il m'a semblé qu'un représentant énergique et jouissant d'une certaine notoriété pourrait réussir, pour le moins, à décupler votre chiffre d'affaires actuel. S'il vous convenait de constituer chez moi le dépôt d'un stock assez important, je m'efforcerais par tous les moyens dont je dispose de faire connaître et apprécier vos excellents articles.

Voici les conditions générales auxquelles je serais disposé à m'occuper de ce dépôt :

1° Je vous reconnaîtrais, sur facture, du montant de vos envois : au fur et à mesure des ventes, je vous en informerais, et vous pourriez disposer sur moi, à la fin de chaque mois, du montant total des ventes du mois précédent;

2° Les frais de transport des marchandises seraient à votre charge;

3° Vous m'accorderiez, à titre de rémunération, une commission de 10 % sur les ventes effectuées par moi ou sur les ordres que je vous transmettrais pour être exécutés directement par vos soins;

4° Comme je connais à fond cette région, je ne ferais d'affaires à crédit qu'avec des clients d'une parfaite solvabilité. Je pourrais même m'en porter garant, mais contre un ducroire de 2 %;

5° Je prendrais à ma charge la publicité dans la région de Marseille.

Si l'ensemble de ces propositions vous paraît acceptable, veuillez me favoriser d'une réponse ou me faire, au besoin, des contrepropositions que j'examinerai très volontiers.

Dès que nous serons d'accord, je me mettrai à votre disposition pour l'organisation du dépôt.

Dans l'espoir d'une prompte réponse, je vous prie d'agréer, Messieurs, mes civilités empressées.

Offres de service d'un fabricant.

Redevables de votre adresse à nos amis communs, MM. Sallini et Cie de votre ville, nous prenons la liberté de vous présenter nos offres de service.

Dans les ateliers de nos Etablissements, nous fabriquons les tapis, rideaux, tissus d'ameublement en tous genres et nous sommes persuadés que nos qualités spéciales destinées à l'exportation ne peuvent guère être surpassées.

Nous sommes, depuis vingt ans, en relations régulières avec les premières Maisons de l'Amérique du Sud et possédons de nombreux témoignages de leur entière satisfaction.

Nous n'avons pas de représentant dans votre pays et les capitaux importants dont nous disposons nous permettent d'accorder à nos clients toutes facilités désirables.

Il nous serait très agréable d'entrer en relations avec votre Maison, et, dans l'espoir de vos demandes de prix et de vos ordres, nous vous prions d'agréer, Messieurs, nos sincères salutations.

Offres de service d'un intermédiaire.

Messieurs,

Dans l'espoir d'augmenter le nombre de nos représentants en Angleterre, nous avons prié plusieurs de nos amis de nous renseigner sur les Maisons avec lesquelles nous pourrions faire des affaires avec sécurité.

Votre honorable Maison nous ayant été indiquée comme l'une des plus importantes de Bradford, nous avons l'honneur de vous offrir nos services.

Notre activité se porte surtout vers l'achat et la vente de tout ce qui concerne les teintures. Quand vous serez au courant de notre façon de traiter les affaires et de veiller aux intérêts de nos clients, nous ne doutons pas que vous ne soyez disposés à continuer des relations qui ne sauraient manquer d'être avantageuses pour nos deux Maisons.

Dans l'espoir d'une prompte réponse, etc.

Envoi d'échantillons.

Nous vous accusons réception de votre lettre du 24 écoulé nous demandant nos échantillons et tarif.

Nous sommes commissionnaires en tous genres de tissus de coton, laine, lin et soie pour vêtements d'hommes et de dames, et notre collection comporte plus de 5 000 types; or, comme vous ne nous donnez aucune indication relative aux sortes dont vous avez besoin et ne fixez point de limite, il nous est impossible de déterminer quelles sont les qualités qui peuvent vous intéresser.

Pour gagner du temps et guider votre choix, nous vous envoyons sous pli spécial échantillons assortis d'articles se vendant bien sur votre place.

Inclus vous en trouverez tarif aux meilleurs prix et, toujours à votre entière disposition, nous vous présentons, Messieurs, nos salutations empressées.

Autre envoi d'échantillons.

Messieurs,

Nous vous avons envoyé ce jour, par colis postal, un échantillon de notre nouvelle spécialité, la Confiture de châtaignes, et nous espérons que vous ne tarderez pas à le recevoir en bon état. Ce nouvel article est très bien accueilli dans le commerce et nous ne doutons pas que, si vous trouvez la possibilité d'en tenir un stock, vous n'en écouliez de grandes quantités dans votre région. Nous vendons cette confiture en pots de verre de 0,250 kg ou de 0,500 kg.

L'étiquette est très décorative et fait très bien en étalage. L'échantillon que nous vous envoyons est un pot de 0,250 kg.

Veuillez trouver ci-joint notre prix courant.

Comptant sur la faveur de vos ordres, quand vous aurez apprécié la qualité de notre spécialité, nous vous prions d'agréer, Messieurs, nos civilités empressées.

On sollicite une reprise des relations.

Nous constatons avec le regret le plus vif que nous nous trouvons depuis six mois totalement privés de vos ordres.

Persuadés que nos prix et livraisons n'ont jamais cessé de mériter votre approbation, nous ne pouvons en attribuer la cause qu'au mauvais état actuel des affaires.

Dans l'espoir de renouer nos relations d'autrefois, nous nous permettons de vous envoyer sous pli spécial échantillon de Café torréfié Santos; il nous en reste 20 sacs en stock et vous proposons ferme ce lot entier au prix extrêmement réduit de F : . . . . le kilogramme, sans engagement au-delà du 10 courant.

Nous espérons vous voir profiter de cette offre avantageuse et vous présentons, Messieurs, nos bien sincères salutations.

On annonce la visite d'un voyageur.

Nous prenons la liberté de vous faire savoir que notre représentant M X aura, vers la fin de la semaine prochaine, le plaisir de vous rendre visite.

Il vous soumettra les échantillons de nos nouveautés d'hiver les plus avantageuses, et nous nous permettons d'attirer tout spécialement votre attention sur nos articles pure laine peignée pour tailleurs de dame; les dessins nouveaux, pour la plupart, sont dans la ligne de la mode de cet hiver, mais restent pourtant classiques.

Nous comptons que vous voudrez bien examiner attentivement nos échantillons, et nous sommes persuadés qu'ils vous convaincront de la qualité et de l'originalité de nos tissus.

Nous tenons à vous remercier de la confiance dont vous nous avez favorisés jusqu'à ce jour, et, dans l'espoir que vous jugerez à propos de confier à notre représentant une commande importante, nous vous prions d'agréer, Messieurs, nos salutations empressées.

Offre de publicité.

Monsieur,

Nous avons l'avantage de vous informer que la date de tirage de notre EDITION EXCEPTIONNELLE DE NOËL est définitivement fixée au 7 décembre 19...

Nous avons encore quelques bons emplacements disponibles (face au texte), et, si vous désirez pénétrer avec nous chez les 80 000 familles qui recevront cette édition, il vous suffirait de nous passer l'ordre d'une annonce.

Nous vous rappelons nos prix très modiques : le quart de page (10 cm × 6,5 ou 4,5 × 13,5), F : 25 000; la demi-page (10 cm × 13,5 ou 20,5 × 6,5), F : 45 000.

Au cas où notre proposition serait capable de vous intéresser, nous serions bien entendu à votre entière disposition pour étudier avec vous les meilleures conditions d'insertion de votre annonce.

Dans l'espoir de vous compter parmi nos annonceurs, nous vous prions d'agréer, Monsieur, nos salutations distinguées.

Envoi de catalogues à un libraire.

Monsieur,

Nous avons remarqué que la totalité des affaires que nous avons traitées avec vous au cours de l'année passée concerne notre collection de romans contemporains.

Permettez-nous de vous adresser ci-joint nos catalogues généraux. Vous constaterez qu'ils comportent une liste importante et variée d'ouvrages en mesure d'intéresser votre clientèle.

Nous attirons particulièrement votre attention sur les ouvrages de culture générale. Nous avons en effet procédé à nombre de rééditions d'œuvres classiques, pour lesquelles nous avons fait appel aux plus éminents spécialistes. Malgré le prix relativement faible de ces volumes, nous avons apporté un soin particulier à leur présentation : qualité du papier, typographie, reliure.

Dans l'ensemble, vous remarquerez combien, pour faire face dans la mesure de nos moyens à la crise qui sévit actuellement dans la librairie, nous avons fait effort pour abaisser nos prix tout en améliorant la qualité de nos volumes.

Veuillez, Monsieur, agréer nos salutations distinguées.

Offre de spécimens.

Monsieur,

Comme suite à votre lettre reçue le 15 courant, nous vous avons expédié nos différents catalogues.

Nous vous remettons, ci-inclus, une liste d'offre de spécimens. Vous voudrez bien, après l'avoir parcourue, nous indiquer les ouvrages que vous désirez examiner. Dès réception de votre réponse, nous vous donnerons satisfaction dans la plus large mesure possible.

Nous profitons de la présente pour attirer votre attention sur nos collections pour bibliothèques scolaires. Ces ouvrages, qui ont reçu l'approbation d'un grand nombre de membres de l'enseignement, offrent à la jeunesse des lectures propres à l'intéresser et d'une réelle valeur éducative.

Nous vous prions, Monsieur, d'agréer nos salutations distinguées.

Offre de soldes.

Messieurs,

Nous vous remettons, ci-inclus, types de diverses pièces béatrix, que nous avons actuellement en solde. Le nombre de pièces par qualité et coloris se trouve indiqué sur chaque type avec le prix, qui est de beaucoup inférieur à la valeur commerciale des tissus.

Le sacrifice que nous nous imposons sera, nous l'espérons, un lien de plus pour les affaires à venir. Nous ne doutons pas que ce lot soit à votre convenance, et si, par hasard, certaines pièces retenaient plus particulièrement votre attention, nous sommes tout disposés à les distraire du lot proposé. Il est bien entendu que cette proposition vous est faite sauf vente entre-temps.

Indépendamment des pièces proposées, nous sommes à même de vous fournir des coupons de 1 mètre et au-dessus. Si cette dernière proposition vous intéresse, veuillez nous demander nos conditions. Pour vous donner un aperçu de nos coupons, nous vous remettons ci-inclus quelques échantillons.

Nous espérons vous lire dans un prochain courrier, et, dans cette attente, nous vous prions d'agréer, Messieurs, nos salutations distinguées.

Offre d'un lot de lainage.

Messieurs,

Nous vous informons que nous avons actuellement un lot de lainage fantaisie d'environ 500 kg, grandeur de 20 à 40 centimètres. Le prix pour le lot au complet est de F .... le kilogramme ou de F .... si la commande ne dépasse pas au moins 50 kg. Conditions habituelles, marchandise prise à Mulhouse, sauf vente et sans engagement.

Si vous vous intéressez à ce lot, nous vous conseillons de nous télégraphier au reçu de la présente, car nous avons offert cette marchandise en même temps à plusieurs clients.

Dans l'attente de vous lire, nous vous présentons, Messieurs, nos sincères salutations.

Offre de coupons.

Messieurs,

Nous vous informons que nous avons actuellement en stock des coupons dans les articles suivants :

croisé finette blanc et teint, satin édredon, satin doublure, satin tablier, lainages.

Nous vous prions de nous dire si l'une ou l'autre de ces qualités vous intéresse, afin que nous puissions vous indiquer nos plus justes prix.

Dans l'attente de vous lire, nous vous présentons, Messieurs, nos bien sincères salutations.

Envoi de marchandises et d'échantillons.

Monsieur,

Nous avons bien reçu votre lettre du 5 courant et vous remercions de la commande que vous avez bien voulu nous confier.

Nous remettons aujourd'hui les marchandises, dont vous voudrez bien trouver la facture ci-jointe, à notre expéditeur MM. Leblond et Cie. Celles-ci vous parviendront par P. V. port dû, non assurées.

A cette occasion, nous vous informons que nous avons actuellement un lot de 1 800 mètres de popeline de coton pour chemises, selon échantillons ci-joints. Ce lot est très bien assorti, c'est-à-dire qu'il se compose d'environ quatre dessins, à raison d'une coupe par coloris. Nous pourrions vous céder le lot complet au prix exceptionnel de F ...... le mètre. Conditions habituelles, port dû, sauf vente et sans engagement.

Espérant que vous profiterez de cette bonne occasion, nous vous présentons, Monsieur, nos sincères salutations.

Offre de soldes et coupons. Avis d'expédition.

Monsieur,

Nous avons pris bonne note de votre lettre du 13 mars. Nous vous signalons que nous suivons les trois qualités que nous vous envoyons ce jour, ce qui nous permettra de les réassortir à la demande.

Nous profitons de cette lettre pour vous offrir, selon échantillon ci-joint, un lot de 500 mètres de toile de soie naturelle en 80 cm de largeur, en premier choix, coloris noir seulement. C'est une qualité qui nous reste pour compte d'un client insolvable; donc, une fois le stock épuisé, il sera impossible à réassortir au même prix. Le mètre serait à .... F comptant; cette qualité vaut à l'heure actuelle au moins .... F le mètre. Si vous êtes preneur, veuillez nous répondre par retour du courrier.

Nous joignons aussi un échantillon d'ottoman de laine, au prix de .... F le mètre, coloris noir et marine.

Comme demandé par votre courrier du 5 décembre, nous vous expédions ce jour, en service rapide Lyon-Paris, les marchandises faisant l'objet de votre lettre.

Agréez, Monsieur, nos sincères salutations.

P.-S. — Ci-inclus échantillon de toile que nous pouvons vous fournir en blanc et coloris lingerie au prix de 700 francs le mètre, qualité régulièrement suivie, premier choix.

Offre de lingerie.

Monsieur,

Pensant vous intéresser, nous vous informons que nous réalisons, pour cause d'inventaire, un important stock de chaussettes d'hommes, mi-bas et socquettes.

Tous nos articles sont de qualité garantie. Nous disposons, tant en Nylon mousse qu'en laine renforcée Nylon ou en fil, de toutes les tailles courantes. Coloris classiques, unis ou fantaisie.

Ces articles peuvent vous être cédés aux prix réellement exceptionnels de, notamment :

3 000 F la douzaine de socquettes Nylon mousse,
7 200 F la douzaine de mi-bas laine renforcés Nylon,
6 000 F la douzaine de chaussettes pur fil.

De plus, nous réalisons un stock de mouchoirs batiste ourlés à jours, dimensions 30×30, finis, au prix de .... F la douzaine.

Conditions : Prix nets, franco de port à partir de dix douzaines.

Livraison à votre choix. *Règlement :* 30 jours et le mois.

Echantillons sur demande.

Dans l'attente de vos ordres, nous vous prions d'accepter, Monsieur, nos salutations distinguées.

Offre de bijoux d'occasion.

Monsieur (*ou* Madame),

Je prends la liberté de me rappeler à votre bon souvenir. Je serais heureux de pouvoir vous présenter le très beau choix de bijoux que j'ai pu récemment constituer grâce à des achats dans les ventes. Toutes les pièces ont été nettoyées, remises en état, souvent remontées. Ce sont donc des articles de tout premier ordre que je suis en mesure de vous offrir, et cela à des prix sensiblement inférieurs à ceux qui vous seraient faits par des maisons achetant en fabrique.

Ma Maison existe depuis longtemps et la faveur que veut bien m'accorder une nombreuse et ancienne clientèle qui s'accroît toujours est justifiée par notre façon loyale de traiter les affaires.

Dans l'espoir de continuer à mériter votre confiance, toujours empressé à bien vous servir et dans l'attente d'être favorisé de votre visite ou de vos ordres, je vous présente, Monsieur (*ou* Madame), mes sincères salutations.

Offre d'entreprise d'installation.

Monsieur,

Nous avons l'honneur de vous faire nos offres de service pour toutes les installations sanitaires dont vous pouvez avoir besoin.

Pour nous attirer votre confiance, nous nous permettons de vous donner comme références : le ministère des Travaux publics, la S. N. C. F., la Société des Grands Hôtels suisses, la Société des Sanatoriums du Sud-Est, et un nombre sans cesse croissant d'hôtels, d'hôpitaux et d'institutions, qui ont bien voulu nous confier l'exécution de travaux importants et qui, pour la plupart, nous ont autorisés à divulguer le témoignage de leur parfaite satisfaction.

Dans l'espoir que vous voudrez bien nous favoriser de vos ordres, nous vous prions d'agréer, Monsieur, nos salutations empressées.

Réponse à l'offre précédente.

Monsieur,

En réponse à vos offres de service du 20 février dernier, je vous prie d'envoyer un de vos représentants lundi prochain, de 11 heures à midi, à l'effet de vous entretenir d'une installation que je pourrai vous confier si, après devis à me soumettre, je trouve avantage à vous en charger.

Agréez, Monsieur, mes salutations distinguées.

Offre de matière première pour l'industrie.

Monsieur le Directeur,

Propriétaire-exploitant à S..., et possesseur de ... hectares de plantations de noyers, j'ai l'honneur de vous proposer du bois de noyer sain pour la fabrication des fusils de l'armée.

Je pourrai vous fournir annuellement ... stères dudit bois et je m'engagerai à vous fournir cette quantité d'une façon régulière, quand vous aurez bien voulu me faire connaître vos conditions.

Veuillez agréer, Monsieur le Directeur, mes respectueuses salutations.

Offre de primeurs.

Monsieur,

Fraisiculteur-expéditeur à S..., je viens vous offrir mes produits. Je puis vous envoyer régulièrement des fraises de culture forcée et de primeur placées dans des caissettes, des fraises de grosses variétés comme Docteur Morère,

Général Chanzy, etc., emballées dans des plateaux; des fraises de pleine terre, enfin, emballées dans de petits paniers.

Les plus grands soins sont apportés à l'emballage, et comme nos fraises sont cueillies mûres et par temps sec, je puis vous donner l'assurance qu'elles peuvent aisément être transportées et qu'elles ne risquent pas de se gâter.

Enfin je dois vous dire que les emballages en colis postaux affranchis jusqu'à 5 kilogrammes sont considérés comme perdus.

Dans l'attente de vos ordres, je vous prie d'agréer, Monsieur, l'expression de mes sentiments distingués.

Offre de fruits.

Monsieur,

Je vous informe que mes expéditions de raisins touchent à leur fin et j'ai décidé de changer, pour le peu qui me reste, le mode d'expédition que j'ai adopté jusqu'ici.

Je vous ferai dorénavant les envois en caissettes, espérant ainsi que la marchandise sera présentée dans des conditions plus favorables à la vente.

Vous voudrez bien me faire savoir si l'emballage vous convient et si l'expédition vous est parvenue en bon état.

Je dispose d'une certaine quantité de raisins de choix que je vais essayer de conserver jusqu'à Noël; je vous en ferai l'envoi à cette époque.

Veuillez agréer, Monsieur, mes salutations empressées.

Une jeune fille écrit à une dame pour se proposer comme bonne à tout faire.

Madame,

J'apprends que vous avez besoin d'une domestique et je viens vous offrir mes services.

J'habite X où mes parents sont cultivateurs. Je suis âgée de seize ans et très forte pour mon âge. Je n'ai jamais été placée, mais j'ai reçu une bonne éducation ménagère. Je crois pouvoir exécuter, à votre satisfaction, tous les ouvrages d'intérieur que vous voudrez bien me confier. Je sais nettoyer la maison, raccommoder et repasser le linge, faire un peu la cuisine.

Mes prétentions sont modestes; j'ai le vif désir de trouver surtout une place pour venir en aide à mes parents.

Vous pouvez demander au village, sur eux et sur moi, tous les renseignements que vous voudrez.

Dans l'attente d'une réponse, veuillez agréer, Madame, mes respectueuses salutations.

(*Ne pas oublier de donner son adresse et de signer lisiblement.*)

Lettre pour demander un domestique.

Monsieur,

J'apprends que vous êtes sur le point de quitter la ferme de M. D... et que vous cherchez une nouvelle place. J'ai besoin tout de suite d'un domestique pour soigner et conduire les chevaux. Voulez-vous entrer à mon service? Voici mes conditions : ... francs par an, nourri et logé à la ferme. Si vous les acceptez, faites-le-moi savoir sans retard, je vous prie.

Recevez, Monsieur, mes empressées salutations.

Demande d'emploi.

J'ai relevé dans le numéro du 27 décembre du *Journal* l'annonce par laquelle vous demandiez un employé au courant de votre genre d'affaires, sténo-dactylographe parfait, pouvant se charger de la comptabilité en partie double et de la correspondance étrangère.

Je crois remplir les conditions exigées et me permets de solliciter cette place.

Je suis âgé de trente-cinq ans, marié; j'ai suivi les cours de l'Ecole de commerce de Dijon et acquis à Madrid et à Londres la connaissance approfondie des langues étrangères. J'ai travaillé huit ans chez MM. Blévin et Cie de Lyon, passant par tous les services de magasin et de bureau. Je suis actuellement chef comptable et correspondant français, anglais et espagnol chez MM. Mullet, Gorp et Cie de notre ville. Mes appointements annuels sont de ... francs.

Je joins copies de certificats qui vous permettront de juger de mes aptitudes et de mon caractère et, si vous accueillez favorablement ma demande, je puis vous assurer que je m'efforcerai toujours de justifier votre confiance.

Dans l'espoir de votre réponse et sollicitant une entrevue, je vous prie d'agréer, Messieurs, l'hommage de ma haute considération.

Offre de représentation.

Monsieur,

Depuis plusieurs années déjà nous avons la représentation sur notre place de maisons de vins de Bordeaux et de Champagne et des meilleures marques de liqueurs françaises.

Nous serions heureux d'y ajouter le placement et la vente des crus les plus célèbres de Bourgogne.

Nous tenons à votre disposition la liste de nos clients, déjà très nombreux et dont beaucoup nous ont demandé de leur fournir des vins de votre région.

Nous aurions, je crois, beaucoup de chances de réussite.

Dans l'espoir de vous lire, veuillez agréer, Monsieur, nos salutations distinguées.

Réponse à l'offre précédente.

Messieurs,

En réponse à votre lettre du 18 courant, je vous informe que j'accepte vos offres de représentation et dépôt de mes vins pour votre ville. Veuillez trouver ci-joints deux exemplaires signés par moi des engagements pris mutuellement, dont l'un à me retourner revêtu de votre signature.

Par le même courrier, je vous adresse des échantillons, catalogues et prix courants en attendant l'expédition que je vous ferai dès le reçu de votre lettre.

En vous adressant mes meilleurs vœux de succès, je vous prie d'agréer, Messieurs, mes salutations distinguées.

Réponse négative à une offre de représentation.

Monsieur,

En réponse à votre lettre du 6 courant, nous vous informons que nous ne nous occupons pas de l'importation des articles en cuivre que vous nous indiquez. Toutefois, nous prenons bonne note de votre offre de représentation et nous ne manquerons pas d'avoir recours à vos services le cas échéant.

Veuillez agréer, Monsieur, l'expression de nos sentiments distingués.

Confirmation de l'engagement d'un commis voyageur.

Monsieur,

Comme suite à notre conversation d'hier, nous avons l'avantage de vous informer que nous vous acceptons comme voyageur de notre Maison aux conditions suivantes:

1° L'engagement part du premier septembre prochain;

2° Nous vous accordons les ... francs par mois d'appointements fixes que vous nous avez demandés;

3° Vos frais de déplacements seront calculés à raison de ... francs par jour de voyage;

4° Vous recevrez en outre une commission de 4 p. 100 sur toute affaire traitée par votre intermédiaire et menée à bonne fin;

5° Votre région comprendra le nord de la France (liste de départements ci-incluse) et toute la Belgique. Vous visiterez l'Angleterre deux fois l'an; pendant ce voyage, votre indemnité de déplacement sera doublée, soit ... francs par jour;

6° Vous nous enverrez deux comptes rendus par semaine (un seul pendant votre tournée en Angleterre, sauf imprévu);

7° Vos commissions seront liquidées à la fin de chaque trimestre, soit les 31 mars, 30 juin, 30 septembre et 31 décembre;

8° Nous nous chargeons de l'encaissement des factures de tous nos clients; un acquit de vous serait donc nul;

9° Vous vous engagez à ne traiter qu'avec des clients parfaitement solvables, à représenter exclusivement notre Maison et à ne jamais chercher à faire d'affaires pour votre compte personnel.

Si ces conditions vous agréent, veuillez signer les deux exemplaires ci-joints de votre contrat et nous les retourner. Par le courrier suivant, nous vous en ferons parvenir un revêtu de notre signature.

Recevez, Monsieur, nos salutations empressées.

Services agréés; conditions.

En main votre honorée du 15 écoulé, nous avons le plaisir de vous confier notre représentation pour l'Amérique du Sud aux conditions ci-après :

1° Commission 5 % du montant net des factures sur toutes affaires directes et indirectes; pas de frais de voyage; nous vous rembourserons les télégrammes internationaux sans tenir compte des ports de lettres. Règlement tous les six mois;

2° Vous vous engagerez expressément à ne représenter aucune autre Maison se livrant au même genre d'affaires;

3° Nos conditions sont les suivantes : f. o. b. Le Havre, 3 % à 30 jours de vue ou 120 jours net; si certains clients en préféraient d'autres, il y aurait lieu de modifier soit le prix, soit l'escompte;

4° Nous vous recommandons instamment de n'entrer en relation qu'avec des Maisons solvables et, à chaque bon de commande, nous vous prions d'annexer copie des renseignements reçus de la succursale de la Banque de France à Buenos Aires.

Par colis postal, nous vous envoyons notre collection complète dont vous trouverez inclus tarif.

Nous vous prions de nous confirmer ce contrat par retour et, vous souhaitant bonne chance, nous vous présentons, Messieurs, nos salutations empressées.

Lettre d'un représentant à son employeur pour lui demander une augmentation.

Monsieur,

Lorsque vous m'avez engagé comme représentant de votre Maison le..., nous étions convenus des conditions suivantes de ma rémunération : . . . .

Vous n'avez pas manqué de constater que le chiffre des ventes dans le secteur dont vous m'avez confié la charge a augmenté dans d'importantes proportions depuis que je m'y suis consacré. J'ajoute que la clientèle que je visite me fait entière confiance et me laisse espérer un nouvel accroissement de commandes.

Je vous demande d'examiner à nouveau les termes de nos conventions, et je vous propose de porter le montant de mes commissions de ... p. 100 à ... p. 100.

Je vous remercie à l'avance de la réponse que vous voudrez bien me faire, et je vous prie de croire, Monsieur, à l'assurance de mes sentiments dévoués.

Annonces.

a) On demande pour engagement immédiat jeune homme possédant belle écriture et calculant bien. Ne pas se présenter; écrire en joignant références à...

b) On demande pour engagement immédiat employé, 30-35 ans, capable et de confiance, de préférence au courant du commerce de librairie; emploi stable. Doit posséder à fond la dactylographie, la sténographie et pouvoir se charger de la comptabilité en partie double et de la correspondance étrangère. Indiquer emplois précédents et joindre copie des certificats. Ecrire à J. X...

c) Grosse Maison de commission tissus recherche directeur capable possédant grandes facultés d'organisation. Doit connaître à fond la partie et pouvoir diriger lui-même les affaires. Expérience du commerce d'exportation en gros et connaissance parfaite des langues vivantes acquise à l'étranger indispensables. Seuls, Messieurs ayant occupé précédemment situations analogues et en mesure de fournir une caution de ... francs qui sera déposée en banque sont priés de s'adresser à ....

CHAPITRE IV

DEMANDES DE RENSEIGNEMENTS

La demande de renseignements constitue souvent une entrée en relations d'affaires; dans ce cas, il faut donner des références et, dans le corps de la lettre, plus de précisions que s'il s'agissait d'une Maison avec laquelle on est en correspondance suivie.

La demande de renseignements peut aussi être une réponse à une offre de service : il faut alors veiller à la rédiger de manière qu'elle ne puisse pas être interprétée comme une commande ferme.

Ce peut être aussi une demande de renseignements sur les qualités d'un employé qui a offert ses services, ou encore sur l'honorabilité et le crédit d'une Maison. Dans ce dernier cas surtout, il est d'usage de porter le nom et l'adresse de la Maison sur une fiche que l'on joint à la demande, et, dans le corps de la lettre, on évite soigneusement tout ce qui permettrait d'identifier cette Maison : on se contente de parler de « la Maison indiquée dans la fiche ci-incluse ».

Les principales parties de la demande de renseignements sont :

1° *Le nom et l'adresse du demandeur, avec l'indication des références s'il y a lieu;*

2° *L'indication précise des renseignements à obtenir, en les numérotant s'il y en a plusieurs;*

3° *La raison pour laquelle on demande ces renseignements ou la destination exacte des marchandises au sujet desquelles on se renseigne;*

4° *Des remerciements anticipés pour le service qu'on demande (surtout lorsqu'il s'agit de renseignements sur une Maison ou une personne, auquel cas on donnera l'assurance qu'on traitera la réponse comme rigoureusement confidentielle) et l'engagement de rendre les mêmes services si l'occasion s'en présente.*

D'une manière générale, il faut se mettre à la place du destinataire et s'assurer que l'on a clairement indiqué tous les détails nécessaires pour lui permettre d'y faire une réponse satisfaisante et que l'on a dûment insisté sur les points essentiels.

Sur une diminution du chiffre d'affaires.

Monsieur et cher Correspondant,

Une vérification de notre comptabilité nous a permis de nous rendre compte que votre chiffre d'affaires avec notre Maison, en ce qui concerne vos achats de papiers, pellicules et matériels photo pour l'année dernière, est très inférieur à celui de l'année précédente.

Nous nous permettons de vous signaler cette différence et de vous demander les raisons auxquelles nous devons imputer cette baisse de vos commandes. Ces causes proviennent-elles d'une situation propre à votre localité, ou résultent-elles d'un défaut de publicité auquel nous serions très heureux de remédier, d'accord avec vous?

Nous constatons, d'autre part, que, pendant la même année, vous ne nous avez adressé aucune demande de nos appareils de photos et cameras.

Vous n'ignorez pas que tout le matériel sortant de nos

ateliers a une réputation justifiée de précision et de haute qualité auprès des photographes amateurs et professionnels. Nos fabrications ont toujours soutenu favorablement la comparaison avec les articles étrangers, et l'attention que nous ne cessons de porter aux progrès constants de la technique vous est une garantie que nos appareils sont pourvus des derniers perfectionnements.

Nous sommes tout disposés à vous fournir le matériel de publicité nécessaire et à examiner avec vous, dans l'esprit le plus large et le plus conforme à nos intérêts communs, la façon dont nous pourrions arriver à reprendre des rapports plus actifs.

Veuillez, Monsieur et cher Correspondant, agréer nos salutations distinguées.

Demande de prix et d'échantillons.

Messieurs C. J... et Cie
14, Avenue Jean-Jaurès.
Troyes (Aube)

D..., le 12 Janvier 19...

Veuillez nous soumettre par retour échantillons de fils à coudre, cotons perlés et cotons à repriser, en nous précisant vos prix et les coloris dont vous disposez. Nous ne serions intéressés que par les articles que vous pourriez livrer immédiatement.

Nous vous présentons, Messieurs, nos salutations empressées.

On demande des précisions avant de passer une commande.

S..., le 15 Juillet 19...

Monsieur,

Propriétaire à S..., je serais désireux d'utiliser les tourteaux oléagineux pour la culture du tabac.

Toutefois, avant de vous faire une commande ferme, je vous serais obligé de me faire connaître la composition de vos tourteaux et leur teneur approximative en azote, acide phosphorique et potasse.

Veuillez agréer, Monsieur, l'assurance de mes sentiments distingués.

Demande de prix pour une commande de toiles.

Sous pli séparé, nous vous adressons les types suivants :

1° Toile à voiles 24″ 16 oz., chaîne 26 fils, trame 24 au pouce carré; forces: chaîne 705 livres, trame 640 sur bandes de 10″ × 2″;
2° Longotte 32″ 6 1/2 oz., chaîne 40 fils, trame 36;

et vous demandons de nous indiquer par retour vos prix les plus réduits, c.a.f. Halifax, franco de droits, escompte 3 % à 90 jours de vue, en nous gardant option 20 jours.

Si vos propositions nous convenaient, nous envisagerions de vous passer un ordre de 500 pièces de chaque article; livraison commençant le 1er juin prochain, complète fin octobre à raison de 100 pièces par mois.

Veuillez nous retourner nos échantillons, et, dans l'attente d'une réponse immédiate, nous vous prions, Messieurs, d'agréer nos bien sincères salutations.

Demande d'établissement d'un certificat de manquant.

Messieurs,

Nous avons bien reçu votre lettre du 29 mars, et nous vous remercions des renseignements que vous avez bien voulu nous y donner.

Suivant votre conseil, nous vous prions de bien vouloir, pour le prochain arrivage du Cap, faire établir un certificat de manquant, s'il y a lieu, par le Comité des assureurs maritimes de votre ville et ce à titre d'essai. Veuillez nous indiquer par le prochain courrier le montant des honoraires du constat établi par le Comité des assureurs.

Nous vous remercions à l'avance et vous prions d'agréer, Messieurs, l'expression de nos sentiments distingués.

Demande de renseignements à un consul.

Monsieur le Consul de France
à Maracaïbo (Venezuela).

Monsieur,

Je serais désireux d'organiser au Venezuela, et spécialement à Maracaïbo, la vente de mes produits de parfumerie et savons. A cette fin, j'ai l'honneur de solliciter de votre bienveillance quelques renseignements commerciaux et financiers sur le pays où vous représentez la France et veillez à l'extension de son commerce et aux intérêts de vos compatriotes.

Je vous serais obligé de me faire savoir si j'ai des chances de trouver une clientèle pour mes articles, qui se présentent comme des articles de luxe sans dépasser beaucoup les prix des articles inférieurs, et avec lesquels mes représentants de la Colombie, du Chili, du Paraguay et du Brésil font, depuis quelques années, des chiffres d'affaires très intéressants.

Pourriez-vous m'indiquer quelques Maisons, de bonne réputation et de crédit solide, à qui je pourrais offrir la représentation exclusive de mes articles dans la région de Maracaïbo? Dès que j'aurais leurs adresses et vos renseignements, je me mettrais en rapport direct avec l'une d'elles pour traiter les détails de cette représentation éventuelle.

Il me serait utile aussi de connaître les tarifs douaniers et les formalités exigées pour l'importation de ce genre d'articles au Venezuela.

Avec mes remerciements anticipés, je vous prie d'agréer, Monsieur le Consul, l'expression de ma considération distinguée.

Demande de renseignements sur un caissier.

Messieurs,

L'employé dont vous trouverez le nom sur la fiche ci-jointe s'est présenté ce matin à mes bureaux pour obtenir un poste de caissier qui va se trouver vacant dans une de mes succursales.

Il m'a dit avoir occupé cet emploi chez vous pendant quatre ans, avant d'entrer dans une Maison qui vient de faire faillite et où il est resté, dit-il, trois ans. Le fait d'avoir tenu la caisse dans votre honorable Maison le recommande déjà à notre attention. Mais le poste dont il s'agit est très important et les mouvements de fonds y sont souvent considérables. C'est pourquoi je me permets de vous demander votre appréciation détaillée sur votre ancien employé et, si cela est possible, les raisons exactes de son départ de chez vous.

Je serai toujours très heureux de vous rendre le même service, quand l'occasion s'en présentera, et je vous prie d'agréer, Messieurs, avec mes remerciements anticipés, l'expression de mes sentiments distingués.

Demande de renseignements sur un représentant.

Monsieur,

Nous avons l'intention de confier notre représentation sur votre place à M. Jean Fournier, 47, rue de Vaugirard. Il nous a indiqué votre Maison comme référence. Avant d'établir le contrat, nous vous serions reconnaissants de nous donner quelques renseignements sur la réputation, le crédit, et même le caractère de cet agent, car nous avons affaire à une clientèle difficile et parfois pointilleuse.

Vous assurant de notre entière discrétion et nous mettant à votre disposition pour vous rendre éventuellement le même service, nous vous prions d'agréer, Monsieur, avec nos meilleurs souvenirs, l'expression de notre considération distinguée.

Autre demande de renseignements sur un représentant.

Monsieur,

M. J. Bouchard, 3, rue Edgar-Quinet, Alger, avec qui nous sommes en pourparlers pour lui confier la représentation de lampes électriques d'origine tchécoslovaque, nous engage à vous demander des renseignements sur sa personnalité, sa situation financière et le crédit dont il jouit sur la place.

Nous vous serions reconnaissants de nous faire part des informations que vous jugerez pouvoir nous communiquer, étant bien entendu que nous les considérerons comme strictement confidentielles et sans engagement de votre part.

Avec nos remerciements anticipés, nous vous présentons, Monsieur, nos salutations distinguées.

Même demande adressée à une agence.

Messieurs,

RENSEIGNEMENTS FINANCIERS

Nous vous serions obligés de bien vouloir nous donner des renseignements sur :

M. J. Bouchard, 3, rue Edgar-Quinet, Alger. Références bancaires : *Crédit Foncier d'Algérie et Tunisie,* Alger;

Société nouvelle de la Compagnie algérienne de crédit et de banque, Alger.

Comme de coutume, nous ferons des détails que vous voudrez bien nous communiquer un usage discret, sans garantie ni responsabilité de votre part.

Avec nos remerciements anticipés, nous vous présentons, Messieurs, nos salutations distinguées.

Demande de renseignements sur un domestique.

Monsieur,

Je vous serais obligé de vouloir bien me fournir des renseignements sur le nommé Pierre Charron, actuellement à votre service, et de qui je viens de recevoir une demande pour entrer au mien.

Je vous serais reconnaissant de me dire ce que vous pensez de cet homme, de ses aptitudes au travail de la ferme, de sa moralité.

Je vous remercie à l'avance des renseignements que vous voudrez bien me fournir et qui resteront, je vous en donne l'assurance formelle, tout à fait confidentiels.

Agréez, Monsieur, l'assurance de mes sentiments distingués.

Demande de renseignements sur un agent.

Votre agent de Londres, M. A. Taylor, qui sollicite notre représentation pour les Pays scandinaves et l'Angleterre, nous a donné votre Maison comme référence.

Lors de la visite qu'il nous a faite hier, ce Monsieur a produit la plus favorable impression et nous sommes sur le point d'agréer ses services; toutefois, auparavant, nous vous serions reconnaissants de nous communiquer sur son caractère et ses capacités tous renseignements en votre possession.

Pourriez-vous nous dire s'il possède une bonne clientèle dans les pays indiqués et s'il est en mesure de mener de front nos deux représentations?

En vous assurant que l'usage le plus discret sera fait de votre réponse, nous vous prions d'agréer, Messieurs, nos salutations distinguées.

Demande de renseignements sur l'honorabilité d'une Maison.

La Maison que nous désignons sur la fiche incluse vient de nous remettre un ordre de 250 000 F environ.

N'étant pas en relation avec elle, nous nous permettons d'avoir recours à votre obligeance habituelle et vous serions reconnaissants de nous communiquer aussitôt que possible tous renseignements sur son crédit et son honorabilité.

Soyez persuadés que nous considérerons votre réponse comme strictement confidentielle et sans responsabilité de votre part.

Espérant bientôt pouvoir vous être utiles à notre tour, nous vous prions d'agréer, Messieurs, avec nos remerciements anticipés, nos bien sincères salutations.

Demande de renseignements sur la situation financière de plusieurs Maisons.

Messieurs,

Bien que nos relations, assez récentes, aient été quelque peu espacées, je me permets de m'adresser à vous comme à la seule Maison de votre place à laquelle je puisse actuellement demander un service aussi urgent que délicat.

Vous trouverez sur la fiche ci-jointe les noms et adresses de plusieurs marchands d'automobiles avec lesquels je fais de grosses affaires avec un crédit variant de deux à trois mois et se montant parfois, pour chacun d'eux, jusqu'à un million de francs. Or, j'apprends que la faillite de la Banque régionale de N... aurait mis tous ses correspondants en très mauvaise posture. Je ne désire pas compliquer leur situation en ce moment difficile, mais il ne faudrait pas que mon excès de confiance et les facilités que je pourrais leur accorder me fassent courir de trop gros risques.

Je vous serais obligé de me dire franchement ce que vous pensez de la solvabilité de chacun de ces négociants, des règlements desquels je n'ai eu qu'à me louer jusqu'ici.

Vous assurant de mon entière discrétion, je vous prie de croire, Messieurs, à mes sentiments distingués ainsi qu'à mon désir de vous rendre éventuellement le même service.

CHAPITRE V

RÉPONSES AUX DEMANDES DE RENSEIGNEMENTS

La réponse à une demande de renseignements, quelle que soit sa nature, est presque toujours d'une grande importance et les termes doivent en être soigneusement pesés.

Les termes d'une réponse à une demande de prix, avec ou sans échantillons, constituent une véritable offre de service et lient le vendeur, s'il n'a pris la précaution de préciser que ces prix s'entendent sans engagement (ou que l'offre n'est pas ferme).

Dans le cas de renseignements donnés sur les capacités et le caractère d'un employé ou sur l'honorabilité d'une Maison, on se souviendra qu'il s'agit, d'une part, de l'avenir d'un homme et d'une famille, ou du succès ou de l'insuccès, sinon de la faillite, de la Maison indiquée, et, d'autre part, d'un service précieux à rendre, ou d'un préjudice grave à causer, aux amis ou relations qui sollicitent les renseignements. Toutes choses qui méritent l'attention de celui qui rédige la réponse. Les précisions fournies par les banques ou les agences de renseignements sont parfois insuffisantes, et c'est alors que les opinions formulées par d'autres Maisons de commerce peuvent jouer, en bien ou en mal, un rôle décisif. En général, lorsqu'on a de mauvais renseignements à donner, on le fera avec une extrême prudence.

Il faut répondre à toutes les demandes de renseignements, même lorsque cette réponse est négative. Même si vous ne savez rien sur la Maison indiquée, il faut le dire; il n'est pas sans intérêt d'apprendre qu'une Maison donnée comme référence n'a jamais fait d'affaires avec celui qui prétend s'en prévaloir. Même si vous ne tenez aucun des articles au sujet desquels on vous écrit, il faut exprimer vos regrets de ne pouvoir satisfaire cette demande, et chercher par un envoi de catalogues, de prix courants ou d'échantillons, à faire que cette réponse, en apparence sans objet, détermine un courant d'affaires suivi.

Réponse favorable.

Monsieur,

En réponse à la demande de renseignements que vous m'avez adressée au sujet du nommé Mathieu Jean, actuellement à mon service, j'ai l'honneur de vous informer que ce domestique est d'une moralité irréprochable, d'une force peu commune et d'une rare habileté dans les travaux agricoles. Il m'a rendu les plus grands services et, si je ne devais pas abandonner mon exploitation, je ne me serais jamais privé volontairement de son concours. C'est vous dire que vous pouvez l'engager chez vous en toute confiance, car je suis certain que vous aurez de lui entière satisfaction.

Veuillez agréer, Monsieur, mes sincères salutations.

Renseignements favorables.

Nous avons bien reçu votre lettre du 10 courant et nous avons le plaisir de vous faire parvenir les renseignements ci-dessous :

« Fondée en 1887, la Maison en question dispose « d'amples capitaux; de plus, son chef, M. B..., possède

« une fortune mobilière et immobilière importante; cette « Maison traite de grosses affaires dont le chiffre s'élève à « près de 500 millions par an, tient un stock considérable, « jouit d'une excellente réputation dans les milieux com- « merciaux et mérite confiance pour tout crédit qu'elle « demandera. »

Sans garantie ni responsabilité.

Nous vous présentons, Messieurs, nos salutations empressées.

Renseignements défavorables.

En réponse à votre lettre du 10 courant, nous regrettons de ne pouvoir vous donner que des renseignements défavorables sur la Maison dont il s'agit.

« Etablie depuis deux ou trois ans seulement, après des « débuts passables, elle s'est trouvée fortement ébranlée « par la crise commerciale actuelle. X... et J... prétendent « avoir versé 10 millions chacun dans leur entreprise, « mais il n'existe aucun contrat régulier d'association et « le capital réel est inconnu. Les affaires sont de peu d'im- « portance et parfois douteuses; des effets ont été pro- « testés et l'on signale même des poursuites; c'est pour- « quoi nous ne pouvons recommander que le comptant « strict ou mieux l'abstention. »

Confidentiel et sans responsabilité.

Nous vous prions d'agréer, Messieurs, nos bien sincères salutations.

Réponse évasive.

« Maison fondée en 1897 par X... père, qui se retira « en 1925; la suite fut reprise par les deux fils, J... et P..., « avec un capital nominal de 3 750 000 francs. Ils dispo- « sent de moyens assez importants, mais la clientèle se

« composant presque exclusivement de colporteurs, ils ont
« besoin de crédit et ont dû contracter en banque de lourds
« engagements; les biens sont hypothéqués; jusqu'ici les
« paiements se sont effectués régulièrement; mais, vu le
« mauvais état actuel du marché, entrer en relation avec
« eux est une affaire d'appréciation. »

Confidentiel et sans responsabilité.

Réponse favorable et détaillée.

En réponse à votre lettre du 17 courant, c'est avec un grand plaisir que nous vous conseillons d'accueillir favorablement la demande de M. A. Taylor.

Voilà dix ans qu'il nous représente et nous ne pouvons trop nous louer de son savoir et de ses capacités. Il possède une expérience complète du commerce de commission en gros, visite une clientèle solide qu'il a beaucoup développée par lui-même et dont la confiance et l'amitié lui sont acquises. Il parle couramment plusieurs langues et vient de rentrer d'une tournée en Suède et Norvège, pays qu'il a visités avec un succès sans précédent.

Nos articles ne se faisant pas concurrence, nous n'avons aucune objection à formuler au choix de M. Taylor comme votre représentant; cela nous procurera au contraire la plus vive satisfaction.

Nous vous prions d'agréer, Messieurs, nos bien sincères salutations.

Réponse très défavorable.

Monsieur,

En réponse à la demande de renseignements que vous m'avez adressée au sujet d'un employé actuellement à mon service, je vous dirai bien sincèrement que cet homme ne m'a pas donné beaucoup de satisfaction. En raison de sa nonchalance au travail, de son impatience devant les moindres observations, j'ai dû refuser de lui renouveler son contrat.

Je n'ai pas besoin de vous demander la plus grande discrétion au sujet des appréciations ci-dessus que j'écris avec le désir de vous être utile et de respecter la vérité.

Veuillez agréer, Monsieur, mes cordiales salutations.

Réponse très vague.

Messieurs,

Nous n'avons eu affaire à la maison mentionnée sur la fiche ci-jointe qu'une fois, en 19... Nous lui avions vendu des conserves américaines c.a.f. Le Havre, et elle a refusé d'en prendre livraison à l'arrivée du vapeur.

N'ayant pas continué de relations avec elle, il nous est impossible de donner aucune précision sur son crédit.

Veuillez agréer, Monsieur, nos salutations.

Certificats.

1° En réponse à votre lettre du 2 courant, nous avons le plaisir de vous faire savoir que votre machine nous donne entière satisfaction; nous la considérons comme la meilleure et la moins chère; elle accomplit avec la plus grande régularité un excellent travail; elle est simple et stable et, depuis trois ans que nous l'avons mise en service, nous n'avons pas eu la moindre réparation à effectuer. Nous ne manquerons donc pas de la recommander chaleureusement à tout collègue recherchant une bonne machine.

Veuillez agréer, Messieurs, nos bien sincères salutations.

2° Nous avons le plaisir de certifier par la présente que nous avons employé six ans (1945/1951) M. X en qualité de chef comptable. C'est un homme d'une honnêteté scrupuleuse, capable et travailleur, qui toujours s'est acquitté de ses devoirs à notre entière satisfaction. Il se retire de notre Maison de son plein gré, et nous ne pouvons que le recommander à tous égards.

J... et Cie.

Certificat de bonne conduite.

Je certifie que le nommé Léon Carnet, âgé de dix-huit ans, a été à mon service du 1er mars 19.. au 15 avril 19.. et que sa conduite et son travail n'ont rien laissé à désirer.

En foi de quoi je lui délivre le présent certificat, pour lui servir au besoin.

ANDRÉ RENAUD,
« La Roseraie », Chevreuse.
15 Avril 19...

Réponse négative à une offre de représentation.

Paris, 22 Juin 19...

Messieurs,

Nous référant à notre précédente correspondance, nous avons le regret de vous informer que nos amis, après étude du marché sud-américain, ne peuvent s'intéresser à la vente de vos nouveaux compteurs-distributeurs automatiques.

Veuillez agréer, Messieurs, nos salutations distinguées.

On répond par un avis de passage.

Madame,

En réponse à votre lettre, je vous informe que j'ai pris note de votre demande, et, à la prochaine tournée de mon représentant (vers la fin de la semaine prochaine), vous recevrez sa visite.

Je vous remercie de votre demande, et je vous prie d'agréer, Madame, mes salutations distinguées.

Confirmation de rendez-vous pris par téléphone.

Monsieur,

Comme suite à notre conversation téléphonique de ce jour, je vous confirme que je me rendrai lundi prochain 16 courant vers onze heures à vos bureaux.

Je vous remercie de votre correspondance du 10 courant m'apportant des cotations nouvelles.

Je vous prie d'agréer, Monsieur, mes sincères salutations.

Réponse et annonce d'envoi d'échantillons.

Vous remerciant de votre demande d'hier, nous avons le plaisir de vous faire parvenir par poste recommandée les échantillons que vous avez bien voulu nous désigner.

Inclus vous trouverez notre tarif; conditions habituelles : par traite, 4 % à 15 jours de date de facture, 30 jours 3 % ou 90 jours net; franco à partir de 100 douzaines.

Dans l'espoir de vos ordres, nous vous présentons, Messieurs, nos salutations empressées.

Indication de prix.

Nous avons bien reçu votre lettre et vos échantillons du 3 courant.

Nous avons étudié très sérieusement cette affaire et nous cotons :

Toile à voiles 24″ 16 oz., conforme aux conditions stipulées : 5 sh 6 d le yard, rendu Halifax, paiement contre remise des documents, escompte 4 %; sans engagement, car la filature refuse toute option. Nous ne pouvons vous donner notre prix franco de droits, n'ayant pas connaissance du tarif douanier canadien.

En ce qui concerne la longotte, nous regrettons que cet article ne fasse pas partie de nos fabrications.

Nous vous retournons vos échantillons et, dans l'espoir de vos ordres, nous vous prions d'agréer, Messieurs, nos salutations empressées.

Réponse à une offre de service renouvelée.

Nous avons bien reçu votre lettre du 5 courant ainsi que l'échantillon Café Santos.

Si nous vous avons retiré nos ordres, la cause n'en peut être attribuée qu'à l'infériorité notable de vos dernières livraisons; la marchandise était pierreuse et d'un arôme très quelconque; en outre, nous avons obtenu ailleurs des offres plus avantageuses.

Voulant éviter d'inutiles discussions, nous ne vous avons pas adressé de réclamation; si toutefois vous vous croyez maintenant en mesure de nous proposer une qualité de 1er choix, nous ne nous refuserons pas à renouer avec vous nos relations anciennes.

Nous vous remercions de votre offre; cependant, vous vous êtes certainement exagéré la valeur de votre marchandise, car nous pouvons trouver en stock, sur place, une qualité absolument équivalente au prix de F . . . le kilogramme.

Si vous êtes en mesure de nous faire les mêmes conditions, vous pouvez nous expédier franco les 20 sacs disponibles, et, dans l'attente de votre facture, nous vous présentons, Messieurs, nos salutations empressées.

Marchandises en consignation.

En réponse à votre lettre du 15 courant, nous vous informons avec plaisir que nous serions disposés à vous confier une consignation de nos soieries aux conditions suivantes :

1° Valeur maximum de notre dépôt : trois millions;

2° Chiffre moyen d'affaires : trois cent mille francs par mois; en règlement de vos comptes de vente mensuels, nous ferons traite sur vous à 30 jours 3 %;

3° Nous ne facturerons pas l'emballage, mais les ports d'aller et de retour seront à votre charge;

4° Jamais nous ne reprendrons de pièce entamée ou ayant séjourné plus de six mois dans vos magasins.

Vous voudrez bien, en conséquence, ne choisir que des marchandises courantes, et, dans l'espoir de recevoir votre accord écrit sur les conditions ci-dessus, nous vous présentons, Messieurs, nos bien sincères salutations.

Les offres faites ne peuvent intéresser pour le moment.

Nous vous remercions de vos échantillons et prix du 20 courant, et regrettons de vous dire qu'ils ne peuvent nous intéresser pour le moment.

Toutefois, nous en avons pris bonne note et ne manquerons pas de nous rappeler votre Maison lorsque nous serons acheteurs.

Recevez, Messieurs, nos bien sincères salutations.

Réponse à une demande par téléphone.

Messieurs,

Comme suite à votre demande téléphonique de ces jours derniers, nous vous informons que, pour une livraison sous vingt jours à vos usines, nous pouvons actuellement vous offrir, sans engagement :

48 tonnes d'acide oxalique cristallisé 98-100 % au prix de £ ..., — les 1 000 kilogrammes nets.

Marchandise logée en fûts de 50,800 kg rendus f.o.b. Amsterdam.

Paiement : comptant, net sans escompte, contre documents d'embarquement, par chèque barré à notre ordre sur une banque de Londres.

Naturellement, la quantité totale devrait être embarquée en une seule fois.

Nous restons dans l'attente de vous lire à ce sujet et vous présentons, Messieurs, nos sincères salutations.

Confirmation d'un entretien par téléphone.

Messieurs,

Nous vous confirmons notre entretien téléphonique de ce jour avec M. Roussel et nous vous confirmons que nous serions prêts à vous livrer l'*acide oxalique*, par lots minimums de 10 tonnes, en fûts contenant 200 kg, au prix de:

£ ......, la tonne (1 000 kg), emballage perdu, f.o.b. Marseille ou La Pallice.

Nous espérons que, dans ces conditions, vous serez en mesure de nous passer votre commande.

Alcool méthylique : Nous vous avons signalé que ce produit est acheté, par quantités importantes, par l'Amérique du Sud. La plupart des quantités consommées sert :

1° A la fabrication des couleurs d'aniline;

2° A la fabrication de certains produits pharmaceutiques.

Nous sommes en mesure de livrer ce produit en qualité synthétique, ainsi qu'en qualité naturelle (ces deux produits titrant 99, 100 %, et contenant au maximum 0,1 % d'acétone) en fûts de fer galvanisé.

Veuillez avoir l'amabilité de nous donner une idée des quantités qui pourraient éventuellement intéresser vos amis, pour livraisons sur 19...

Nous nous tenons à votre disposition pour vous coter d'autres produits chimiques.

Dans l'espoir de vous lire favorablement par un tout prochain courrier, nous vous prions d'agréer, Messieurs, avec nos remerciements anticipés, l'assurance de nos sentiments distingués.

Réponse à une demande de prix.

Monsieur,

Comme suite à votre demande de prix, nous vous proposons la fourniture de sacs en phormium supérieur P, suivant échantillon ci-joint, aux conditions suivantes :

2 000 *à* 3 000 *sacs* 250 *g sel* 115 × 145 — *le mille* ... *francs* (...... francs) ;
2 000 *à* 3 000 *sacs* 500 *g sel* 120 × 190 — *le mille* ... *francs* (...... francs) ;
2 000 *à* 3 000 *sacs* 1 *kg sel* 150 × 230 — *le mille* ... *francs* (...... francs).

Délai de livraison : trois semaines.

Ces prix s'entendent nets et sans escompte départ PARIS.

Nous espérons que ces conditions vous permettront de nous confier vos ordres.

Recevez, Monsieur, nos bien sincères salutations.

Refus de fournir par petites quantités.

Monsieur,

Comme suite à votre lettre du 22 courant, nous vous informons qu'il ne nous est pas possible de ne vous livrer que 25 douzaines d'œufs réparties en trois qualités. Nous ne pouvons expédier qu'à raison d'un minimum de 500 unités de chaque qualité.

Les prix sont d'autre part en hausse : les Extra valent ... francs le mille; les Choix, ... francs; les Moyens, ...

Veuillez donc nous dire ce que nous devons faire.

Nous ferons la première expédition contre remboursement.

Recevez, Monsieur, nos salutations empressées.

N. B. — Les cours sont en baisse ce soir; en cas de commande de votre part, nous vous ferons bénéficier bien entendu de la baisse qui va se produire.

Réponse affirmative à une demande de rabais.

Messieurs,

En réponse à votre lettre du 2 courant, nous vous donnons nos derniers prix pour les articles suivants :

Finette blanc	la pièce	» F.
— couleur	—	»
Satin édredon	—	»
Velours de laine à côtes	—	»
Velours de coton plat	—	»
Toile pur fil blanc	—	»
Toile madapolam	—	»

Notre offre s'entend sauf vente et sans engagement, marchandises payables comptant au reçu de la facture pour une première affaire.

Dans l'espoir d'être favorisés de vos ordres, nous vous prions d'agréer, Messieurs, nos bien sincères salutations.

Ne pouvant fournir un article demandé, on offre un article similaire.

Monsieur,

Nous avons bien reçu votre lettre du 17 courant et vous remercions pour le chèque ainsi que pour la nouvelle commande, dont nous ferons l'expédition mercredi. En velours de coton pour ameublement il ne nous reste malheureusement que 3 pièces (deux havane, une vert bouteille). Nous les ajoutons néanmoins à notre envoi en espérant votre accord.

En ce qui concerne votre demande de cretonne Ameublement, nous vous informons que pour le moment nous ne disposons d'aucun article de ce genre. En revanche, nous vous adressons dans le même envoi un lot varié de satins damassés, articles que nous suivons régulièrement depuis quelques années.

Le prix est de F . . ., conditions habituelles sauf vente et sans engagement. La quantité est d'environ 350 mètres.

Nous espérons que vous profiterez de cette bonne occasion et, dans l'attente de vous lire, nous vous présentons, Monsieur, nos sincères salutations.

Envoi d'un devis concernant une réparation.

Monsieur,

Nous vous informons que le coût des réparations nécessaires à la mise en état de l'appareil que vous nous avez confié : un APPAREIL MODERNE CVO, serait de F . . . .

Ce prix s'entend pour :

Remplacer le dos — les micas — l'amiante porte — la façade — les deux grilles peigne — le peigne fixe — la cuvette — la grille de décendrage — la boîte à fumée — l'entonnoir — le briquetage — la contre-porte — la tirette arrière.

Il faudrait compter un supplément de F . . . pour le chromage.

Paiement comptant à l'enlèvement par vos soins à notre Dépôt, 18, rue de la Fontaine-au-Roi.

1° Les réparations ne sont jamais mises en main avant

acceptation du devis *par lettre* rappelant la référence ci-dessus;

2° Les appareils sont réparés avec les pièces que nous pouvons réassortir aux meilleures conditions et dans les moindres délais. Nous ne garantissons rien en ce qui concerne les parties anciennes non remplacées, celles-ci étant assemblées au mieux avec les parties neuves fournies. La remise en place des appareils et leur remise en fonctionnement ne nous incombent dans aucun cas;

3° Nous recommandons toujours à nos Clients de nous confier leurs réparations *pendant l'été;*

4° Nous ne pouvons garantir de délai pour les réparations qui nous sont confiées après le 1er septembre et elles sont alors exécutées *dans l'ordre suivant lequel nous recevons les acceptations des devis;*

5° Nous ne nous chargeons pas des transports aller et retour des appareils en réparation;

6° Nous ne pouvons pas conserver en magasin les appareils de nos clients et, passé le délai de huit jours suivant la remise de notre devis ou l'avis d'achèvement du travail, nous serons contraints de facturer des frais de magasinage.

Dans l'attente de vos ordres, nous vous prions d'agréer, Monsieur, nos salutations empressées.

Envoi d'un devis d'installation.

Madame,

Nous avons l'avantage de vous confirmer la visite que notre représentant, M. Corbel, vous a faite hier, et, suivant votre désir, nous nous empressons de vous confirmer le prix qu'il vous a soumis en vue du remplacement de la toile banne de la devanture de votre magasin.

Détail de la fourniture et pose :

Une toile banne n° 15, qualité supérieure, coupée aux dimensions de 3m,10 sur 1m,25, pour F ....

Magasin alimentation :

Une toile banne n° 4, qualité supérieure, coupée aux dimensions de 1m,50 sur 4m,22, pour F ....

Total F...... ....

Nous sommes en mesure de vous faire l'installation dès mercredi prochain, 8 courant, à condition de recevoir votre confirmation au courrier de mardi matin sans faute.

Nous vous garantissons une fourniture et une installation irréprochables.

Dans l'attente de vous lire, nous vous présentons, Madame, nos respectueuses salutations.

Au sujet d'une publicité dans une revue.

Comme suite à l'entretien que vous avez bien voulu m'accorder ce jour, j'ai l'honneur de vous confirmer les conditions dans lesquelles vous pourriez faire passer vos insertions dans la revue féminine *l'Eve moderne*.

Pour une dépense de cinq cent cinquante mille francs, à employer dans le délai d'une année, votre publicité serait répartie de la façon suivante :

1° *Le Monde et la Mode,* 300 lignes à prendre dans le délai de douze mois, à raison de 900 francs la ligne.... 270 000

2° Dans le corps de la Revue, et dans quatre numéros à votre choix, la reproduction d'une de vos créations avec deux ou trois lignes de légende (photo ou dessin fourni par vous), à raison de 70 000 francs l'insertion........ 280 000

550 000

Comme convenu, dans le cours de l'année, et selon les possibilités, nous vous ferons passer à titre gracieux, dans six numéros, sous le cliché d'un modèle comportant de la broderie, et à condition que nous n'ayons aucune autre obligation formelle, la mention suivante :

La broderie est exécutée par « la Broderie moderne ».

Je me permettrai de vous rendre visite vendredi prochain, vers dix-sept heures, afin de prendre vos instructions.

A votre entière disposition, et en vous assurant de la parfaite exécution des ordres que vous voudrez bien nous confier, je vous prie d'agréer, Monsieur, mes salutations distinguées.

Lettre pour charger un représentant de communiquer un refus à un client.

Monsieur,

Messieurs Merlin et Fils, de Saint-Etienne, me demandent de leur faire parvenir le cliché du treuil à vis sans fin pour qu'ils puissent faire figurer cet appareil sur leur prochain catalogue. Ils me prient, en outre, étant donné nos bonnes relations, de vouloir bien participer aux frais que leur occasionne l'édition d'un catalogue, lequel servira de publicité et pourra les aider dans la vente de nos articles.

Le cliché désiré a été envoyé aussitôt; mais, comme je n'ai pas l'habitude pour ma part de demander à mes fournisseurs de m'aider lorsque je fais ma publicité personnelle, je vous prie d'aller voir MM. Merlin et de leur faire comprendre, avec toutes les formes souhaitables, que je ne puis m'engager dans la voie qu'ils me proposent ni participer aux frais d'établissement de leur catalogue.

Veuillez, je vous prie, répondre verbalement dans ce sens à nos clients et agréez, Monsieur, mes sincères salutations.

CHAPITRE VI

LETTRES DE RECOMMANDATION ET DE CRÉDIT

Une lettre de recommandation (*ou d'introduction*) *concerne la demande faite à un ami, un correspondant ou un représentant de recevoir aimablement le porteur de la lettre et de se mettre à sa disposition pour lui rendre service, le genre de service demandé étant généralement indiqué dans le corps de la lettre.*

La lettre de recommandation n'est pas seulement une lettre d'affaires. Aussi doit-elle être soignée, plus littéraire que la correspondance habituelle du commerce. Comme elle est placée et remise à l'intéressé sous enveloppe ouverte, de manière qu'il puisse en prendre connaissance, les termes en seront assez flatteurs pour qu'il soit satisfait et pour que le destinataire soit bien disposé à son égard. En outre, on mentionne en termes également flatteurs la bienveillance et la courtoisie de celui auquel on fait appel.

La lettre de recommandation aura donc trois parties :

1° *On donne d'abord les noms, titres et qualités du porteur, en insistant sur l'intérêt qu'on lui porte et le désir que cet intérêt soit partagé par le correspondant;*

2° *On précise ensuite le genre de service demandé et les intentions de l'intéressé;*

3° *Enfin, en remerciant d'avance, on exprime le désir de pouvoir acquitter sa dette de reconnaissance en obligeant, dès que l'occasion s'en présentera, celui ou ceux dont on sollicite la faveur.*

La lettre de crédit *est une lettre d'introduction généralement envoyée par une banque à une autre banque ou à ses propres agences et demandant de mettre à la disposition du porteur, appelé l' « accrédité », une somme ne dépassant pas un chiffre donné. Il est rare que cette somme ne soit pas limitée.*

On portera donc sur la lettre de crédit :

1° *Les noms et signature de l'accrédité (cette signature est souvent donnée sur une fiche ou carte séparée afin d'empêcher, en cas de perte ou de vol, qu'on puisse imiter la signature)*;

2° *Le montant du crédit accordé;*

3° *Des instructions précisant si les divers frais et la commission du banquier payeur doivent, ou non, être déduits du montant à verser;*

4° *La demande d'établissement de reçus en double et de l'envoi d'un double à l'accréditeur après chaque versement;*

5° *L'autorisation pour la banque chargée du paiement de se couvrir du montant par des traites sur l'accréditeur, soit à vue, soit à terme;*

6° *Les délais pendant lesquels les crédits restent valables;*

7° *Le désir exprimé par l'accréditeur que l'accrédité soit reçu avec bienveillance;*

8° *L'espoir de pouvoir rendre les mêmes services à l'occasion et les remerciements anticipés pour l'obligeance témoignée à l'accrédité.*

Une lettre circulaire de crédit est adressée en même temps à plusieurs banquiers ou à plusieurs agences d'une même banque dans différentes villes. Elle comprend la lettre proprement dite, avec, au dos, des colonnes pour indiquer les versements au fur et à mesure qu'ils sont effectués.

Lettre d'introduction pour un représentant de commerce.

Cher Monsieur,

Un excellent ami, M. Daudet, de la maison Daudet frères, qui se propose d'envoyer un représentant, M. Bernard Dausset, visiter les principales villes d'Italie afin d'y créer de nouveaux débouchés pour ses articles de fournitures et accessoires d'automobiles, me demande de vous le recommander.

Il connaît par moi votre parfaite courtoisie et votre inépuisable obligeance, et s'excuse avec moi de la liberté que nous prenons de vous demander ce nouveau service. Je vous serais très obligé de bien vouloir fournir à M. Dausset les renseignements qu'il pourra vous demander sur les Maisons de Turin et de la région susceptibles de faire des affaires avec lui. Pourriez-vous également lui remettre des lettres d'introduction auprès des commerçants des autres villes italiennes, notamment de Milan, Florence et Rome, où je n'ai personnellement aucune relation utile?

Je vous exprime d'avance, cher Monsieur, toute ma reconnaissance, et vous prie d'agréer, avec mes souvenirs les plus sympathiques, l'assurance de mes sentiments les meilleurs.

Lettre pour recommander un ami.

Cher Monsieur,

Permettez-moi de vous présenter le porteur de cette lettre, M. Guillaume Saunier, de Rouen, représentant de la maison Pierre et Cie, de cette même ville. Il y a de longues années que je suis en relation avec cette Maison, et ses méthodes commerciales aussi bien que la qualité de ses produits ne sauraient manquer de vous donner entière satisfaction.

M. Saunier, son représentant, est en outre mon ami personnel, et je considérerai tout ce que vous ferez pour lui comme une faveur personnelle.

En vous remerciant d'avance de votre amabilité, je vous prie d'agréer, cher Monsieur, l'expression de mes sentiments les plus sympathiques.

Lettre d'introduction pour un voyageur.

Messieurs,

Nous avons l'honneur de vous présenter le porteur de cette lettre, M. Jacques Mellon, qui entreprend en Grande-Bretagne un voyage à la fois d'affaires et d'études.

Il va, d'une part, visiter les principales villes d'Angleterre, du pays de Galles et d'Ecosse, en vue d'augmenter la clientèle de la Maison qu'il représente, et dans laquelle il a des intérêts. Il veut par ailleurs se documenter sur des procédés de tissage utilisant des appareils voisins de celui pour lequel il vient de prendre un brevet. Nous n'avons pas besoin de vous dire que nous considérerons comme une faveur personnelle toute attention que vous aurez l'occasion de témoigner à notre ami, comme tout service que vous pourriez lui rendre. Nous serons toujours à votre disposition pour vous rendre le même service.

Si notre ami se trouve avoir besoin de fonds, vous voudrez bien lui fournir toute somme qu'il pourra vous demander jusqu'à concurrence de £ 250 (nous disons : deux cent cinquante livres), et vous couvrir du montant de vos avances, ainsi que de vos frais et de votre commission, par des traites à vue sur nous auxquelles nous ferons bon accueil.

En vous remerciant d'avance de tout ce que vous ferez pour M. Mellon, nous vous prions d'agréer, Messieurs, l'assurance de notre considération distinguée.

Réponse à une lettre d'introduction.

Monsieur,

Nous avons bien reçu votre lettre, des plis de laquelle nous avons retiré celle de notre ami M. Monro.

Votre désir concordant avec le nôtre, nous serons heureux de vous recevoir, ainsi que M. John French, dans le courant de la semaine prochaine; et, afin de rendre la visite de notre Médoc plus agréable et plus intéressante, nous vous demandons de venir jeudi ou vendredi (et non le samedi à cause de la semaine anglaise), car les vendanges seront entamées l'un ou l'autre de ces jours.

Ayez l'obligeance de nous prévenir de votre décision et, dans l'attente de votre visite, nous vous prions d'agréer, Monsieur, nos civilités empressées.

Lettre d'introduction et de crédit.

Messieurs,

M. C. Jimenez, qui entreprend en France un voyage d'affaires, vous remettra lui-même cette lettre.

Vous confirmant notre lettre du 10 courant par laquelle nous vous avions remis divers documents et photographies, nous recommandons M. Jimenez à votre meilleur accueil et lui ouvrons sur votre caisse un crédit de F : 2 000 000 (nous disons : deux millions de francs), valable pour deux mois.

Contre reçu, dont vous nous enverrez le double immédiatement, et après avoir endossé cette lettre au verso, vous voudrez bien lui verser toute somme dont il aura besoin jusqu'à concurrence de la somme indiquée à son crédit.

En règlement, vous disposerez à vue sur notre caisse en ajoutant vos frais et commission.

Nous comptons sur votre bienveillance habituelle pour faciliter en tout point la tâche de M. C. Jimenez et vous prions d'agréer, Messieurs, l'assurance de notre haute considération.

Lettre pour recommander un client aux agences d'une banque.

Messieurs les Directeurs,

Nous avons l'honneur d'introduire auprès de vous M. Pierre Delmas, client de notre Agence.

Nous le recommandons à votre meilleur accueil et nous vous prions de vous mettre à sa disposition pour les renseignements qu'il pourra réclamer de votre obligeance.

Ces renseignements, strictement confidentiels, personnels et sans garantie de notre part, ne devront être fournis par vous que verbalement, M. Delmas s'engageant, s'il doit en faire usage pour lui-même, à ne pas indiquer de qui il les tient.

Cette lettre est valable pour une durée d'un an à compter de sa date.

Recevez, Messieurs les Directeurs, l'assurance de nos meilleurs sentiments.

Lettre de crédit circulaire.

Messieurs,

Nous avons l'honneur d'accréditer près de vous, pour une somme de F : 1 200 000 (nous disons : un million deux cent mille francs), le porteur de cette lettre, M. Pierre Champ, associé de la maison Grosset, Champ et Cie, de notre ville.

Vous voudrez bien noter au verso de cette lettre vos paiements successifs, en tenant compte de tout paiement antérieur, et nous faire parvenir un duplicata des reçus, au fur et à mesure de vos versements.

Comme d'ordinaire vous voudrez bien vous couvrir par des traites à vue sur nous-mêmes; tous les frais seront à notre charge.

La présente lettre restera valable pendant un an à dater de ce jour.

Veuillez trouver ci-dessous un spécimen de la signature de l'accrédité, et agréer, Messieurs, avec nos remerciements anticipés, nos civilités les plus empressées.

M. Pierre Champ signera : *Pierre Champ.*

Modèle de lettre de crédit circulaire (recto).

SOCIÉTÉ GÉNÉRALE
pour favoriser le Développement du Commerce
et de l'Industrie en France.

N°........ F ....

Griffe et signature
de l'Agence émettrice.

Valable
jusqu'au ....
Paris, le ....

A MM. les Directeurs des Agences de la Société Générale en France, Algérie, Tunisie, Maroc et des Agences de la Société Générale Alsacienne de Banque en France, suivant notre carnet d'indication.

Messieurs,

Nous avons l'honneur de vous recommander le porteur de cette lettre,

M...

Vous voudrez bien lui verser les sommes qu'il vous

demandera, à concurrence du montant sus-indiqué, contre ses chèques sur la Société Générale à Paris émis en vertu de la présente lettre de crédit.

Nous vous prions d'agréer, Messieurs, nos salutations distinguées.

Visa du Contrôle

Société Générale,
P. P. du Directeur général.
S..., le ....

Verso de la lettre de crédit.

Date du paiement	Nom et adresse du guichet payeur	Visas	Sommes en toutes lettres	Sommes en chiffres

CHAPITRE VII

LA COMMANDE ET SON EXÉCUTION
LA RÉCLAMATION

La lettre par laquelle on passe une commande doit être claire, concise et complète. Autant que possible, on traitera dans une lettre à part toute question qui n'a pas de rapport avec la commande proprement dite.

Si l'on passe plusieurs commandes le même jour, on prend soin de les numéroter, puisque la date ne suffirait pas à un classement précis. Il est souvent utile de donner des numéros de classement aux commandes envoyées à la même Maison.

Beaucoup de Maisons font imprimer à l'usage de leurs clients des bulletins de commande, qui donnent toutes les instructions nécessaires sur l'emballage, l'expédition, les conditions et le mode de paiement.

Il faut accuser réception de toute commande reçue, et assurer le client que ses ordres seront l'objet de soins diligents et attentifs. Si la commande ne peut être exécutée immédiatement ou dans les délais demandés, il faut le dire avec franchise, afin d'éviter au client une surprise fâcheuse au moment attendu pour la livraison.

Les lettres de réclamation sont parmi les plus difficiles à rédiger. Elles ne sont jamais agréables à recevoir. Tout en disant ce qu'il faut dire, on doit s'efforcer de ne jamais montrer de mauvaise humeur ni surtout d'impolitesse. On peut exprimer les choses les plus énergiques avec la plus parfaite courtoisie.

Il faut rappeler la nature de la commande, sa date et ses conditions d'exécution, renvoyer le fournisseur aux engagements qu'il a pris et constater qu'il n'a pas su ou pu les tenir. Sauf s'il s'agit d'une récidive, la menace d'une rupture des relations commerciales ou d'une instance judiciaire doit être déconseillée. Il est préférable d'exiger simplement, mais avec fermeté, l'exécution du contrat en se référant à la surprise que cause ce manquement de la part d'une maison bien considérée sur la place.

Les remarques précédentes s'appliquent à la réponse à une réclamation. Autant que possible, on tâchera de donner satisfaction à cette demande et on exprimera des excuses, s'il y a lieu, pour l'erreur commise. Il vaut mieux porter une petite somme au compte Profits et pertes que de perdre un client.

Il y a cependant des cas où l'on est obligé de refuser. Il faut alors le faire avec tous les ménagements possibles, donner clairement les raisons du refus et exprimer les plus vifs regrets. Toutes les fois qu'on le pourra, on offrira quelque sorte de compensation pour bien montrer sa bonne volonté.

Bulletin de souscription à une encyclopédie.

Monsieur,

Veuillez m'envoyer franco un exemplaire de l'*Encyclopédie universelle* en deux volumes reliés demi-chagrin (brun ou noir), au prix de ... francs, que je paierai par traites mensuelles de ... francs; — au prix de ... francs, que je paierai au comptant.

(*Biffer les mots inutiles.*)

(*Signature, adresse et date.*)

Avis de changement d'adresse et de cessation d'abonnement.

Paris, 23 Juin 19...

Messieurs,

Nous vous prions de bien vouloir noter que M. Costa, ingénieur à la Société anonyme française Mistra, à qui vous avez l'habitude d'adresser régulièrement votre publication *Athena*, vient de quitter Paris pour Londres.

En conséquence, à dater du 1er juillet, vous aurez à lui faire suivre cet abonnement à l'adresse ci-dessous :

M. Y. Costa,
25, Nordland Square
London W. C. 4.

Suivant les instructions reçues de M. Costa, cet abonnement venant à expiration en octobre prochain ne sera pas renouvelé. Vous voudrez bien lui faire connaître directement le montant des frais supplémentaires d'affranchissement qu'il vous devra pour l'abonnement en cours.

Nous vous prions, pour la bonne règle, de bien vouloir nous accuser réception de cette lettre et d'agréer, Messieurs, nos salutations distinguées.

Commande de produits coloniaux.

Monsieur,

Nous avons l'honneur de vous remettre, ci-inclus, notre bon de commande MG. 520, pour 2 000 kilogrammes de gomme sandaraque, aux conditions indiquées sur ledit bon.

Nous sommes heureux d'avoir pu conclure une nouvelle affaire plus importante que les dernières, grâce à la réduction de prix que vous nous avez finalement consentie hier, à F .... au lieu de F ..... Nous avons, en effet, câblé immédiatement, hier soir, cette réduction à nos amis du Japon et venons de recevoir, ce matin, leur acceptation.

Comme nous vous l'avons télégraphié hier matin, la baisse du change japonais a considérablement ralenti nos affaires d'exportation de toute sorte et nous place dans une situation très délicate. C'est pour cette raison que nous avons été obligés de discuter les prix d'une manière beaucoup plus serrée que par le passé.

Nous attendons maintenant que vous nous précisiez les références du navire qui doit amener cette marchandise à Marseille. D'après ce que nous comprenons, le navire de la Compagnie des Chargeurs Réunis de cette semaine est déjà parti et le départ suivant n'aura lieu que le 13 avril prochain. N'y a-t-il aucune autre occasion d'embarquement entre-temps? Veuillez nous fixer à cet égard.

Aussitôt que l'embarquement sera effectué, nous vous serons obligés de nous adresser un très court télégramme de confirmation, n'indiquant au besoin que le nom du navire, et d'après lequel nous comprendrons que la marchandise a bien été prise à bord du navire mentionné sur ce télégramme.

Nous tenons à attirer votre attention sur le fait que le chargement ne doit pas être fait sur pont, afin d'éviter des frais d'assurance supplémentaires. Il est exact que cela ne s'est jamais produit jusqu'à présent, mais nous préférons vous le rappeler.

Veuillez agréer, Monsieur, l'expression de nos sentiments distingués.

Demande de renouvellement d'abonnement.

Paris, le 29 Juin 19...

Messieurs,

Notre abonnement à votre publication *Parc et Jardin* venant à expiration fin courant, nous vous prions de bien vouloir le renouveler et vous remettons à cet effet notre chèque n° 0.042.845 sur la Banque Martin, Lenoir et Cie, à Paris, de F 2 500, pour la nouvelle période du 1er juillet 19.. à fin juin 19 ...

Nous vous prions pour la bonne règle de bien vouloir nous en accuser réception en nous donnant votre accord.

Veuillez agréer, Messieurs, nos salutations distinguées.

Inclus : 1 chèque.

Confirmation de vente.

Monsieur,

Comme suite à notre conversation téléphonique de ce jour, vous faisant connaître que nous acceptions votre offre pour 25 caisses de Cire Osaka, au prix de ..... francs les 100 kilogrammes, c.a.f. Le Havre, nous avons l'avantage de vous remettre ci-joint notre confirmation de vente de MM. Cotard et Klein. Vous voudrez bien demander à ces acheteurs de nous en retourner la contrepartie dûment signée par eux.

Sur le prix ci-dessus, nous vous réservons votre commission habituelle de 1 %.

Nous sommes heureux d'avoir pu traiter cette nouvelle affaire et nous pensons que, sur la base du prix de 5 000 francs, il vous sera possible d'établir de nouveaux contrats.

Veuillez agréer, Monsieur, l'expression de nos sentiments distingués.

Annexe : Bon de commande M. G. 520.

Commande de produits agricoles.

Monsieur,

Désireux de posséder dans ma basse-cour des volailles de la race X, je viens vous prier de m'envoyer six douzaines d'œufs de cette race, prêts à être couvés.

J'espère que vous ne me fournirez que des œufs sélectionnés et que je n'aurai aucun déchet à l'éclosion.

Je vous couvrirai de vos frais dès réception du colis, auquel je vous prie de joindre la facture.

Veuillez agréer, Monsieur, l'assurance de mes sentiments distingués.

Proposition.

Messieurs,

En possession de vos offres du 12 courant, nous avons le plaisir de vous passer l'ordre ci-dessous, suivant bon de commande inclus :

500 pièces 24″ 16 oz. Toile à voiles, en tout point conforme à notre échantillon, à 17^{d} le yard, c.a.f. Halifax; livraison commençant au plus tard le 1er juin prochain, solde fin octobre. Lisières bleues. Expédition par MM. Smith et Cie, transitaires au Havre, connaissement à ordre; jamais nous n'acceptons de traites documentaires et nous vous réglerons par chèque à réception des marchandises, sous escompte 4 %. Il nous est impossible de payer 1/8 de plus et, si vous jugez notre proposition inacceptable, nous vous prions d'annuler l'ordre.

Dans l'attente de votre confirmation télégraphique, nous vous présentons, Messieurs, nos sincères salutations.

Pièces jointes : 1 bon de commande.

Proposition acceptée.

Messieurs,

Vous confirmant notre télégramme de ce jour (dont vous trouverez copie incluse), nous nous empressons de vous remercier de votre ordre de 500 pièces 24″ 16 oz. Toile à voiles.

Dans l'espoir d'étendre nos relations avec votre Maison, nous acceptons avec plaisir votre proposition et notons votre marché à 17^d le yard.

La livraison sera effectuée en temps utile et, vous assurant de nos meilleurs soins, nous vous présentons, Messieurs, nos salutations empressées.

Proposition refusée.

Messieurs,

En réponse à votre proposition du 24 du mois dernier, nous regrettons vivement de ne pouvoir enregistrer votre ordre au prix que vous indiquez et qui nous met en perte.

Nous vous avons immédiatement coté notre dernière limite; les lins se trouvent en hausse et, comme nous avons de gros marchés à exécuter, nous ne pouvons que vous conseiller de confirmer télégraphiquement votre commande si notre offre vous intéresse, car il nous est impossible de rester engagés en ce qui concerne le prix et la livraison.

Veuillez agréer, Messieurs, nos salutations empressées.

Confirmation d'ordre.

Messieurs,

De retour de son voyage, notre représentant, M. R... J..., nous a fait part de l'aimable accueil que vous lui avez réservé; nous vous en remercions sincèrement.

Nous vous sommes très obligés de l'ordre que vous avez bien voulu lui remettre et nous avons l'avantage de vous le confirmer comme suit :

600 boîtes de	500 g	Corned beef	1re qualité....	à F..:	800
200 —	1 000 g	—	—	— :	1 500

120 jours net, franco d'emballage, en caisses de 50 boîtes chacune; livraison 10 juin prochain.

Suivant nos conditions habituelles, les caisses sont débitées au prix coûtant et reprises au prix de facture en cas de retour en bon état et port payé.

Toutefois, pour vous prouver notre vif désir de vous être agréables sous tous rapports, nous acceptons de ne pas vous facturer l'emballage, à condition que cette exception ne puisse créer un précédent.

En compensation de cette concession importante, nous espérons que vous voudrez bien nous réserver vos ordres futurs et nous vous présentons, Messieurs, nos salutations empressées.

Ordre en perspective.

Messieurs,

Nous référant à vos offres du 20 du mois dernier, nous avons le plaisir de vous faire savoir qu'un ordre va très probablement s'ensuivre.

Nos amis sont disposés à nous confier un marché de 2 500 paires de chaussures nos 12, 16, 18, livrables sur l'année, 500 paires immédiatement, solde à leurs besoins; toutefois, pour nous assurer cette commande, la minime concession d'un escompte supplémentaire de 2 % est indispensable.

Beaucoup de vos concurrents sont sur l'affaire, mais c'est à vous que nous proposons cet important contrat, car nous savons que vous tenez un stock régulier de ces articles et que vous êtes en mesure de commencer immédiatement vos livraisons.

Nous espérons que vous ferez tout votre possible pour nous faciliter l'obtention de ce marché, qui ne manquera pas de donner lieu par la suite à de gros ordres réitérés, et nous vous présentons, Messieurs, nos salutations empressées.

On répond par un prix en hausse.

Messieurs,

Nous avons bien reçu votre lettre du 24 mai et nous sommes au regret de ne pouvoir noter l'ordre qu'elle contenait.

Notre offre du 3 avril était sans engagement et, les cours ayant considérablement haussé depuis cette date, nous nous voyons obligés de vous demander maintenant 18^{d} 1/2 le yard.

Toutefois, pour vous prouver combien nous désirons vous satisfaire et pouvant disposer encore d'un petit lot acheté aux prix précédents. nous partagerons avec vous la différence et noterons votre marché à 18^{d} le yard, sur confirmation avant le 20 de ce mois.

Dans l'attente de vous lire et avec l'espoir de vous être agréable, nous vous prions d'agréer, Messieurs, nos bien sincères salutations.

Achat par commissionnaire.

Monsieur,

Vous confirmant nos télégrammes d'hier et de ce jour (dont inclus copie), nous vous chargeons par la présente d'acheter immédiatement pour notre compte :

Vin d'Alicante de raisin frais, bon goût, couleur moyenne, 12° à 13°, bien conforme à votre type A 7 :

600 fûts, si vous nous obtenez le prix de	....	p^{tas} l'hl,	ou :
300 — à	....	— —,	ou :
150 — à	....	— —	,

limites extrêmes à ne dépasser en aucun cas en raison de la concurrence acharnée des vins de France et d'Algérie; les affaires s'annoncent cette année des plus pénibles et vous constaterez qu'une différence de prix de 1 ou 2 p^{tas} nous obligerait à réduire notre commande de la moitié ou des trois quarts.

Conditions précédemment convenues : en traites par tiers à 30, 60, 90 jours de date d'embarquement, escompte 2,5 %, commission et autres frais compris; une seule facture en votre nom établie au change du jour en monnaie anglaise.

Livraison : rendu quai Londres dans les 45 jours de la confirmation de l'ordre; fret : ... p^{tas} par tonne; vous obtiendrez aisément ce prix en raison de la facilité qu'offre notre port de trouver une cargaison de retour; assurance contre tous risques sur le montant net de la facture — sans oublier la majoration de 10 % pour bénéfice présumé — par vos soins et pour notre compte au taux de 4 1/4, comprenant frais de police, courtage, etc.

Vous veillerez personnellement à la régularité de la déclaration et du certificat d'origine pour éviter tout conflit en douane.

A réception, veuillez nous télégraphier tous détails utiles; nous employons le code A. B. C. 5e édition, clef Becciani.

Nous vous présentons, Monsieur, nos meilleures salutations.

Les conditions ne conviennent pas aux clients.

Nous avons bien reçu vos prix et échantillons du 13 courant, mais vos propositions ne nous semblent guère avantageuses.

La concurrence nous offre pour articles équivalents 8 % d'escompte à 30 jours. Si vous vous trouvez en mesure de nous accorder ces conditions, nous comptons vous passer par retour un ordre assez important.

Recevez, Messieurs, nos salutations empressées.

Rappel d'une commande.

Messieurs,

Je vous ai commandé le 3 courant vingt pièces de shirting et dix pièces d'oxford croisé et je suis très surpris de ne pas en avoir encore reçu livraison.

Comme j'ai un besoin urgent de ces marchandises, je vous prie de me faire savoir par retour du courrier si je puis compter les recevoir avant la fin de la semaine. S'il vous est impossible de les livrer avant le 28 courant, je vous prie de considérer mon ordre comme nul et non avenu.

Veuillez agréer, Messieurs, mes empressées salutations.

Réponse à un rappel de commande.

Monsieur,

Nous avons bien reçu votre rappel de commande et nous nous empressons de vous informer que les dix pièces d'oxford croisé sont prêtes et seront expédiées dès ce soir par chemin de fer en grande vitesse.

En ce qui concerne le shirting, nous avons le regret de vous dire qu'il nous sera matériellement impossible de le livrer avant le 28 courant, comme vous le désirez. Nous avons eu un accident de machine, aujourd'hui réparé, qui nous a mis en retard pour la fabrication des shirtings, alors que nous avions des engagements fermes pour des ordres importants destinés à l'exportation et qui, en raison des départs espacés des bateaux, ne peuvent être différés.

Si vous pouvez attendre jusqu'au 3 mai, dernier délai, veuillez nous en informer, car nous ferons passer alors votre ordre avant des commandes antérieures.

Vous remerciant de la préférence que vous avez bien voulu nous donner et en nous excusant de ce retard anormal et involontaire, nous vous prions d'agréer, Monsieur, avec nos regrets, l'expression de nos sentiments distingués.

Accusé de réception d'une commande.

Monsieur,

Nous sommes en possession de votre lettre du 17 courant et vous remercions de la commande que vous avez bien voulu nous passer.

Les marchandises seront expédiées, selon vos instructions, en grande vitesse et vous les recevrez sans doute avant la fin de la semaine.

Nous sommes d'accord pour les conditions de paiement. Nous traitons d'habitude les premières affaires au comptant ; mais, en raison de l'excellente réputation dont jouit votre Maison, nous nous couvrirons du montant de notre facture par une traite à trois mois qui vous sera présentée sous peu à l'acceptation.

Nous sommes très heureux d'entrer en relations d'affaires avec vous et espérons que vous aurez toute satisfaction de ce premier envoi. Soyez assuré que par la suite nous ferons tous nos efforts, aussi bien en ce qui concerne la fabrication que l'expédition, pour justifier la confiance que vous nous accordez.

Nous vous prions d'agréer, Monsieur, nos salutations empressées.

Nous vous adressons par le même courrier nos catalogues et prix courants.

Ordre impossible à exécuter au prix offert.

Monsieur,

En possession de votre lettre du 23 courant, nous avons le regret de vous informer qu'il nous est impossible de livrer nos velours au prix que vous fixez. Nous ne fabriquons que des tissus de première qualité et notre prix le plus bas est ... francs le mètre.

Nous vous expédions par le même courrier des échantillons de nos divers articles et créations, et nous espérons qu'après avoir comparé nos échantillons avec d'autres tissus vous nous passerez une commande.

Dans l'attente de vos ordres, nous vous prions d'agréer, Monsieur, nos salutations empressées.

Refus de recevoir des marchandises.

Messieurs,

Les 20 sacs de café expédiés par vos soins le 2 courant sont bien arrivés; mais, après avoir ouvert plusieurs sacs, nous nous croyons autorisés à refuser cette marchandise.

Non seulement, en effet, la fève est de qualité très inférieure au type qui nous a été soumis et sur l'examen duquel nous vous avons passé commande, mais la seule apparence, et à plus forte raison le goût, nous empêcheraient de vendre ce café, même à bas prix, sans mécontenter gravement notre clientèle.

Nous tenons donc ces 20 sacs à votre disposition, en vous priant de nous faire connaître, au plus tard avant la fin du mois, la destination que nous devons leur donner.

Comptant sur une prompte réponse, nous vous prions d'agréer, Messieurs, avec nos regrets, nos civilités empressées.

Marchandises refusées et retournées.

Messieurs,

Nous avons reçu ce jour les 4 caisses blouses de dames faisant l'objet de votre facture du 14 avril et sommes extrêmement surpris que vous nous ayez expédié des marchandises aussi défectueuses.

Le 1er mars, nous vous avons remis l'ordre suivant :

24 blouses mousseline n° 12, blanches et couleurs, avec garnitures dentelle main et broderies, à F : ......
60 blouses mousseline n° 16, dessins assortis, teintes claires et foncées, à — ......
48 blouses linon n° 22, garnies tulle et broderies à — ......

En ce qui concerne les premières, nous remarquons que les dentelles sont faites à la machine et non à la main; en outre, la façon des broderies est très négligée, le linon n'est pas conforme au type soumis, l'assortiment des couleurs est d'un goût douteux et la mousseline, enfin, défraîchie.

Nous estimons ces marchandises inacceptables; nous vous retournons donc les 4 caisses port dû et annulons votre facture.

Recevez, Messieurs, nos sincères salutations.

Au sujet d'une proposition non suivie de commande.

Messieurs,

N'ayant pas eu le plaisir d'enregistrer une commande de votre part comme suite à ma proposition du 7 courant pour la fourniture de coupe-tubes, je serais heureux que vous puissiez m'en faire connaître la raison.

Je vous informe que j'examinerai avec plaisir la possibilité de vous donner satisfaction et, espérant vous lire par un prochain courrier, je vous prie d'agréer, Messieurs, mes sincères salutations.

Fabricants refusant d'annuler un ordre.

Messieurs,

Votre lettre du 24 courant, par laquelle vous maintenez l'annulation de votre ordre du 22 août, nous a fortement surpris.

Ce marché nous a pourtant été remis et confirmé de la façon la plus régulière; s'il s'agissait de marchandises ordinaires et de vente courante, nous serions heureux de nous conformer à votre désir, mais nous avons dû mettre en route une fabrication de qualités tout à fait spéciales dont évidemment nous ne pourrons trouver le placement sans grosse perte.

Vous ne pouvez donc invoquer aucun motif plausible d'annulation et nous vous remettons inclus facture à F : 564 430 en règlement de laquelle nous avons fait traite sur vous à 3 mois de date.

Nous espérons que cet incident n'altérera en aucune façon les relations amicales qui, depuis de nombreuses années, existent entre nos deux Maisons et nous vous présentons, Messieurs, nos salutations empressées.

Reprise d'invendus.

Monsieur,

D'après les conditions auxquelles vous avez bien voulu souscrire, vous devez nous faire retour, avant l'expiration du délai de deux mois, des articles qui ne seraient pas de votre vente.

Pour vous éviter ce souci, nous avons décidé que nos voyageurs procéderaient eux-mêmes à ces reprises ou échanges et qu'aucune marchandise ne serait débitée ferme ni aucune traite mise en circulation, avant que notre représentant vous ait rendu visite.

Toujours dévoués à vos ordres, nous vous prions d'agréer, Monsieur, nos empressées salutations.

Pour faire rentrer des stocks invendus.

Messieurs,

Il y a quelque temps vous avez bien voulu accepter que je mette en dépôt dans vos magasins une certaine quantité d'outillage pour vous permettre de satisfaire immédiatement les commandes que vous recevez de vos clients.

Je remarque que dans le stock qui a été ainsi constitué figurent beaucoup d'appareils à mandriner et que l'écoulement de ces outils tout à fait spéciaux est assez rare chez vos clients. Si vous n'y voyez pas d'inconvénient, je vous serais reconnaissant de vouloir bien me retourner les appareils à mandriner dont vous n'avez pas la vente courante.

Ces quantités pourraient venir compléter utilement mon stock et m'éviter de remettre de nouveaux appareils en fabrication dans une période de crise et d'augmenter inutilement mon chiffre d'inventaire.

Veuillez agréer, Messieurs, mes sincères salutations.

Pour demander le retour d'appareils en dépôt.

Monsieur,

Comme suite à la demande que je vous avais faite, vous avez bien voulu m'adresser dernièrement l'état des marchandises que je vous avais confiées en dépôt dans vos magasins.

En examinant cet état, je constate que vous avez bien vendu quelques appareils, mais que ces ventes ne représentent qu'une très faible proportion du stock que je vous avais confié.

Comme à l'heure actuelle, étant donné la crise que nous subissons, je cherche à réduire au minimum le chiffre des achats, je me demande si cela vous gênerait de me retourner une partie des marchandises que vous avez en dépôt.

Par exemple, vous avez deux palans de 500 kilogrammes et vous n'en avez pas vendu l'année dernière; il n'y aurait probablement aucun inconvénient à me les retourner.

Pour les appareils de 1 000 kilogrammes, je pourrais vous en laisser trois en stock, c'est-à-dire vous demander de m'en envoyer deux; enfin, quant à ceux de 1 500 kilogrammes, qui sont de vente très peu courante, je crois qu'un seul dans vos magasins serait suffisant.

Si vous acceptez ma façon de voir, je vous serais reconnaissant de vouloir bien me faire livrer, autant que possible avant la fin du mois, le surplus de votre dépôt.

Veuillez agréer, Monsieur, mes sincères salutations.

Accusé de réception de documents.

Monsieur le Directeur,

Arrivages s/s « Changarnier » 17.12.53.
Consignation C. 63 : 250 *c/ Sardines.*

Nous vous accusons bonne réception de votre lettre du

8 courant, des plis de laquelle nous avons bien retiré les documents concernant la consignation ci-dessus, et vous en remercions.

Nous veillerons à répartir ces marchandises suivant vos instructions.

Nous avons bien noté la suite de votre lettre, et, en vous priant de compter sur tous nos meilleurs soins, nous vous présentons, Monsieur le Directeur, nos sincères salutations.

Nouvelle commande après une longue interruption.

Messieurs,

Si nos bonnes et anciennes relations ont été interrompues depuis près de deux ans, c'est que j'ai eu l'occasion à cette époque d'acheter des stocks très importants lors de la faillite d'une Maison concurrente. Ces stocks commencent à s'épuiser et je serais heureux de renouer des relations avec votre Maison, dont j'ai gardé le meilleur souvenir.

Veuillez trouver ci-joint un bordereau de commande et me faire livrer les articles demandés dans le plus bref délai possible.

J'espère que vous m'accorderez les mêmes conditions de paiement que par le passé. Vous pourrez, dans ce cas, pour le règlement de votre facture, disposer sur moi à 60 jours.

Agréez, Messieurs, mes civilités empressées.

Ordre contremandé.

Messieurs,

Lors du passage de votre voyageur, M. Baunard, nous lui avons remis un ordre de 200 kilogrammes de cacao fin, au prix de ... francs le kilogramme. Or, la forte baisse que subissent en ce moment les prix de gros réagit de plus en plus sur les prix de détail, et, pour diminuer la perte que les nouveaux prix vont nous infliger, nous vous prions de bien vouloir ramener à 100 kilogrammes notre commande.

Cependant, nous serions disposés à prendre les 200 kilogrammes si vous pouviez nous faire un rabais de 5 %.

Veuillez nous répondre par retour du courrier et attendre un mot de nous avant de faire l'expédition.

Dans l'attente de vous lire, nous vous prions de recevoir, Messieurs, nos civilités empressées.

Accusé de réception d'une commande : délais de livraison un peu courts.

Messieurs,

Nous sommes en possession de votre lettre du 31 écoulé, et nous avons pris bonne note de son contenu.

Les divers articles qui font l'objet de votre ordre vont être mis en fabrication incessamment, et, bien que les délais de livraison soient très courts, nous pouvons vous donner l'assurance que vous aurez entière satisfaction, aussi bien en ce qui concerne la qualité et le fini de la fabrication que l'exactitude de l'expédition.

Cependant, vous nous obligerez toujours en nous passant vos commandes un peu plus à l'avance, surtout pendant la bonne saison, où nos ouvriers et notre matériel sont souvent surmenés.

Veuillez agréer, Messieurs, avec nos remerciements les plus sincères, nos salutations empressées.

Désaccord entre une commande par téléphone et la confirmation.

Monsieur,

Je vous accuse réception de votre lettre du 29 écoulé m'informant que, en ce qui concerne l'expédition destinée à Angers, vous ne désirez pour ce client qu'un seul appareil à aléser.

Je viens de revoir le livre d'enregistrement des conversations téléphoniques, et le téléphoniste a bien noté deux appareils.

Votre bon de confirmation qui m'est parvenu après l'expédition n'indique qu'un seul appareil, mais il était trop tard pour modifier mon envoi déjà enlevé par notre transporteur.

Cependant, si votre client n'a pas l'usage des deux appareils, je vous prierais de m'en retourner un et je vous en créditerai.

Veuillez agréer, Monsieur, mes sincères salutations.

Sur l'indélicatesse de certains courtiers.

Monsieur,

Nous vous retournons, sous ce pli, la facture que vous nous avez envoyée en communication le 26 courant.

Nous n'ignorons pas que certains courtiers peu scrupuleux se procurent des spécimens de nos ouvrages et les utilisent pour se présenter en notre nom, et, lorsqu'ils sont reçus par les clients, font souscrire à des publications d'autres éditeurs, en évitant soigneusement d'indiquer qu'ils prennent la commande pour une autre librairie que la nôtre.

Nous vous prions de recommander à tous les clients que vous visitez d'examiner avec soin les bulletins de souscription qui leur sont présentés et de bien s'assurer, quand ils ont fait une commande, de la librairie à laquelle elle va être adressée.

Nous vous prions d'agréer, Monsieur, nos salutations distinguées.

Adjudication gouvernementale.

Messieurs,

En réponse à votre lettre du 17 courant, veuillez nous expédier d'urgence tout votre disponible, soit 12 000 mètres Cordage A 16, poids et force comme convenu précédemment, et nous vous remettons inclus un bon de commande pour 25 000 mètres supplémentaires.

Etant fournisseurs de la Marine, nous sommes à même de vous passer des ordres très importants (nous traitons en effet près de 800 000 mètres par an), mais l'Intendance est difficile et toute marchandise ne répondant pas rigoureusement aux clauses du cahier des charges est rejetée. Nous courons en outre le risque de voir annuler nos contrats. C'est pourquoi, avant d'entrer en relation, nous exigeons de nos fabricants l'engagement de se considérer comme responsables de toutes les conséquences résultant de la non-observation des conditions stipulées et de reprendre au prix de facture les marchandises refusées.

Dans l'attente de votre réponse, veuillez agréer, Messieurs, nos empressées salutations.

Adjudication de fournitures à faire à des services publics.

MODÈLE DE SOUMISSION

(*A reproduire sur timbre à F ...*)

Je, soussigné (*indiquer les nom, prénoms et profession*), demeurant à , rue , n° , après avoir pris connaissance du cahier des charges relatif à la fourniture de *Papeterie* nécessaire aux écoles communales et aux services municipaux, me soumets et m'engage à effectuer les fournitures comprises dans le (*indiquer en toutes lettres le numéro du lot*) aux prix portés à l'état *F.*, conformément aux types ou modèles déposés à la mairie, sous la réduction d'un rabais de (*en toutes lettres*) centimes par franc et aux clauses et conditions du cahier des charges.

A , le 19...

(*Signature.*)

Des fabricants refusent de confirmer un ordre.

Messieurs,

En possession de votre lettre du 24, nous vous retournons pour rectification votre bon de commande 1 741 que nous ne pouvons enregistrer.

Jamais, en effet, nous n'acceptons de vendre avec garantie de baisse; rien, d'ailleurs, ne fait prévoir le moindre fléchissement des cours et nous ne pouvons en aucun cas nous permettre d'agir en spéculateurs. En cas de hausse, nos clients exigent — et c'est leur droit — livraison intégrale des marchés qu'ils nous ont remis; il est donc juste qu'en cas contraire ils ne puissent prétendre à un rabais ou à l'annulation du contrat; sinon, ce serait nous exposer aux risques de la spéculation sans en avoir les avantages.

En outre, votre bon porte : « livrable à disposition, à la suite de notre ordre en cours »; donc, pour être en mesure de vous satisfaire sans retard, nous devons mettre en œuvre immédiatement ou tout au moins nous assurer l'approvisionnement en matières premières; or, vous vous faites livrer assez irrégulièrement, ce qui nous coûte de gros intérêts de stock. Nous vous demandons, en conséquence, de nous envoyer tout de suite désignation pour le solde du présent marché et de nous fixer des dates fermes d'expédition pour les 500 pièces nouvelles. Comme nous vous l'avons déjà dit, c'est avec le plus vif plaisir que nous notons les ordres d'exportation que nos clients veulent bien nous confier, mais le très faible bénéfice que nous laissent les bas cours mondiaux ne saurait être compensé que par l'importance et la régularité de nos débouchés.

A vous lire, veuillez agréer, Messieurs, nos bien sincères salutations.

Un représentant se plaint des livraisons.

Messieurs,

Je me suis trouvé très surpris de recevoir de négociants de notre ville des plaintes relatives à des substitutions dans les articles de bonneterie achetés chez vous, les livraisons ne correspondant pas aux types proposés.

Pour l'exportation dans notre pays, je vous prie de vous rappeler la règle capitale suivante : la marchandise doit être en tout point conforme à l'ordre, aucun changement n'est toléré; vous devez être en mesure d'expédier exactement le genre et la qualité que l'on demande et rien d'autre.

Lorsque, à réception de commandes urgentes, vos stocks se trouvent épuisés, vous pouvez être amenés, pour ne pas laisser échapper l'affaire, à envoyer une qualité approximative d'égale valeur, mais qui, souvent, ne répond pas entièrement aux exigences. Quoique la substitution soit indiquée sur facture, je vous recommande instamment de vous abstenir de cette pratique, car, la marchandise étant en général expédiée « contre documents », nos clients se trouvent dans la désagréable obligation de prendre livraison et de payer avant de vérifier. Ils ne peuvent donc se plaindre qu'ensuite.

L'effet produit sur les importateurs est détestable et, pour le dissiper, une argumentation longue et patiente est nécessaire. Veuillez accorder à ce sujet votre meilleure attention, afin d'éviter que nos affaires ne s'en ressentent sérieusement.

Veuillez agréer, Messieurs, mes bien sincères salutations.

On se plaint d'un retard de livraison.

Messieurs,

Vous confirmant nos lettres précédentes, nous regrettons de constater que nous n'avons encore reçu aucune pièce à valoir sur le marché que nous vous avons passé le 20 avril.

Veuillez activer la fabrication; nous avons le plus grand besoin de la marchandise, qui nous est demandée chaque jour; nos stocks sont épuisés; nos clients ayant commencé leurs achats, nous avons manqué de nombreux ordres et votre retard nous cause le plus grand préjudice et les plus vifs désagréments.

Nous exigeons donc que, fin du mois au plus tard, vous nous expédiiez les 20 premières pièces grande vitesse, différence de port à votre charge; sinon nous devrons vous considérer comme responsables de toute perte que nous aurons subie.

Recevez, Messieurs, nos sincères salutations.

Réponse.

Messieurs,

En réponse à votre lettre d'hier, nous regrettons vivement de n'avoir pu vous expédier en temps utile les marchandises faisant l'objet de votre commande du 20 avril.

La faute en incombe à nos filateurs, qui n'ont pas tenu leurs promesses de livraison; en outre, notre machine a subi un accident grave et nous avons dû suspendre notre fabrication pendant dix jours.

Nous expédierons sans faute, grande vitesse, vers fin du mois, les 20 premières pièces et, vous priant d'excuser l'ennui que nous vous causons, nous vous présentons, Messieurs, nos salutations empressées.

Réponse à une plainte relative à la qualité d'un tissu.

Messieurs,

Nous vous accusons réception de votre lettre recommandée du 10 courant et reconnaissons volontiers l'exactitude de votre réclamation.

Nous avons employé pour la fabrication de notre marque E 16. les matières habituelles, mais vous savez que les récoltes de lin et de coton ont été cette année d'une qualité inférieure et nous devons avouer que la marchandise n'est pas rigoureusement conforme à nos précédentes livraisons.

Toutefois, votre réclamation nous apparaît comme fort exagérée; il nous est impossible de vous consentir une réduction de 150 F au mètre; le mieux que nous puissions faire, c'est de vous offrir une bonification de 2 %; faute de votre accord sur cette proposition, il ne nous restera qu'à vous proposer soit de reprendre la marchandise, soit de soumettre le différend à un arbitrage.

Veuillez agréer, Messieurs, nos salutations empressées.

Réponse à une réclamation au sujet de marchandises égarées.

Messieurs,

En réponse à votre lettre du 3 courant, nous vous remettons inclus récépissé et copie certifiée de facture des marchandises expédiées le 28 mars et qui, ne vous étant pas parvenues, sont considérées par vous comme égarées.

L'envoi a été effectué port dû, à vos risques et périls; c'est pourquoi, conformément aux lois régissant les Compagnies de transports, aucune réclamation ne nous est permise en cas de perte ou de retard; c'est au destinataire, qui seul est en mesure de faire la preuve du préjudice subi, qu'appartient le droit de poursuivre et de réclamer des dommages et intérêts.

Nous regrettons, en outre, de ne pouvoir vous délivrer une facture certifiée à des prix majorés : ce serait nous rendre coupables de faux en écritures; veuillez observer d'ailleurs que les agents de la Compagnie, pour vérifier le bien-fondé de votre plainte, peuvent exiger la présentation de nos livres, et des poursuites judiciaires s'ensuivraient contre nous inévitablement.

Nous vous présentons, Messieurs, nos salutations empressées.

Réclamation : marchandise non conforme à l'échantillon.

5 *tonnes de copal « V » par s/s « Congo » du* 18/9/53.

Messieurs,

Nous recevons votre lettre du 25 courant.

Nous sommes très étonnés que vous puissiez trouver satisfaisant l'échantillon prélevé par nos amis sur l'embarquement précité. En effet, les premiers échantillons que vous nous avez remis sont tout à fait différents de ces derniers. Nous allons, de nouveau, vous adresser deux envois séparés : l'un contenant les premiers échantillons que vous nous aviez remis, et l'autre les échantillons prélevés sur l'embarquement du *Congo*. Leur examen, même très succinct, vous démontrera qu'il s'agit de deux copals de qualité différente.

Nous comptons que vous voudrez bien reconnaître le bien-fondé de notre réclamation, et nous regretterions vivement qu'un désaccord dans cette affaire altère les relations que nous avons toujours eues avec votre Société.

Veuillez agréer, Messieurs, l'expression de nos sentiments distingués.

Rappel de la réclamation précédente.

N/ référence GM. 491

5 *tonnes de copal « V » par s/s « Congo » du* 18/9/53.

Messieurs,

Nous regrettons de n'avoir pas encore reçu de réponse à notre dernière lettre, GM. 491, du 19 décembre dernier, au sujet de l'affaire sous référence.

Comme vous êtes maintenant en possession des échantillons que nous vous avons envoyés, vous avez pu vous rendre compte qu'ils ne correspondent pas aux premiers échantillons que vous nous aviez remis pour cette qualité.

Nous vous serons donc obligés de bien vouloir nous régler le montant de notre réclamation le plus tôt possible, afin que nous puissions donner satisfaction à nos clients qui ont consenti les plus grandes concessions pour continuer les affaires avec vous.

Etant donné les frais de câbles supplémentaires que nous avons déjà supportés et les intérêts de l'indemnité que nous avons déjà dû régler à nos clients, nous vous serons obligés de bien vouloir apporter votre immédiate attention à cette affaire.

Dans cette attente, nous vous prions d'agréer, Messieurs, l'expression de nos sentiments distingués.

Réclamation à transmettre à des assureurs.

Messieurs,

Nous avons été avisés par une lettre en date du 12 courant de MM. W. Seymour et Cie, de Liverpool, que, sur 11 caisses dont le transport de Paris à Liverpool ainsi que l'assurance vous avaient été confiés, il s'est trouvé à l'arrivée :

10 pièces cristal de Bohême irréparablement brisées;
1 étagère très endommagée.

Nous vous remettons ci-inclus :

a) Une lettre de la maison W. Seymour et Cie du 12 courant;

b) Un certificat d'expertise;

c) L'avenant de la police n° 536492, remise par vous;

d) Deux reçus de MM. W. Seymour pour les frais de constat et de réparation.

Nous vous prions de bien vouloir transmettre ce dossier aux assureurs et leur réclamer le remboursement de :

a) F .... pour 10 pièces cristal de Bohême, évaluées à cette somme par les experts agréés;

b) £ .... pour frais de réparations à l'étagère;

c) £ .... pour frais de constat et d'expertise.

Comptant sur vos soins diligents, nous vous prions d'agréer, Messieurs, nos salutations distinguées.

Réclamation adressée au chemin de fer.

Monsieur le Chef de gare de ......

Je viens d'être informé qu'il est arrivé hier en gare de ... un chargement de 50 sacs d'engrais chimique qui m'ont été expédiés par la maison Duval, de B..., le 1er octobre dernier.

Par le fait d'un retard de trois semaines imputable à la Compagnie dans le transport de la marchandise, j'éprouve un sérieux préjudice. Je devais employer cet engrais lors des derniers labours qui sont aujourd'hui complètement terminés. En conséquence, je demande en réparation du dommage qui m'a été causé une indemnité de .... francs.

Je tiens à votre disposition le récépissé de la déclaration d'expédition.

Veuillez agréer, Monsieur le Chef de gare, l'assurance de mes sentiments distingués.

N. B. — Le voiturier répond de la perte, de l'avarie et du retard des marchandises déposées pour le transport, à moins qu'il n'y ait cas de force majeure ou faute de l'expéditeur.

L'action intentée pour avarie ou perte partielle doit être notifiée par lettre recommandée ou par huissier avant le quatrième jour, celui de la livraison compris. La protestation doit être motivée; d'où la nécessité de vérifier l'état de la marchandise à la gare même et de consigner ses réserves avant de prendre livraison, ou même de refuser livraison. L'action pour perte totale ou retard sera recevable dans le délai d'un an.

Pour les colis postaux, sauf valeur déclarée, les sommes à réclamer à titre de dommages-intérêts pour pertes sont de ... F pour ceux de 0 à 3 kg, ... F pour ceux de 3 à 5 kg, ... F pour ceux de 5 à 10 kg, ... F pour ceux de 10 à 15 kg, et ... F pour ceux de 15 à 20 kg.

Réponse à une réclamation au sujet d'un retard.

Monsieur le Directeur,

Nous avons bien reçu votre carte nous avisant que les volumes dont nous vous avions annoncé l'envoi ne vous étaient pas parvenus.

Vérification faite, cet envoi est parti seulement le 13 courant, par suite du très gros surcroît de travail qu'ont, en ce moment, nos services d'expédition : ce qui explique, étant donné les délais de livraison d'un colis postal, que vous n'ayez pas encore reçu nos ouvrages.

Nous nous excusons de ce retard et espérons que le colis est maintenant en votre possession; si, toutefois, il ne vous était pas encore parvenu, nous vous prierions de bien vouloir nous en aviser, et nous ferions un nouvel envoi.

Veuillez agréer, Monsieur, l'expression de nos sentiments distingués.

CHAPITRE VIII

L'EXPÉDITION ET LA CONSIGNATION

La plupart des documents relatifs à l'expédition sont des bulletins ou des formules à remplir, et les employés qui les délivrent sont tenus de donner les renseignements utiles aux clients qui s'en servent pour la première fois. Il est bon, cependant, de lire avec le plus grand soin toutes les indications portées sur les diverses feuilles et de ne signer qu'à bon escient.

La déclaration d'expédition, en effet, sert de base au contrat de transport. Elle est conservée par la Compagnie et, en cas de litige ou de réclamation, elle est produite contre l'expéditeur. D'autre part, le récépissé qui lui est remis, ou lettre de voiture — et que l'expéditeur doit garder soigneusement comme preuve du contrat —, reproduit les détails de sa déclaration.

Les Compagnies de transports aériens et automobiles délivrent aussi des récépissés fondés sur les déclarations des expéditeurs.

Pour les transports maritimes, ce récépissé s'appelle « connaissement ». Il est généralement établi en quatre exemplaires, remis séparément au chargeur, au destinataire, au capitaine et à l'armateur.

Lorsqu'un commerçant loue un navire entier pour transporter ses marchandises, le contrat de louage s'appelle « charte-partie ».

Le commerce d'exportation exige la rédaction d'un grand nombre de documents (factures consulaires, certificats d'origine, déclarations en douane, etc.) dans le détail desquels on n'entrera pas ici.

La consignation et, en général, la vente à la commission constituent une des branches les plus importantes des affaires modernes. Les types de lettres relatives à la vente par consignation se ramènent à cinq : 1° l'offre d'envoi de marchandise par le commettant; 2° l'acceptation (ou le refus) par le consignataire; 3° l'annonce d'un premier envoi ou envoi d'essai; 4° l'accusé de réception des marchandises; 5° le compte de vente.

Les lettres 1 et 2 ne forment souvent qu'un seul document, le commettant annonçant l'envoi des marchandises en même temps qu'il demande au consignataire de les vendre et lui donne tous les renseignements relatifs à la qualité et à la quantité des marchandises, au moyen de transport choisi, au prix minimum de vente et aux conditions générales auxquelles est faite cette consignation.

Le consignataire déduit du montant de la vente, sur le compte de vente, ses frais divers, sa commission (y compris, le cas échéant, le ducroire, c'est-à-dire la commission supplémentaire accordée en échange de la garantie de la créance) et les sommes qu'il a pu avancer au commettant sur les marchandises.

Le commissionnaire, en effet, est parfois chargé de payer les dettes de son commettant sur la place ou dans la région où il habite.

Il peut aussi être chargé de faire des achats et, dans ce cas, bien entendu, il ajoute ses frais et sa commission au montant de la facture.

Avis d'expédition sans facture.

Monsieur,

Nous vous adressons ce jour par P. V. domicile les pièces écrues que vous nous avez données à teindre. Nous vous débiterons de la teinture dès que nous aurons reçu la facture.

M. Badoit ira vous faire une visite dans la première quinzaine de juin.

Dans l'attente de vos ordres, nous vous prions de recevoir, Monsieur, nos sincères salutations.

Avis d'expédition avec facture.

MM. Z*** et Cie, Transitaires. Le Havre.

Nous avons remis ce jour, en grande vitesse, à votre adresse :

W. B. 1/10. Dix caisses soieries poids brut : 1 800 kg
— net : 1 700 kg
valeur : 3 700 000 F

que vous voudrez bien réexpédier franco à MM. Brown and Co., 22, Lawrence Lane, New York. Embarquement immédiat sur le navire *Oregon*, qui doit quitter votre port après-dema n

Fret .... francs par tonne, y compris chargement et déchargement; assurance par vous-mêmes et pour notre compte; à l'exception des droits de douane, tous les frais sont à notre charge.

Inclus vous trouverez facture consulaire triple et certificat d'origine.

Recevez, Messieurs, nos meilleures salutations.

Avis d'expédition avec facture et avis de traite.

Nous avons le plaisir de vous informer par la présente que nous venons de vous expédier, petite vitesse, port dû, à vos risques et périls :

A. Z. 1/6. Six balles bonneterie, poids brut : 435 kg
— net : 385 kg

suivant ordre reçu le 20 octobre par notre représentant.

En règlement de notre facture incluse s'élevant à £ . . . ., nous avons disposé sur vous à 3 mois de date, c'est-à-dire au 28 février prochain, et vous prions de réserver bon accueil à notre traite.

Nous espérons que la marchandise vous parviendra régulièrement et vous présentons, Messieurs, nos salutations empressées.

Autre avis avec majoration de prix.

Monsieur,

Contrairement à ce que vous annonçait ma lettre du 10 courant, je vous expédie ce matin, par commissionnaire, 2 pièces blanches et 1 pièce noire, crêpe satin, commises par vous, ainsi qu'une douzaine de châles, triple teinte, réclamée verbalement, dont vous trouverez facture ci-jointe.

Comme vous le constaterez sur la facture, nous nous sommes vus dans l'obligation de majorer de . . . francs par mètre le crêpe satin qui est d'une qualité supérieure à celle qui a été livrée jusqu'à ce jour, mais nous espérons que cette légère différence ne vous lésera pas trop, notre qualité courante nous faisant défaut en ce moment.

Sur la facture des châles, vous trouverez les deux types envoyés en consignation et que vous avez conservés. Le solde de votre commande, soit 9 pièces crêpe de Chine artificiel, vous sera expédié conformément à notre lettre de lundi 14 courant.

Persuadé que cette livraison vous donnera entièrement satisfaction, je vous prie d'agréer, Monsieur, nos sincères salutations.

Confirmation d'avis télégraphié.

Messieurs,

L'expéditeur Lesage et Cie vient de nous dire par téléphone que la marchandise qui vous est destinée a été expédiée et que le wagon fait route sur Paris. Vous devez donc recevoir samedi, ou au plus tard lundi, votre commande.

Nous espérons que cette réponse vous donne satisfaction.

Nous vous avons du reste annoncé par télégramme ce qui précède, et, en vous souhaitant bonne réception de la marchandise, nous vous prions d'agréer, Messieurs, nos sincères salutations.

Avis d'expédition et excuses pour un retard.

Faisant suite à votre communication téléphonique de ce matin concernant la livraison des neuf pièces crêpe artificiel commises par votre lettre du 22 courant, nous vous informons que ces pièces vous seront expédiées le lundi 29 courant, ainsi que les douze châles réclamés ce jour par votre voyageur.

Nous nous excusons du retard apporté à cette livraison, mais une hausse subite sur cet article le rendait presque introuvable au prix facturé jusqu'à ce jour; nous avons pu malgré tout l'obtenir et sommes heureux de vous donner satisfaction.

Toujours dévoués à vos ordres, nous vous prions d'agréer, Monsieur, nos sincères salutations.

Envoi de spécimens demandés.

Monsieur le Principal,

Nous avons bien reçu votre lettre du 8 octobre, et nous vous remercions de votre communication.

Nous vous avons expédié par poste recommandée les deux ouvrages suivants :

Cours élémentaire d'arithmétique, par X;

Nouvel Atlas de la France et de ses colonies, par Y, que nous sommes très heureux de mettre gracieusement à votre disposition.

Nous pensons que ces intéressants ouvrages, dont le succès croît rapidement, retiendront votre attention et que vous voudrez bien en décider l'inscription sur la liste des ouvrages en usage dans votre Etablissement. Nous vous en remercions vivement à l'avance.

Le troisième ouvrage que vous nous demandez est actuellement épuisé. Si on le réimprime, nous vous en ferons tenir un exemplaire.

Veuillez, Monsieur le Principal, agréer l'expression de nos sentiments distingués.

Offre d'une Entreprise de déménagement.

Monsieur (*ou* Madame),

Nous avons l'honneur de vous informer que nous nous chargeons de tous déménagements à Paris, en province, entre la France et la Grande-Bretagne, et pour n'importe quelle partie du monde, à des tarifs avantageux comprenant les frais et risques de toute sorte.

Nous sommes la seule maison anglaise établie à Paris s'occupant exclusivement des déménagements, des transports et de la garde des meubles, et, comme nous avons des représentants à Londres et dans toutes les principales villes de Grande-Bretagne, nous sommes en mesure de faire des conditions exceptionnelles de bon marché et de sécurité.

Si vous vous préparez à déménager et si vous voulez bien nous dire à quel moment nous pouvons aller vous offrir nos services, nous serons très heureux de vous envoyer un de nos inspecteurs à l'heure qui vous conviendra le mieux pour recevoir vos instructions et vous présenter un devis estimatif.

Si quelque personne de vos amis ou connaissances était sur le point de déménager, nous vous serions très obligés de nous faire la faveur de lui donner notre adresse, afin qu'elle puisse nous demander un devis.

Comptant sur la faveur de vos ordres maintenant ou dans l'avenir, quand vous aurez besoin de nos services, nous vous prions d'agréer, Monsieur (*ou* Madame), l'expression de notre considération distinguée.

Instruction pour le retour d'un appareil.

Monsieur,

Je reçois votre lettre du 22 courant m'informant que le treuil que je vous ai expédié ne peut pas donner satisfaction à votre client.

J'en accepterais le retour à condition qu'il me soit fait franco de tous frais dans mes magasins et que l'appareil n'ait pas été détérioré pendant les essais que vous avez pu faire.

Je remarque que la charge à supporter par ce treuil n'est que de 200 kg, mais qu'il y a des efforts de frottement assez importants, étant donné les renvois du câble sur des poulies situées en trois points différents.

Je vous conseille donc d'employer un treuil de 500 kg.

Comme vous avez en main mon catalogue complet, je crois que vous pourriez attirer tout spécialement l'attention de votre client sur le treuil d'applique tout acier ou sur le treuil à vis taillée.

Ces appareils sont d'un prix moins élevé que le treuil qui a été fourni et seraient, je crois, d'un meilleur rendement pour le travail demandé.

Le treuil tout acier serait plus rapide et nécessite une pression par manivelle de 12 kg. Celui à double filet est plus lent; la pression sur l'unique manivelle serait de 20 kg.

Les caractéristiques, poids et encombrements sont clairement indiqués sur mon catalogue et doivent pouvoir répondre aux exigences de votre client.

Dévoué à vos ordres, je vous prie d'agréer, Monsieur, mes sincères salutations.

Demande de réduction pour une compagnie de sapeurs-pompiers.

RÉPUBLIQUE FRANÇAISE

Arrondissement de . . . .

Département de . . . .

MAIRIE DE . . . .

Concours national de manœuvres d'extinction d'incendies, de sauvetage, des premiers secours et d'engins de protection.

. . . . . ., le . . . .

A Monsieur le Directeur de la Société nationale
des Chemins de fer, Région Sud-Est, à PARIS.

Monsieur le Directeur,

J'ai l'honneur de vous informer que la Compagnie de sapeurs-pompiers de . . . . . ., d'accord avec la Municipalité, organise un concours de manœuvres d'extinction d'incendies, de sauvetage et des premiers secours pour le 28 de ce mois.

Je viens donc solliciter de votre bienveillance la réduction consentie en pareille circonstance pour le transport du matériel et des hommes, ainsi que pour les membres honoraires qui emprunteront votre réseau pour assister à ce concours.

Veuillez agréer, Monsieur le Directeur, l'assurance de mes sentiments distingués.

Réponse à la précédente.

SOCIÉTÉ NATIONALE
DES CHEMINS DE FER
RÉGION SUD-EST

EXPLOITATION
Boulevard Diderot, 20
XIIe arrondissement

Paris, le ....

Monsieur le Maire,

En réponse à votre lettre du ......, j'ai l'honneur de vous faire savoir que les membres actifs des Compagnies de sapeurs-pompiers qui se rendront en groupe au concours de manœuvres d'extinction d'incendies, de sauvetage et des premiers secours, qui doit avoir lieu à .... le 28 courant, pourront bénéficier, pour leur voyage, des dispositions du tarif ci-joint, sous réserve que soient remplies les conditions requises audit tarif.

Ainsi que vous le remarquerez, c'est à la gare de départ que devra être adressée la demande. D'autre part, le Comité d'organisation devra, au moins quinze jours à l'avance, adresser au chef de l'exploitation de chacun des réseaux à emprunter une déclaration faisant connaître les

Compagnies participantes, les effectifs à transporter, la classe choisie, les gares de départ et d'arrivée, ainsi que les jours et heures de départ.

En ce qui concerne les membres honoraires qui désireront accompagner les membres actifs, et qui constitueront des groupes d'au moins vingt-cinq personnes (ou payant pour ce nombre), ils pourront bénéficier des dispositions du chapitre IV du même tarif V, n°s 8/108 — dont je vous remets également un exemplaire.

Pour bénéficier de ces dernières dispositions, chaque Compagnie devra en faire la demande dans les conditions fixées à l'article 4 du document ci-joint.

Veuillez agréer, Monsieur le Maire, l'expression de ma considération la plus distinguée.

Demande de facilités de transport pour les exposants d'une foire.

Le Président du comité de la Foire de Bourg
à Monsieur le Directeur de la S. N. C. F., à Paris.

Monsieur le Directeur,

J'ai l'honneur de vous informer que la prochaine Foire-Exposition de Bourg se déroulera du 26 juin au 3 juillet prochains.

Vous avez bien voulu, pour les cinq précédentes foires, dont la réussite a été des plus brillantes, accorder aux exposants des facilités de transport, notamment la gratuité au retour pour les produits exposés non vendus.

La manifestation de 19..., prévue avec plus d'ampleur que les précédentes, intéressera plus particulièrement et ne manquera pas d'attirer à Bourg de nombreux éleveurs, agriculteurs et propriétaires de toutes les régions nous avoisinant.

Pour ces diverses raisons, je vous demande, Monsieur le Directeur, de bien vouloir accorder les mêmes avantages que pour les manifestations précédentes. J'espère que vous voudrez bien examiner avec bienveillance la présente requête et l'accueillir favorablement.

Je vous en remercie très sincèrement à l'avance, et vous prie d'agréer, Monsieur le Directeur, l'assurance de mes sentiments distingués.

Le Président du comité de la Foire.

Demande de réduction à l'occasion de régates internationales.

Messieurs,

Nous avons l'honneur de vous informer que nous organisons, le 8 juillet prochain, une grande journée de régates internationales à l'aviron sur le lac du Bourget.

Nous vous serions donc très reconnaissants de vouloir bien accorder, comme les années précédentes, une réduction de 50 % aux membres des différentes sociétés d'aviron qui prendraient part à ces épreuves et qui nous en feraient la demande.

Dans l'attente d'une réponse favorable, nous vous prions d'agréer, Messieurs, nos salutations distinguées.

P. le Président du Comité.

Demande de réduction pour un voyage en groupe.

Paris, le 21 Juin 19...

Monsieur le Directeur de l'Exploitation
S. N. C. F. — SUD-EST
88, rue Saint-Lazare, 88 - Paris

Monsieur le Directeur,

Nous avons l'honneur de solliciter de votre haute bienveillance une réduction sur le prix du billet aller et retour

Paris-Grenoble, 1re classe, pour un groupe de vingt p
sonnes qui se proposent de venir en Dauphiné du 11
15 juillet prochain.

Dans l'espoir que vous voudrez bien prendre no
demande en considération, nous vous prions, Monsieur
Directeur, d'agréer, avec l'assurance de nos remerciemen
nos respectueuses salutations.

Demande de prix de transport.

Messieurs,

Nous vous prions de nous faire connaître le coût
transport de Mantes (Seine-et-Oise) à Belgrade (You
slavie) pour :

Un lot de 158 100 kg de briques et de coulis.

Vous voudrez bien nous indiquer le tarif et l'itinéra
à revendiquer, ainsi que le délai de transport sur leq
nous pourrons compter.

Dans l'attente de vous lire, nous vous remercions
l'avance et vous prions d'agréer, Messieurs, nos salutatio
distinguées.

Demande de prix de transport pour des marcha dises.

Monsieur,

Nous avons l'honneur de vous demander de vouloir bi
nous indiquer le prix de transport à la tonne des coquil
isolantes composées de laine minérale. Ces coquilles voy
gent emballées en caisse, et leur poids spécifique est
160 kg le mètre cube.

La gare expéditrice serait invariablement TURIN (Itali
et nous voudrions savoir le prix de transport de cette ga
à Paris, ou, si vous n'avez pas les tarifs italiens, de la ga
frontière à Paris.

Nous vous serions reconnaissants également de nous faire établir (contre remboursement) un barème des tarifs à payer pour ces coquilles de 50 km en 50 km et de gare en gare, jusqu'à 700 kilomètres, et de nous indiquer le supplément à ajouter pour expédition sur embranchement particulier.

Dans l'attente de votre réponse, nous vous présentons, Monsieur, nos salutations distinguées.

Demande de renseignements sur les transports en petite vitesse.

Direction commerciale de la S. N. C. F.
88, rue Saint-Lazare, Paris.

Messieurs,

Pour faire des calculs, nous avons besoin de connaître les tarifs de transport par train complet et wagon isolé applicables aux expéditions de ferrailles en trafic direct de Luxembourg sur l'Italie, et, en particulier, sur les gares de Modane et de Vintimille.

Nous vous prions de nous faire connaître ces tarifs, en nous renseignant en même temps sur les distances.

Avec nos remerciements anticipés, veuillez agréer, Messieurs, l'expression de nos sentiments distingués.

Annexe : 1 coupon-réponse international.

Demande de wagons de chemin de fer.

Monsieur le Chef de gare principal, Le Havre.

Monsieur,

J'ai l'honneur de vous informer que j'attends, le mardi 8 septembre, le cargo *Falkland*, chargé pour moi d'environ trois cents tonnes d'anthracite à mettre sur wagons.

Le débarquement devant commencer le jour même de

l'arrivée du vapeur, je vous prie de bien vouloir mettre à ma disposition, dès le lendemain 9 septembre à la première heure :

Vingt wagons de dix tonnes pour expédition sur Rennes au tarif spécial n° 7, prix ferme du Havre à Rennes;

Dix wagons de dix tonnes pour expédition sur Alençon, même tarif, prix ferme du Havre à Alençon.

Vous voudrez bien me faire aviser, aussi tôt qu'il vous sera possible, de l'heure à laquelle ces wagons pourront être amenés à quai.

Je vous prie d'agréer, Monsieur le Chef de gare principal, l'expression de ma considération distinguée.

NOTE. — La Compagnie de chemin de fer, dès le lendemain de la réception de la demande (si celle-ci lui est parvenue avant la fermeture de la gare), est tenue d'aviser l'expéditeur des jour et heure où les wagons seront mis à sa disposition.

Demande de renseignements à une agence de transports.

Messieurs,

Nous vous prions de bien vouloir nous indiquer vos meilleurs prix de transport de gare Vierzon à Québec (Canada) pour nos expéditions de caisses de savon et parfumerie.

Comptant sur une prompte réponse nous donnant vos conditions les plus réduites, nous vous présentons, Messieurs, nos salutations empressées.

Réponse à une demande de conditions de transport.

(*Recto*)

Messieurs,

En réponse à votre lettre du 15 courant, nous avons l'honneur de vous informer que nous pouvons nous charger du transport en question aux conditions énoncées ci-dessous :

Timbre de connaissement F par expédition;

Timbre de lettre de voiture F par expédition;

Droit de statistique F par expédition;

Taxe de police des quais F par tonne.

Menus frais et permis variant de F à F par expédition.

Nous pouvons couvrir l'assurance maritime moyennant la prime de p. 100, plus F pour impôt et timbre, sur l'ordre formel renouvelé à chaque expédition.

MARCHANDISES	DEPUIS	JUSQUE	VOIE EMPLOYÉE	PRIX PAR TONNEAU	MINIMUM DE TONNAGE
....	....	....	....	....	....
....	....	....	....	....	....
....	....	....	....	....	....

Minimum ....
Marchandise à remettre ou à expédier........
Date de départ ....
Durée approximative du trajet ....

Nous vous rappelons que toutes nos offres sont soumises aux conditions énumérées au verso. Celles qui portent, dans la colonne « Voie employée », uniquement la mention « nos navires » sont valables pour trois mois, sauf dénonciation de notre part. Les autres ne comportent aucune espèce d'engagement et sont soumises aux mêmes changements que ceux des tarifs de chemins de fer ou des Compagnies de navigation avec lesquels elles sont combinées.

Veuillez agréer, Messieurs, nos salutations empressées.

(*Verso*)

L'offre ci-contre ne saurait avoir le caractère d'un contrat de transport ni constituer pour nous l'acceptation du rôle de commissionnaire de transports. Nous la faisons au titre d'armateurs ou de transitaires-mandataires

En tant qu'armateurs, nous ne considérons les marchandises comme prises en charge par nous qu'après délivrance du connaissement, et nous n'acceptons que les conditions de transport énoncées sur ce titre, dont un exemplaire est à votre disposition.

En tant que transitaires-mandataires, soit au point de départ, soit au point de destination, soit à des points intermédiaires, notre responsabilité ou celle de nos agents attitrés commence ou cesse au moment où la marchandise est prise des mains d'un tiers ou remise entre ses mains, même si la rémunération du service de ce tiers est comprise dans les prix indiqués ci-contre. Tout recours contre ce tiers doit être exercé directement par le propriétaire de la marchandise.

Toutes les indications portées sur cette offre en contradiction avec les responsabilités limitées par ce qui précède, notamment celles qui sont relatives aux dates d'expédition et aux délais de transport, ont le caractère de simples renseignements et ne comportent, sauf stipulation contraire formelle, aucune espèce de garantie.

Demande d'affrètement d'un navire.

Nous vous prions, par la présente, d'affréter pour notre compte un cargo français ou norvégien en bon état, de 4 000 à 5 000 tonneaux de jauge, pour charger à Bergen une cargaison de bois à destination de Bordeaux.

Nous ne pouvons dépasser le prix de . . . francs la tonne, droits de port, remorquage et tous autres frais compris; seule l'assurance de la marchandise est à notre compte; le chargement et le déchargement nécessiteront chacun 8 jours de planches; le navire devra se mettre en route sous 15 jours au plus tard.

Confiants dans vos bons soins habituels, nous vous présentons, Messieurs, nos bien sincères salutations.

Commande de transport maritime.

N/ réf. MG. 520. 2 000 kg net de gomme sandaraque
pour Yokohama.

Messieurs,

Nous avons l'honneur de vous confirmer notre entretien téléphonique au sujet de la commande précitée.

Nous vous confions donc le transport de 2 000 kg net de gomme sandaraque du Maroc, emballée en barils, au taux de F .... par tonne de 1 000 kg, depuis c.a.f. Marseille jusqu'à bord Yokohama, c'est-à-dire tous frais de transbordement à Marseille compris.

Cette marchandise nous est due c.a.f. Marseille par M. Simon Lévy : Boîte postale 25, à Mogador (Maroc).

Comme un navire de la Cie Paquet, de Mogador sur Marseille, a déjà quitté Mogador cette semaine, nous craignons qu'il n'y ait pas d'autre occasion d'embarquement avant le prochain navire de la même Compagnie quittant Mogador le 25 mars prochain. Nous vous informerons ultérieurement du nom du navire et de la date exacte de l'embarquement, et vous remettrons les connaissements aussitôt qu'ils seront en notre possession, pour vous permettre de procéder au transbordement.

Les connaissements de Marseille sur Yokohama devront être établis en deux originaux et deux copies non négociables, avec la clause « Livraison sous palan » et la mention : « Veuillez avertir MM. Emoto et Cie. — Tokyo. »

Destination : Yokohama.

Marques : M. P.
520
Yokohama. — *N[os] des barils.*

Veuillez agréer, Messieurs, l'expression de nos sentiments distingués.

Instructions à des transitaires au sujet d'un arrivage.

Paris, 25 Juin 19...

Monsieur,

Etant avisés par nos amis de Londres de l'embarquement d'un lot de 25 caisses de saumon « Super » sur le s/s *Oregon,* attendu demain — 26 courant — à Anvers, nous avons l'avantage de vous remettre sous ce pli les documents suivants :

Connaissement n° 21 (orig.) ;
Police d'assurance n° 880 435 (orig.)

Nous vous prions de bien vouloir prendre livraison de ces caisses aux docks de la Compagnie de Navigation pour le compte de la Société Berghem et Cie, 43, rue Laeken, Bruxelles, qui vous donnera toutes instructions complémentaires d'expédition.

Par prochain courrier, nous vous adresserons duplicata du connaissement et de la police d'assurance.

Veuillez agréer, Monsieur, l'expression de nos sentiments distingués.

Demande d'avis de transbordement.

Messieurs,

Par votre lettre du 18 février, vous avez bien voulu nous faire connaître que les cinquante potiches de mercure ci-dessus, en provenance d'Alicante par s/s *Patrie,* seraient transbordées dans votre port sur s/s *Gironde* le 25 courant.

Nous vous serions obligés de nous confirmer ce transbordement et de nous faire parvenir votre certificat habituel.

Nous vous remercions à l'avance et vous prions d'agréer, Messieurs, l'expression de nos sentiments distingués.

Demande de connaissements et d'avis de transbordement.

Messieurs,

Nous vous prions de bien vouloir nous faire connaître si les 1 500 kg de gomme sandaraque, arrivés au Havre par le navire *Oran*, en provenance de Mogador, ont bien été transbordés, conformément aux instructions données, à bord du vapeur *Nordic*, le 26 février, à destination de Stockholm.

Vous voudrez bien nous faire parvenir les connaissements le plus rapidement possible et, dans cette attente, nous vous présentons, Messieurs, l'expression de nos sentiments distingués.

Avis d'arrivage à des acheteurs.

Paris, 25 Juin 19...

Messieurs,

Nous référant à notre lettre du 24 courant, GM 1825, nous vous remettons sous ce pli :

Facture n° 227 de £ 115.11.8;
Contrat PD. 421.

concernant les 25 caisses de conserves de saumon « Super » 1/2 embarquées à Londres sur le s/s *Oregon* attendu à Anvers demain — 26 courant.

Selon vos instructions, nous avons adressé ce jour *par express* à M. Keller, 40, avenue Léopold, Anvers, les documents afférents à cette expédition en le priant de bien vouloir en prendre livraison aux docks de la Compagnie de Navigation pour votre compte et d'attendre vos instructions complémentaires.

Veuillez agréer, Messieurs, l'expression de nos sentiments distingués.

P. J. : facture et contrat.

Pour réparer une erreur d'expédition.

P. D. 827 : 25 caisses sardines 96 × 1/2, M. Dupin.

Messieurs,

Comme suite à votre lettre du 12 courant, relative aux 25 caisses ci-dessus, nous vous informons que, pour être agréables à M. Dupin, nous acceptons l'expédition par chemin de fer, P. V., de Marseille à Barneville, des 25 caisses de sardines 1/2 actuellement en stock à Marseille, en remplacement des 25 caisses de maquereaux livrées par erreur.

Ci-joint bon de livraison PD. 827 établi à l'adresse de notre transitaire à Marseille, M. Paul Boreau. Nous vous prions de remettre cette pièce à M. Dupin, qui devra l'adresser directement à M. Boreau.

De notre côté, nous avisons notre transitaire de nous débiter de tous frais de dédouanement, de la taxe à l'importation et du transport en petite vitesse de Marseille à Barneville.

Nous vous remercions d'avoir réussi à obtenir que les 25 caisses de maquereaux restent en entrepôt, à notre disposition, dans les magasins de M. Dupin, à Barneville.

Veuillez agréer, Messieurs, l'expression de nos sentiments distingués.

Remise de certificats d'origine.

CERTIFICAT D'ORIGINE POUR CONSERVES DE LANGOUSTES DU CAP, ARRIVAGE S/S *Massilia*, le 17.2.19...

Monsieur,

Nous référant à notre lettre GM 6 772 du 21.1.19.., concernant la présentation à la douane de certificats d'origine visés par le Consul de France au Cap pour les conserves de langoustes, nous avons l'avantage de vous remettre sous ce pli :

Certificat d'origine n° 340,

relatif à 210 caisses de conserves de langoustes embarquées au Cap sur le navire *Sussex* et transbordées au Havre le 20 courant sur le navire *Massilia* attendu à Nantes le 25 courant. Pour votre gouverne, ces 210 caisses se répartiront comme suit :

120 caisses à M. Poyet, 12, rue Nationale, Louviers;
90 caisses à M. Ballot, Gray.

Nous avons prié nos clients de se mettre en rapport avec vous au sujet du dédouanement de leurs marchandises. Les documents leur ont été adressés directement.

Veuillez agréer, Monsieur, l'expression de nos sentiments distingués.

P. J. : certificat d'origine n° 340.

Demande de renseignements à une agence d'assurances maritimes.

Messieurs,

Nous désirons procéder nous-mêmes à l'assurance des marchandises que nous faisons venir de tous les ports ou points de la Méditerranée, de l'Océan, de la Manche, ainsi que de Madagascar, des Indes et de l'Extrême-Orient.

Il s'agit d'envois nombreux et importants que, jusqu'ici, nos représentants assuraient au départ et que nous avons décidé d'assurer d'ici même et à une seule Compagnie, si possible, afin d'uniformiser les conditions et les frais et de grouper toute la correspondance relative aux questions d'assurances.

Nous vous serons donc obligés de nous faire savoir quelles sont les conditions les plus réduites auxquelles votre

Compagnie accepterait de souscrire l'assurance de nos marchandises. Nous sommes à votre disposition pour vous donner tous renseignements et vous communiquer tous documents nécessaires sur le volume de nos transactions.

Toutes nos marchandises sont expédiées par mer, et nous voudrions être assurés dès avant le départ des navires, même au cas où l'avis d'expédition ne nous parviendrait, ce qui est fréquent, que plusieurs jours après le départ.

Dans l'espoir d'une prompte réponse, nous vous prions d'agréer, Messieurs, nos salutations empressées.

Avis d'accident.

Messieurs,

Nous avons le regret de vous informer que, ce matin à huit heures, notre navire s/s *Rose-Marie,* entraîné par une fausse manœuvre de remorquage d'une part, et poussé d'autre part par un vent violent, a donné avec une telle force contre le quai qu'une voie d'eau s'est produite. On a réussi à l'aveugler après de longs efforts et à échouer le bateau en lieu sûr à la pointe de l'île.

Nous vous prions de bien vouloir nous faire connaître quelles dispositions nous restent à prendre en la circonstance et de faire le nécessaire pour la constatation des dommages et avaries et le sauvetage des marchandises à bord.

Veuillez agréer, Messieurs, nos salutations empressées.

Offre d'envoi de tissus en consignation.

Messieurs,

M. Langlois, directeur de la succursale du *Crédit parisien* à Rio de Janeiro, nous a recommandé votre Maison et nous nous permettons de vous demander s'il vous conviendrait de recevoir nos consignations de tissus en tous genres et plus spécialement les soieries et lainages de haute mode.

Si cette proposition vous agrée, veuillez nous adresser un compte de vente simulé, afin de nous renseigner sur les frais et usages de votre port. Vous y porteriez une commission de 5 % qui est notre condition habituelle (commission élevée à 8 % sur certains articles spéciaux dont nous vous donnerons la liste) et, comme à tous nos consignataires d'Amérique, nous vous demanderions d'être ducroire contre une commission supplémentaire de 2 %.

Nous vous envoyons par le s/s *Bahia,* qui quittera Bordeaux le 15 courant, un petit lot d'essai, dont vous trouverez facilement le placement, nous l'espérons, parmi votre nombreuse clientèle.

Vous nous obligeriez, d'autre part, en vous chargeant de la liquidation de nos engagements sur votre place jusqu'à concurrence du montant de nos consignations.

Espérant que notre offre vous paraîtra intéressante et que des relations durables et réciproquement profitables s'établiront entre nous, nous vous prions d'agréer, Messieurs, nos plus sincères salutations.

Acceptation du consignataire.

Messieurs,

Nous avons bien reçu votre lettre du 15 mai dernier à laquelle nous nous empressons de répondre.

M. Langlois nous avait déjà parlé de votre estimable Maison et nous avait préparés à recevoir votre offre, que nous acceptons avec le plus grand plaisir, en vous assurant que nous ferons tous nos efforts pour établir avec vous un courant d'affaires important et justifier la confiance dont vous voulez bien nous honorer.

Le s/s *Bahia* est attendu dans notre port à la fin de la semaine. Nous examinerons attentivement les marchandises consignées et les soumettrons à plusieurs clients, détaillants et maisons de couture, qui ont déjà été prévenus par nos soins. Si, comme nous l'espérons, nous trouvons preneur aussitôt, nous vous enverrons un premier compte de vente réel, qui nous dispensera de vous envoyer le compte simulé que vous nous demandez et vous renseignera complètement sur les conditions, usages et taxes de notre place.

Nous vous prions d'agréer, Messieurs, l'expression de notre considération distinguée.

Réponse à une demande de consignation.

Monsieur,

En réponse à votre lettre du 3 mai dernier, je m'empresse de vous informer que j'accepte vos offres et conditions pour une consignation de cotonnades, de lainages et de quelques pièces de soie artificielle.

Je vous expédie donc aujourd'hui, par le s/s *Calcutta*, cap. Thomas Webster, de la Compagnie Péninsulaire et Orientale, les tissus dont facture, connaissement et police d'assurance ci-joints, pour être mis en entrepôt sous votre nom et à votre ordre.

J'espère que vous écoulerez ces marchandises aux meilleurs prix possibles sur votre marché, et que cette consignation d'essai sera le prélude d'affaires importantes et également profitables pour vous et pour moi.

Vous voudrez bien accuser réception des marchandises et nous faire parvenir, comme convenu, le montant des ventes, moins vos frais et commissions.

Veuillez agréer, Monsieur, l'expression de mes sentiments les meilleurs.

Modèle de compte de vente.

COMPTE DE VENTE

Compte de vente de 120 douzaines de bouteilles de champagne, arrivées par le s/s *Paix*, à Port-Saïd, vendues par Edouard Levert et Cie, pour le compte de Messieurs Fox et Cie, du Havre.

MARQUES	QUANTITÉ	PRIX	MONTANT F	MONTANT c.	TOTAL F	TOTAL c.
B. F.	120 douz.	Bouteilles de champagne C.F. extra-dry à — F. la douzaine............	—	—	—	—
		Fret	—	—		
		Frais de vente...........	—	—		
		Magasinage	—	—		
		Câblogramme et frais de poste	—	—		
		Courtage 1 1/2 %........	—	—		
		Commission 3 %.........	—	—		
					—	—
		PRODUIT NET....	.....	....	—	—

Sauf erreur ou omission, le 2 avril 19...

Annonce d'une consignation et rappel des conditions de paiement.

Monsieur,

J'ai l'honneur de vous informer que j'ai pu affréter un navire pour vous envoyer en consignation un chargement de peaux, de cuir, de fourrures, de caoutchouc et de bois précieux.

Comme d'habitude, je me couvrirai par une traite à trois mois des trois quarts du montant des prix de facture, et, au fur et à mesure des ventes, dont vous voudrez bien me faire tenir le compte, vous aurez l'obligeance de m'envoyer le solde après avoir déduit du produit brut de chaque vente vos frais et débours (déchargement, douane, camionnage, magasinage, assurance, etc.), les courtages ou commissions que vous aurez dû verser et votre propre commission de 5 %, plus votre ducroire de 2 1/2 %.

J'espère que cette expédition vous arrivera à bon port et en bon état et que vous trouverez une vente facile.

Recevez, Monsieur, mes sincères salutations.

Compte de vente et remise du produit.

Monsieur,

En confirmation de ma lettre du 3 courant par laquelle je vous annonçais la vente de divers tapis, je vous remets ci-joint le compte de vente s'élevant à .... F.

Conformément à vos instructions, j'ai payé diverses notes et traites dont détail ci-joint avec les reçus et traites acquittés, dont le montant s'élève à .... F.

Veuillez passer cette dernière somme à mon crédit et me faire traite, comme de coutume, pour le solde à trois mois sous bénéfice de l'escompte habituel.

Comptant que vous approuverez l'ensemble de ces opérations et apprécierez le soin que j'ai pris de vos intérêts, je vous prie d'agréer, Monsieur, l'expression de mes sentiments distingués.

CHAPITRE IX

COMPTABILITÉ

Le chapitre qu'on va lire contient les principaux types de lettres relatives à la comptabilité.

Il n'est pas possible, en quelques lignes, de commenter ces diverses formules. Il faudrait écrire un cours complet, que l'on trouvera dans les traités spéciaux.

Tous les conseils donnés à propos de la correspondance commerciale s'appliquent plus spécialement ici : malgré la précaution habituellement exprimée par les initiales S. E. ou O. (sauf erreur ou omission), il faut donner tous ses soins à l'exactitude et à la précision des chiffres et des dates et ne jamais se départir des règles de la prudence.

Notre vieux proverbe sur les bons comptes et les bons amis a été repris par les Anglais sous une forme plus complète : « Les comptes courts font les longs amis. » Ce n'est que dans un cas tout à fait exceptionnel qu'il pourra y avoir avantage à laisser « traîner » un compte. Si l'on tient à conserver ses clients ou ses fournisseurs, on évitera donc toujours d'espacer, ou de laisser espacer, les règlements.

La négligence et le désordre en matière de comptabilité sont des formes de la faiblesse de caractère, et, malgré les qualités les plus brillantes, cette faiblesse peut amener à la ruine les meilleures affaires.

Cependant, même quand on exige le paiement d'une dette en retard, et qu'on a des raisons de croire qu'on se trouve en face d'un client malhonnête et de mauvaise foi, il fau savoir allier à la fermeté une parfaite courtoisie. Réduit à s'adresser à la justice pour faire valoir ses droits, on exprimera poliment au débiteur récalcitrant ou insolvable le regret de n'avoir pu éviter une solution désagréable.

Achat de l'exclusivité d'un film.

Messieurs,

Nous vous confirmons nos communications téléphoniques.

Nos correspondants des Indes nous avaient d'abord déclaré qu'il leur paraissait possible de traiter l'affaire d'exclusivité sur la base approximative de £ 21 000 pour les Indes seulement.

Comme vous ne teniez pas à séparer les Indes de Ceylan nous leur avons câblé votre désir et nous venons de recevoir un télégramme nous déclarant que le débouché à Ceylan est très faible et qu'il leur semble impossible de faire l'affaire pour les deux pays sur une base supérieure à £ 26 000

Nous vous prions donc de nous faire savoir si vous seriez disposés à traiter sur cette base.

Dans ce cas, nous chargerions nos correspondants des Indes d'approcher de nouveau leur client afin de conclure cette affaire.

Veuillez agréer, Messieurs, nos salutations distinguées

Refus de la garantie de baisse.

Messieurs,

N/ DM. 742
20 000 kg acide tartrique.

Nous recevons votre lettre du 13 courant, nous apportant votre accord sur le règlement en dollars des Etats-

Unis de la commande précitée, sans clause « or », et vous en remercions. Nous avons l'avantage de vous retourner ci-jointe la contrepartie du contrat dûment signée par nous.

En ce qui concerne les affaires futures, il nous est impossible de nous couvrir en dollars valeur or par rapport à la lire, aucune banque n'acceptant une pareille convention. D'autre part, étant donné que la seule raison pour laquelle nos acheteurs se couvrent en marchandises pour une durée aussi longue est le désir d'être fixés, dès à présent, sur le prix d'achat en monnaie nationale, nous risquons d'arrêter complètement nos affaires en demandant aux acheteurs une garantie contre la baisse éventuelle du dollar.

Nous nous permettons de vous faire remarquer que, de votre côté, vous n'avez aucun risque à courir, du moment que vous êtes couverts par un contrat de change avec votre banque.

Nous insistons sur ce point dans notre intérêt mutuel et espérons vous lire favorablement à ce sujet.

Veuillez agréer, Messieurs, l'expression de nos sentiments distingués.

Avis de bonification.

N/ AH. 624 : 50 caisses sardines « Excelsior » 1/2.

Messieurs,

Nous avons reçu votre lettre du 10 écoulé relative aux nouvelles cotations pour les conserves de sardines, et avons noté vos remarques en ce qui concerne la vente des 50 caisses de saumon « Excelsior » 1/2 que vous nous avez achetées le 3 janvier 19...

Afin de vous être agréable et à titre tout à fait exceptionnel, nous avons décidé de vous faire bénéficier d'un rabais de 1000 F par caisse, soit pour 50 caisses : 50 000 F.

Nous avons donc l'avantage de vous remettre ci-joint une copie de note de crédit s'élevant à F 49 750, somme que nous déduirons de notre prochaine facture relative aux 50 caisses de maquereaux attendues à Cherbourg par s/s *Americ*, le 8 courant.

Nous espérons que vous apprécierez comme il convient la réduction que nous vous consentons et que vous voudrez bien, à l'avenir, nous réserver l'exclusivité de vos achats de saumon, sardines et maquereaux.

Nous vous en remercions à l'avance et vous prions d'agréer, Messieurs, l'expression de nos sentiments distingués.

P. J. : Copie de note de crédit.

Note de crédit.

NOTE DE CRÉDIT

Bonification de F 1 000 par caisse à valoir sur notre facture n° 927 du 3. 6. 54 (AH. 624).

F 1 000 sur 50 caisses « Excelsior » 1/2 . .	50 000
Moins 1/2 %	250
	49 750

(*Quarante-neuf mille sept cent cinquante francs.*)

Avis de traite.

, le 19. . .

M

Nous avons l'honneur de vous informer que, pour nous couvrir du montant net de notre facture du 10 septembre 19. ., nous vous ferons présenter en fin de mois une traite à vue de F . . . . Nous la recommandons à votre bon accueil.

Toujours dévoués à vos ordres, nous vous présentons, M , nos salutations empressées.

Avis de traite et accusé de réception d'une lettre de garantie.

Messieurs,

Lettre de garantie n° 352.

Comme suite à votre lettre du 6 décembre, nous remettant la lettre de garantie ci-dessus, pour compte de M. G. Barfield, nous vous adressons ci-joint :

Notre traite n° 483, à 90 jours de vue, de F 795 000;
n/facture n° 5 249, de même montant;
2 connaissements nos 1 758 et 493;
Police d'assurance (orig. et dupl.) n° 72 124;
Certificats d'inspection n° 70 et n° 71;
Le tout couvrant :

50 c/s saumons « Excelsior » de 48 4/4;
80 c/s crabes « Japon » de 48 4/4;
C. I. F. Malte, suivant ordre de M. Barfield n° 474.

Vous voudrez bien nous retourner la traite dûment acceptée, et, en vous remerciant d'avance, nous vous présentons, Messieurs, nos salutations distinguées.

Demande de cotisation.

Le marquis de Villedaru, trésorier du Comité Duguesclin, a l'honneur de vous indiquer que la cotisation que vous lui versez annuellement en votre qualité de membre est venue à échéance.

Le Comité vous serait reconnaissant de la lui faire tenir de nouveau directement par chèque barré à son ordre et vous remercie à l'avance du concours que vous lui accordez pour l'œuvre d'intérêt général à laquelle vous avez adhéré.

P.-S. — Votre cotisation annuelle est de 500 francs; à partir du 25 janvier, nous prendrons la liberté de mettre à la poste une quittance de 530 francs (frais de recouvrement compris).

N. B. — Les membres qui désirent envoyer leur versement directement et avant le délai indiqué ci-dessus peuvent : soit le remettre au Siège social, le matin de 9 h 1/2 à midi, sauf le lundi, et l'après-midi de 2 h 1/2 à 6 h, sauf le samedi, soit l'adresser en chèque, soit l'envoyer par poste au nom : Comité Duguesclin, soit le verser à notre compte de chèque postal n° ...

Aux termes de l'article 4 de la loi du 1er juillet 1901 : « Tout membre d'une association qui n'est pas formée pour un temps déterminé peut s'en retirer en tout temps, *après paiement des cotisations échues et de l'année courante,* nonobstant toute clause contraire. » Tout membre qui n'a pas notifié sa démission par lettre adressée au Président avant le début de l'année courante reste membre de plein droit; la radiation pour cause de non-paiement peut être prononcée contre le membre qui laisserait son reçu impayé.

Formule de demande d'ouverture d'un compte en banque pour une Maison de commerce.

A rédiger sur papier à en-tête de la Maison de commerce.

Paris, le........

Messieurs,

Nous vous prions de vouloir bien ouvrir sur vos livres un compte au nom de notre Société.

Nous vous confirmons que, conformément à nos accords verbaux de ce jour, ce compte constituera un compte courant comportant la possibilité de remises réciproques et dont toutes les opérations se traduiront en articles de crédit et de débit destinés à se balancer, lors de l'arrêté du compte en un solde qui fera seul apparaître une créance ou une dette exigible.

D'autre part, nous vous précisons que les intérêts de ce compte courant sont destinés à entrer dans les recettes de notre entreprise industrielle (ou commerciale, ou agricole et, comme tels, sont exonérés de l'impôt sur le revenu des créances, conformément à l'article 29 de la loi du 30 décembre 1928.

Veuillez agréer, Messieurs, nos sincères salutations.

Demande de crédit en banque.

Messieurs,

Depuis quelques années déjà, nous avons étendu aux pays de l'Amérique du Sud, au Brésil et à l'Argentine en particulier, nos opérations autrefois limitées à l'Amérique du Nord; les résultats ont été jusqu'ici en tout point satisfaisants.

Notre clientèle est de premier ordre; toutefois, la longueur des crédits est un obstacle au plus ample développement de notre chiffre d'affaires, car nous devons conserver en portefeuille la plupart de notre papier.

Nous venons donc vous demander à quelles conditions vous nous consentiriez un découvert de vingt à vingt-cinq millions (20 000 000 à 25 000 000). En outre, vu le grand nombre de vos succursales en Amérique du Sud, nous serions heureux de vous confier, moyennant commission d'usage, nos enquêtes et domiciliations.

Nous sommes à votre entière disposition pour vous fournir toutes références et renseignements utiles, et, dans l'espoir d'une réponse favorable, nous vous prions d'agréer, Messieurs, nos salutations empressées.

Ouverture de crédit en banque.

Messieurs,

Comme suite à votre lettre du 18 courant et à votre entretien d'hier avec l'un de nos directeurs, nous avons étudié avec soin votre proposition et avons le plaisir de vous informer que nous serions disposés à vous accorder une ouverture de crédit aux conditions suivantes :

Nous vous consentirons à partir du 1er mars prochain — sous déduction préalable de notre commission de 1 1/2 % — des avances mensuelles de dix millions de francs (10 000 000), somme que nous ne pourrons dépasser sous aucun prétexte et que vous réserverez à l'extension de vos affaires en Argentine et au Brésil exclusivement.

En garantie, des connaissements correspondants établis à notre ordre seront remis à nos agences de l'Amérique du Sud, qui, contre acceptation des traites dûment endossées, livreront à vos clients la marchandise. Après encaissement, nous vous créditerons en compte courant du montant net de ces remises sous intérêt réciproque de 6 % l'an, ports de lettres, timbres d'effets et commission à votre charge. Nous attirons votre attention sur ce fait que les faillites inattendues ne sont pas rares sur le marché sud-américain, et nos succursales auront soin de s'abstenir de remettre les marchandises à des Maisons en déconfiture.

Nous entreprendrons volontiers les enquêtes que vous voudrez bien nous confier et interviendrons au besoin moyennant 1/2 % sur le montant de nos débours.

Nous espérons que cet arrangement recevra votre approbation, et, attendant confirmation, veuillez agréer, Messieurs, nos bien sincères salutations.

Demande de carnet de chèques.

Monsieur le Directeur,

Je vous prie de bien vouloir me faire délivrer un carnet de cinquante chèques (grand format, petit format, *ou* du format ci-joint) et de faire porter le montant des frais de timbre au débit de mon compte n° 2 746.

Veuillez agréer, Monsieur le Directeur, l'expression de mes sentiments distingués.

La plupart des banques remettent à leurs clients des formules de demande de carnet de chèques qu'il suffit de remplir et de signer.

On ajoute parfois à la demande la déclaration suivante :

Par la présente je prends à ma charge toutes les conséquences pouvant résulter de la perte ou du vol de ces chèques, si, pour empêcher tout paiement irrégulier, je n'ai pas prévenu à temps la Banque (ou l'Agence) chargée de ce paiement.

Ordre de virement.

Monsieur le Directeur,

Veuillez faire virer du crédit de mon compte n° 2 746 la somme de 35 300 F (trente-cinq mille trois cents francs) au crédit du compte n° 8 537 de M. Paul Riboud à l'agence BA de votre Société.

Je vous prie d'agréer, Monsieur le Directeur, l'expression de mes sentiments distingués.

Lettre à un agent de change pour constituer une couverture et faire des opérations de Bourse.

Monsieur,

Sur la recommandation de M. Rémi de Baleins, qui est votre client depuis plus de vingt ans, je me permets de vous proposer ce qui suit :

Je vous chargerais de quelques opérations à la Bourse des valeurs de Paris (achat ou vente au comptant ou à terme).

Par retour du courrier, je vous solderais le montant des différences débitrices et vous porteriez à mon crédit les différences en plus qui seraient tenues à ma disposition.

A la fin de chaque mois, vous établiriez et m'enverriez un relevé de compte.

Comme garantie, je pourrais vous remettre 50 obligations Maroc 6 % 1937 dont vous toucheriez et porteriez les coupons au crédit de mon compte.

M. de Baleins, que je vois chaque jour, m'a déjà renseigné sur les heures limites d'envoi de télégrammes d'achat ou de vente pour que les opérations puissent se faire dans la journée.

Comptant que cette proposition vous agréera, je vous prie de recevoir, Monsieur, l'assurance de ma considération distinguée.

Ordre d'achat de valeurs passé à une banque.

Monsieur le Directeur,

Je vous prie de bien vouloir acheter à la Bourse de demain au prix maximum de 5 200 F (*ou* au mieux), pour être gardées à mon dépôt, vingt actions Ciments Français, 2ᵉ tranche A, et de débiter du montant de l'opération et des frais mon compte n° 2585.

Veuillez agréer, Monsieur le Directeur, l'expression de mes sentiments distingués.

Ordre de vente de valeurs passé à une banque.

Monsieur le Directeur,

J'ai l'honneur de vous prier de vendre à la Bourse de lundi prochain les actions suivantes que j'ai en dépôt à votre Banque, et dont vous trouverez ci-joints les récépissés datés et signés :

10 act. *Tréfileries du Havre*, au mieux;
3 act. *Ciments d'Indochine*, au mieux;
30 act. *Huiles de pétrole* au prix minimum de 8 500 F.

Vous voudrez bien faire porter le montant de l'opération au crédit de mon compte n° 2585 et m'en aviser.

Je vous passerai incessamment un ordre d'achat pour l'emploi de mon crédit disponible.

Veuillez agréer, Monsieur le Directeur, l'expression de mes sentiments distingués.

Demande de renouvellement de traite.

Monsieur,

Nous avons le regret de vous informer que notre échéance de fin avril se trouve très chargée et que la lenteur avec laquelle les rentrées d'argent se font en ce moment nous mettra dans l'impossibilité de faire honneur à votre traite de F 23 500, payable le 30 avril.

Contrairement à nos habitudes, nous sommes dans l'obligation de vous demander de retirer cette traite de la circulation et de la remplacer par deux traites, l'une de dix mille francs à fin mai, l'autre, à fin juin, du solde augmenté de vos frais et d'un intérêt calculé à raison de 6 % par an.

Comptant que vous accepterez cette proposition en tenant compte que les affaires sont extrêmement difficiles à cette époque de crise sans précédent, nous vous prions d'agréer, Monsieur, avec nos remerciements, nos plus sincères salutations.

Envoi de quittance à signer.

Accident du 24 Janvier 19...

Monsieur,

Comme suite à cet accident, nous avons l'honneur de vous remettre sous ce pli quittance de *la Union et le Phénix*

espagnol de la somme de vingt-six mille trois cents fran
(26 300 F) réglant cette affaire.

Nous vous serions obligés de bien vouloir nous la retou
ner signée et, dès réception, nous vous ferons parvenir u
chèque de même somme.

Dans cette attente, nous vous prions d'agréer, Monsieu
l'assurance de nos sentiments distingués.

Remise d'un chèque.

En règlement de votre facture du 20 août, nous vo
remettons ci-inclus Chèque de £ 77-4-10 sur la Londo
and Country Bank.

Veuillez nous en accuser réception et nous retourne
votre relevé de compte acquitté.

Recevez, Messieurs, nos sincères salutations.

Accusé de réception.

Nous vous accusons réception de votre lettre du 12 cou
rant et du chèque de £ 77-4-10 qui y était joint en règle
ment de notre facture du 20 août dernier et pour solde d
votre compte.

Nous en passons écritures conformes et vous retournon
inclus notre relevé acquitté.

Recevez, Messieurs, nos salutations empressées.

Autre formule de remise de chèque.

Monsieur,

Nous avons l'honneur de vous remettre sous ce pli u
chèque barré n° 22 910 sur la Banque de France, Paris
de F 15 882 (quinze mille huit cent quatre-vingt-deu

francs) et vous prions d'en créditer notre compte pour solde de votre facture ci-dessous :

n° 2411 du 10/2/54 s'élevant à F : 15 882.

Veuillez nous accuser réception du présent chèque et agréer, Monsieur, nos salutations distinguées.

Recommandé.

Autre formule d'accusé de réception.

Monsieur,

Nous vous accusons réception de votre lettre du 3 courant, des plis de laquelle nous avons retiré un chèque sur le Crédit Lyonnais, Agence N, à Paris, daté du 3/1/54, portant le n° D 355069 et s'élevant à la somme de 48 500 F.

Nous vous en remercions et vous présentons, Monsieur, nos salutations empressées.

Accusé de réception d'un chèque et d'une commande.

Messieurs,

Nous vous accusons réception de votre lettre du 29 écoulé, des plis de laquelle nous avons retiré un chèque n° B 472310, de F : 19 000, sur le Crédit Lyonnais, à Paris, dont nous vous remercions.

Comme suite au *post-scriptum* de votre lettre, nous vous expédions ce jour, en service rapide, une cinquantaine de kilogrammes de coupons velours dames dont ci-joint facture.

Dans l'attente de votre règlement, nous vous prions, Messieurs, d'agréer nos salutations distinguées.

Remise d'un compte courant.

Nous avons le plaisir de vous remettre inclus extrait de votre compte courant arrêté au 31 décembre et présentant en votre faveur un solde de F : 25 375 dont nous vous créditons de nouveau.

Nous vous prions de l'examiner et de nous dire si nous sommes d'accord.

Veuillez agréer, Messieurs, nos bien sincères salutations.

Effets offerts en paiement au lieu de chèque.

En raison du mauvais état actuel des affaires, l'argent ne rentre que difficilement, et ayant à la fin de ce mois de lourdes échéances, nous sommes au regret de ne pouvoir vous faire parvenir notre chèque habituel; vous nous rendriez donc le plus grand service en acceptant en compte les effets ci-dessous tirés sur des Maisons de tout premier ordre :

F : 182 525 sur X au 28 février prochain.
— 245 050 — Y au 31 mars —
— 48 000 — Z au 30 avril —

Nous supporterons, bien entendu, tous les frais et intérêts.

Avec nos remerciements anticipés, veuillez agréer, Messieurs, nos salutations empressées.

Réponse.

Nous avons bien reçu votre honorée d'hier renfermant trois effets de commerce.

Nous ne sommes pas des banquiers et les clauses de notre acte de société nous interdisent aussi bien les prêts d'argent que l'escompte des valeurs; en considération toutefois de nos relations amicales, nous acceptons exceptionnellement votre remise sous les réserves d'usage et nous en établissons le décompte comme suit :

Montant total desdits effets : F : ...
Echéance moyenne : 22 mars, soit 60 jours
d'intérêt à 6 p. 100 : ...
Commission 1 p. 100 : ... ...

Produit net : ...

que nous portons à votre crédit.

Recevez, Messieurs, nos meilleures salutations.

Effets remis à l'escompte; adresse au besoin.

Nous avons l'honneur de vous remettre ci-inclus les effets suivants que nous vous serions obligés de négocier au mieux :

F : 372 550 sur X et Cie, Buenos Aires, au 31 juillet.
— 975 000 sur Z et Cie — au 31 août.
— 627 700 sur Y et Cie, Montevideo, au —

Ils sont dûment endossés à votre ordre, et nous vous prions de les présenter sans faute à l'acceptation.

Comme les tirés sont d'une solvabilité indiscutable et jouissent d'une excellente réputation, si l'un d'eux, contre toute attente, refusait son acceptation, nous vous prions de ne point faire protester; en effet, de nombreux importateurs sud-américains n'acceptent guère volontiers leurs traites, bien qu'ils remplissent ponctuellement leurs engagements à l'échéance. Nous vous remettons enfin l'effet suivant :

F : 265 100. » sur W..., Buenos Aires, au 30 septembre.

Cette Maison a suscité déjà des difficultés, et comme il semble que nous ayons affaire à des chicaneurs, nous avons pris la liberté de domicilier cette traite au besoin chez votre succursale de Buenos Aires. En cas de non-paiement, nous vous prions de vouloir bien intervenir pour notre compte et de faire protester en temps utile.

Veuillez nous créditer en compte courant du montant net de cette remise sous les réserves d'usage et déduction faite de tous vos frais et intérêts.

Recevez, Messieurs, nos salutations empressées.

On demande un délai ou des fonds.

Nous avons le vif regret de vous informer que nous ne serons pas en mesure de faire face à votre traite de F : 253 100 à échéance fin courant.

Nous vous prions, en conséquence, soit de nous accorder une prorogation de 4 mois, soit de substituer à cette traite unique 1 traite de 53 100 F à échéance fin du mois, et 4 traites de 50 000 F à échéance fin mai, fin juin, fin juillet et fin août, le tout moyennant l'intérêt habituel de 5 %.

Nous avons fait notre possible pour remplir nos engagements, mais le marasme des affaires et la concurrence toujours plus âpre nous obligent à solliciter ce service.

Avec nos remerciements anticipés, nous vous prions d'agréer, Messieurs, nos bien sincères salutations.

Erreurs signalées.

En vérifiant votre facture du 17 courant, nous remarquons que vous nous débitez les 20 douzaines Rasoirs n° 12 à ... F. Nous avons sous les yeux double de commande remis par votre voyageur prouvant que nous avons acheté à ... F. En outre, vous avez omis l'escompte habituel de 3 %, ce qui fait au total une différence de ... F en notre faveur.

Nous vous serions obligés de nous faire parvenir prochainement une note d'avoir, et nous vous serions reconnaissants de prendre des mesures pour éviter le retour d'erreurs aussi désagréables. Nous vous présentons, Messieurs, nos sincères salutations.

Traite tirée par erreur.

La Banque d'Angleterre vient de nous présenter à l'encaissement (en règlement, croyons-nous, de votre facture du 10 mars) une traite de £ 45-5-10 tirée par vous sans avis préalable.

Nous vous avons pourtant soldé ce compte par notre chèque anticipé du 25 du mois dernier et nous sommes très surpris du peu d'attention de votre service de Caisse.

Nous avons donc dû refuser le paiement en priant la Banque de vouloir bien vous demander de nouvelles instructions.

Recevez, Messieurs, nos salutations empressées.

Compte en retard.

En balançant nos écritures, nous remarquons que votre compte présente un solde débiteur de F : 271 550, montant de notre facture du 1er février dernier, pour laquelle vous auriez dû nous faire parvenir chèque fin mars.

En règlement, nous disposons à vue sur votre Caisse de F : 279 930, car, nos conditions étant de 30 jours 3 % ou 90 jours net, nous avons annulé l'escompte.

Recevez, Messieurs, nos salutations empressées.

Première note pour réclamer le règlement d'une facture.

16 Avril 19...

Service de Caisse.

J'ai l'honneur de vous prier de bien vouloir m'envoyer le montant de ma facture du 31 mars dernier, n° 253, soit F 82 750.

Messieurs Bourdin et Cie,
144, rue de Vaugirard, Paris (XVe).

Deuxième note.

30 Avril 19...

Service de Caisse.

Vous m'obligeriez en m'adressant le plus tôt possible le montant de ma facture (1) du 31 mars dernier, n° 253, soit F 82 750, au sujet de laquelle je vous ai envoyé une note le 16 courant.

(*Nom et adresse.*)

Troisième note de rappel.

7 Mai 19...

Messieurs,

J'ai eu l'honneur, le 16 et le 30 avril derniers, de vous demander le règlement de ma facture (1) du 31 mars dernier et je suis surpris de ne pas avoir encore reçu de réponse.

J'ose espérer que, pour m'éviter des frais supplémentaires et pour ne pas compliquer ma comptabilité, vous voudrez bien m'envoyer, par retour du courrier, le montant de cette somme.

Solde de compte : F 82 750.

(*Nom et adresse.*)

Menace de poursuites.

14 Mai 19...

Messieurs,

Je suis très surpris que vous ayez laissé sans réponse mes lettres des 16 avril, 30 avril et 7 mai derniers. A mon grand regret, étant donné nos bonnes relations précédentes, il me faut vous informer que, si je n'ai pas reçu, avant le 20 mai au plus tard, le montant du solde de votre compte

(1) *Ou* du solde de ma facture *ou* de mon relevé de compte.

soit F : 82 750, je serai obligé de poursuivre le recouvrement de ma créance par les voies de droit.

Espérant que vous ne me laisserez pas recourir à ces moyens extrêmes, je vous prie d'agréer, Messieurs, mes bien sincères salutations.

Lettre de rappel et de menaces.

Messieurs,

En dépit de vos promesses réitérées et de nos réclamations antérieures, nous attendons toujours remboursement de notre traite de F : 12 500 échue et protestée le 31 mai (plus 260 F compte de retour) et ne pouvons nous empêcher de vous témoigner notre surprise et notre mécontentement.

Nous exigeons le règlement définitif de cette affaire, et si, dans les cinq jours, vous ne vous êtes pas entièrement libérés, il ne nous restera d'autre ressource que de recourir à des mesures de rigueur.

Dans votre propre intérêt, nous vous conseillons d'éviter une solution aussi désagréable, et nous vous présentons, Messieurs, nos sincères salutations.

Envoi de facture et demande de règlement d'un solde.

Comme suite à votre lettre reçue le 10 octobre, nous vous avons expédié par poste recommandée les ouvrages portés sur la facture ci-jointe, votre compte demeurant débiteur de la somme de 3 600 F.

Nous vous serions obligés de vouloir bien nous faire parvenir cette somme, afin de nous permettre de régulariser nos écritures.

La plupart des prix que vous nous indiquez ne sont plus conformes aux prix actuels.

Veuillez, Monsieur, agréer nos salutations distinguées.

Demande de règlement dans la huitaine.

Monsieur,

Nous vous rappelons que vous restez nous devoir la somme de 48 000 F, comme nous vous l'expliquions dans notre lettre du 20 juin dernier.

Nous ne pouvons laisser se prolonger cet arriéré, et nous vous prions de nouveau très instamment de nous adresser cette somme, en rappelant cette lettre.

A défaut de règlement dans la huitaine, nous devrons considérer cette créance comme recouvrable par voie litigieuse.

Recevez, Monsieur, nos salutations distinguées.

Dispense de protêt donné à une banque.

Monsieur le Directeur,

Je déclare par la présente dispenser expressément la Société Générale de protêt ou de dénonciation de protêt pour tous les effets que je lui ai remis ou lui remettrai, soit à l'escompte, soit à l'encaissement, et qui sont revenus ou pourraient revenir impayés à leur échéance (1).

Offre de liquidation à l'amiable.

Monsieur,

La Maison « Veil et Crémieux fils », 25, rue Réaumur, à Paris, qui existe depuis près de quatre-vingts ans et qui a toujours fait honneur à sa signature, se voit, en raison

---

(1) Faire précéder la signature des mots « Lu et approuvé ».

des circonstances et de la crise actuelle, dans la nécessité de vous prier de bien vouloir retirer de la circulation tous vos effets à échéance prochaine.

En effet, cette Maison se trouve dans l'impossibilité absolue de faire face à ses paiements.

Il va être établi de toute urgence un bilan actif et passif, et il vous sera alors demandé de bien vouloir l'examiner et de prêter votre concours à la liquidation au mieux des intérêts de l'ensemble des créanciers.

Le passif « fournisseurs » s'élève à environ *onze millions sept cent cinquante-deux mille huit cents francs,* réparti sur 60 créances.

Je vous serais particulièrement obligé de bien vouloir vous rappeler la valeur morale de cette Maison et de m'aider à parvenir au règlement amiable de cette affaire.

Avec mes remerciements anticipés, je vous prie d'agréer, Monsieur, l'expression de mes sentiments distingués.

Avis de suspension de paiement.

Monsieur,

Durement touché par la crise et à la suite de lourdes pertes causées par la faillite de deux de mes principaux clients, je me vois dans la nécessité de suspendre mes paiements à dater de ce jour.

Je fais établir en ce moment la balance de mes livres et je compte convoquer mes créanciers avant la fin du mois pour leur présenter un bilan exact. S'ils veulent bien m'accorder les délais suffisants, j'ai lieu de croire que je serai en mesure de faire honneur à toutes mes obligations, même sans réaliser entièrement les stocks et les immeubles qui forment la plus grande partie de l'actif.

J'espère, Monsieur, que vous aurez l'obligeance, en

raison de nos excellentes relations antérieures, d'attendre cette convocation et de vous faire représenter par un fondé de pouvoir si vous ne pouvez vous y rendre en personne.

Veuillez agréer, Monsieur, l'expression de mes sentiments les plus distingués.

Pouvoir spécial pour représenter à une faillite ou à une liquidation judiciaire.

(Voir p. 448.)

Des créanciers donnent à un huissier ordre de procéder judiciairement.

Sous les auspices de nos amis communs MM. X et Cie, nous avons l'avantage de vous confier le soin de nos intérêts contre L... et D... de votre ville.

Ces clients ont laissé protester fin mars notre traite de F : 25 300; ils nous doivent en outre F : 15 000, notre remise espèces pour les aider à l'échéance, plus 375 F compte de retour.

Cela constituant une escroquerie flagrante, nous vous prions d'exiger immédiatement satisfaction; sinon veuillez les assigner et les poursuivre sans ménagements.

Inclus vous trouverez toutes pièces justificatives : pouvoir, effet accompagné de son protêt, copies certifiées de nos lettres et factures.

Veuillez agréer, Monsieur, nos salutations empressées.

Des mandataires rendent compte des poursuites intentées

Affaire L... et D... — Vos débiteurs ayant remboursé, dès la première sommation, les 15 000 francs que vous leur aviez avancés, j'ai renoncé, en conséquence, à notre plainte en escroquerie et je les ai assignés devant le Tribunal de Commerce.

Reconnaissant le bien-fondé de votre demande, il a condamné L... et D... au paiement de l'effet protesté (F : 25 300, plus 375 F compte de retour), cette somme produisant 5 % d'intérêts à partir du 1er avril dernier.

Mais les défendeurs ayant offert de se libérer par traites échelonnées payables fin juin, septembre et novembre, les juges ne pouvaient légalement qu'accéder à cette demande.

Je vous prie donc de m'envoyer par retour trois traites comprenant principal, frais et intérêts, que je présenterai à l'acceptation.

Le père de L..., qui possède une petite fortune, s'étant porté garant de l'arrangement de son fils, il y a tout lieu d'espérer que les paiements s'effectueront régulièrement.

Mes frais et honoraires s'élèvent à F : 1 500 que vous voudrez bien me régler à votre convenance par chèque ou par mandat-poste.

Je vous prie d'agréer, Messieurs, mes salutations empressées.

Un failli annonce sa réhabilitation.

Béziers, le 19...

Monsieur,

Déclaré en faillite par un jugement du Tribunal de Commerce de Béziers en date du 10 mai 19.., j'ai obtenu un concordat par lequel mes fournisseurs, tenant compte des circonstances de ma chute, m'ont accordé une remise de 40 % sur leurs créances, le reste payable par annuités.

J'ai été assez heureux, depuis, pour satisfaire aux conditions de mon concordat et même rembourser intégralement le montant de mon passif, capital et intérêts compris.

En conséquence, la Cour de Montpellier, dans son audience du 4 février 19.., a rendu en ma faveur un arrêt de réhabilitation.

J'ai l'honneur de vous en adresser ci-joint copie.

Avec la nouvelle expression de mes remerciements pour l'obligeant appui que j'ai trouvé auprès de vous en des heures difficiles, je vous prie d'agréer, Monsieur, mes salutations distinguées.

TROISIÈME PARTIE

LES AUTORITÉS ET LEURS POUVOIRS CORRESPONDANCE ADMINISTRATIVE ET JURIDIQUE

LES AUXILIAIRES DES TRIBUNAUX

Edition 1968

Nouvelle rédaction par Me C. M. Bertrand, Avocat au barreau de Versailles, Docteur en droit.

INTRODUCTION

LA JUSTICE ET L'ADMINISTRATION EN FRANCE A NOTRE ÉPOQUE

Hier encore, au début de notre siècle, les Français pouvaient vivre fort bien sans avoir jamais à s'adresser aux tribunaux et aux administrations publiques, si ce n'était pour payer leurs impôts ou pour demander copie d'un acte de l'état civil, ou lorsque, par extraordinaire, ils devaient se rendre en pays étranger.

Le dirigisme et les contrôles rendus nécessaires par les progrès techniques, le développement de la circulation et des échanges internationaux ont suscité dans toute l'Europe et au-delà un énorme développement des services publics, notamment de police.

Les bureaux désormais sont tout-puissants, et nul citoyen d'un pays évolué ne peut plus se vanter de n'être jamais obligé de s'adresser à certains d'entre eux.

Pour les mêmes raisons et quelques autres, le nombre des personnes appelées devant les tribunaux ne cesse d'augmenter en France, depuis une dizaine d'années surtout.

Dans notre société obligée de multiplier les interdictions et les règlements (« nul n'est censé ignorer la loi... », quelle dérision à notre époque !), de plus en plus nombreux sont, en outre, les citoyens recherchés et convoqués en raison d'actes commis par leurs enfants, ou par leurs employés ou préposés.

Vivant pour la plupart dans les communautés urbaines, utilisant de nombreux services publics, tous les Français ont des problèmes juridiques.

Or, les adultes d'aujourd'hui n'ont presque rien appris, sur les bancs de l'école ou du lycée, sur l'organisation des services publics, et absolument rien sur le fonctionnement de la justice.

Il en résulte que, chaque jour, d'innombrables personnes se trouvent dans l'embarras parce qu'elles doivent s'adresser à l'administration, ou se rendre au palais de justice.

Les nouveaux services administratifs et l'organisation judiciaire étant souvent ignorés, même des hommes les plus instruits, nous croyons rendre service à nos lecteurs en les invitant à lire les tableaux des chapitres suivants, et à s'y reporter chaque fois qu'ils devront s'adresser à un service public, ou seront convoqués par une autorité judiciaire.

CHAPITRE PREMIER

LES AUTORITÉS ADMINISTRATIVES

I. — Affaires administratives.

SIÈGE DES PRINCIPAUX SERVICES

Où faut-il s'adresser pour :	
la circulation et la police générale; les voies publiques (permis de conduire, étrangers, passeports, Ponts et Chaussées, etc.) ; l'agriculture, les Eaux et Forêts; l'aide sociale à l'enfance et aux vieillards; la santé publique, les aliénés et les hôpitaux psychiatriques; le marché du travail et la main-d'œuvre; les transports; les établissements dangereux ou insalubres; la construction d'immeubles; déclarer une association; l'instruction publique, l'équipement sportif et culturel; les rapatriés; l'enseignement privé.	**Préfecture.**

Cependant des services *municipaux* fonctionnent dans les villes importantes pour la voirie, l'hygiène, le logement, l'instruction publique et les colonies de vacances, les loisirs des jeunes, l'aide aux mères, le tourisme, etc.

Les demandes adressées au préfet (permis de conduire, passeport, carte d'identité, etc.) doivent, dans les villes, être déposées au *commissariat de police* (y demander les formules à remplir).

Affaires administratives (suite).

A quelle autorité s'adresser pour :

l'*état civil :* actes de naissance, de mariage, de décès (bulletins et fiches) ; la voirie et la police municipales (chemins vicinaux, foires et marchés, débits de boissons, kermesses, etc.) ; l'alignement et le plan d'urbanisme (s'il y en a) ; le cadastre ; le placement des travailleurs ; les écoles primaires ; l'inscription sur les listes électorales ; le nettoiement ; le logement.	**Maire.**

Au *sous-préfet,* on peut adresser certaines réclamations, signaler les demandes restées en souffrance à la préfecture, soumettre certaines difficultés.

Certificat de domicile ou de résidence ; Déclarations diverses (de changement de domicile, d'emploi de travailleur étranger, etc.) ; Visas de registres.	**Commissariat de police, ou, à défaut, mairie.**

II. — Contentieux administratif.

Toutes contestations et requêtes concernant : le contentieux des élections ; les contributions directes ; les marchés de travaux publics ; le domaine public et son occupation ; la responsabilité des fonctionnaires et de l'administration ; l'urbanisme et la construction ; la voirie.	**Tribunal administratif interdépartemental.**

Les décisions du tribunal administratif interdépartemental peuvent être frappées d'appel, et sont dans ce cas déférées au Conseil d'Etat.

III. — Fiscalité.	Déclarations prescrites par le Code des impôts pour les alcools, et certains stocks.	**Direction départementale des contributions indirectes.**
	Délais de paiement des impôts, certificats de non-imposition.	**Percepteur.**
	Réclamations sur les impositions et demandes de dégrèvements ou de rectifications.	**Directeur départemental ou inspecteur des contributions directes (des impôts).**
	Actes sous seings privés [contrats] (1) ; déclarations de successions.	**Receveur de l'enregistrement.**
	Demandes de remise de droits indûment perçus.	**Directeur de l'enregistrement.**
IV. — Patrimoine.	Mutations immobilières, liquidations de successions, partages, prêts hypothécaires, contrats de mariage, constitutions de sociétés, etc.	**Notaires.**
	Ventes aux enchères publiques d'objets mobiliers.	**Commissaires-priseurs et huissiers.**
	Ventes en bourse de valeurs mobilières.	**Agents de change et courtiers.**

V. — Enseignement public et orientation professionnelle.

Enseign. public.	Liste et adresses de toutes les écoles et crèches municipales.	**Mairie, bureau des écoles, ou, à défaut, Inspection d'académie à la préfecture.**
	Au cas où les écoles seraient trop éloignées ou ne donneraient pas l'enseignement désiré, ou en cas de maladie, on peut obtenir	

(1) Les actes authentiques sont rédigés par les notaires, et par eux présentés à l'Enregistrement.

Enseignement public (suite).

l'enseignement public gratuit par correspondance (l'achat des livres reste à la charge des élèves, ainsi qu'une participation aux frais de correspondance) ; s'adresser au *Centre national de télé-enseignement,* 60, boulevard du Lycée à Vanves (92) [Tél. 642-45-50].

Toutes les préparations (primaires, secondaires, techniques et professionnelles) commençant le 15 septembre, la demande d'inscription doit être faite à partir du 20 août et jusqu'au 1er octobre, dans la limite des places disponibles.

Les élèves d'âge scolaire et n'exerçant aucune activité rémunérée inscrits au Centre de télé-enseignement peuvent bénéficier d'une bourse au même titre que leurs camarades des lycées et collèges.

Les *demandes de bourses* doivent être adressées à l'inspection d'académie de la résidence de la famille entre le 1er décembre et le 10 janvier de l'année précédant l'admission.

C'est auprès du chef d'établissement scolaire fréquenté par l'enfant que les parents obtiendront la liste des papiers à joindre et tous renseignements utiles.

Les demandes de *dispense de scolarité* pour les enfants de moins de 16 ans doivent être adressées à l'inspecteur d'académie. Il est préférable d'y joindre l'avis favorable d'un conseiller d'orientation scolaire et professionnelle.

Orientation professionnelle.

Il existe en France 260 centres d'orientation scolaire et professionnelle, publics et gratuits.

On peut obtenir leur adresse dans les mairies, ou à défaut auprès de l'inspecteur d'académie à la préfecture.

Les centres voient les jeunes à partir de 5 ans (en cas de difficultés scolaires) et jusqu'à 18 ans.

Les parents ont le plus grand intérêt à consulter le centre dans le courant de l'année scolaire, et non pas au dernier trimestre, toujours surchargé.

Au-delà de 16 ans, les jeunes peuvent consulter les bureaux universitaires de statistiques et d'information sur les études et les carrières, dits B. U. S.

L'adresse des centres régionaux et locaux peut être fournie par l'Institut pédagogique national, 29, rue d'Ulm, Paris (Ve).

Il est répondu à toute demande précise, formulée par lettre, mais la réponse pourra se faire attendre plusieurs semaines.

N. B. — En 1968, une nouvelle réforme de l'orientation professionnelle est en cours.

MODÈLES DE LETTRES

Au maire pour demander la pose d'un poteau à un carrefour dangereux.

C. DURAND, commerçant
(*adresse*).

à Monsieur le Maire de ...
(*adresse*).

..., le ... 19..

Monsieur le Maire,

Je demeure près du carrefour des routes ... n° ... et n°..., lieu dit ..., qui dépend de votre commune.

De nombreux accidents ont eu lieu à ce carrefour, dont certains ont fait plusieurs blessés.

La sécurité de nos concitoyens étant en jeu, il paraît désirable d'apposer avant ce carrefour un poteau qui prescrirait une vitesse limite inférieure à celle de 60 km/h actuellement autorisée dans les agglomérations.

La proximité de l'école fait que de nombreux enfants traversent la route à cet endroit.

Or, la plupart des automobilistes, se trouvant sur une nationale, ne ralentissent pas.

J'espère donc vivement qu'après avoir au besoin vérifié vous-même les dangers auxquels sont ainsi constamment exposés nos enfants, vous allez adopter ma proposition.

Veuillez agréer, Monsieur le Maire, l'assurance de ma considération la plus distinguée.

Signature.

Au maire de la commune pour protester contre des bruits intempestifs.

..., le ... 19..

L. Duval
..., avenue ...
78 - ...

à Monsieur le Maire de ...

Monsieur le Maire,

Je me permets d'attirer votre attention sur les inconvénients qui résultent pour nos voisins et ma famille de la proximité de la foire que vous avez autorisée cette année à s'installer place ...
(ou du dancing qui s'est récemment ouvert sur ..., ou de la récente fabrication industrielle de ... dans l'atelier exploité par la Société ... et Cie, rue ...).

Le vacarme de ses manèges (ou de son orchestre, ou de ses haut-parleurs, ou de ses machines, etc.) est tel que nous ne pouvons trouver le sommeil avant ... heures (du soir ou du matin, *préciser*) ou que nous sommes brutalement réveillés avant le jour, à ... heures.

Nous vous prions donc instamment de prendre des mesures propres à faire cesser cet état de choses inacceptable (*suggérer les remèdes possibles :* transfert des manèges à la sortie de la ville, sur tel terrain communal, arrêt des haut-parleurs et fermeture des portes et fenêtres du dancing à 10 heures du soir, interdiction de tout bruit après 10 heures du soir et avant 7 heures du matin, etc.).

Nous espérons que vous voudrez bien comprendre qu'une stricte réglementation des bruits, analogue à celle qui est en vigueur dans les villes voisines, s'impose maintenant dans notre commune.

Etant nombreux à nous plaindre de ce vacarme excessif, etc. (ou de ce voisinage désagréable, etc.), nous attendons les arrêtés que la loi vous autorise à prendre pour nous en délivrer.

Veuillez agréer, Monsieur le Maire, l'assurance de ma parfaite considération.

Signature.

Cette lettre pourra naturellement être contresignée par tous intéressés, qui donneront comme son rédacteur leurs noms, qualités, adresses.

Une femme en instance de divorce en séparation de corps à la caisse d'allocations familiales.

Odette T..., épouse C...
43, rue Le Brun, Paris (XIIIe)
N° d'allocataire de M. C...

à Monsieur le Directeur
de la Caisse centrale
d'allocations familiales, Paris (XVe).

Paris, le 2 décembre 19..

Monsieur le Directeur,

J'ai l'honneur de vous faire connaître que, par ordonnance du 3 novembre dernier, dont copie ci-jointe, le président du tribunal de grande instance de la Seine m'a confié la garde de nos quatre enfants.

En conséquence, c'est désormais à moi et à mon nom que les prestations familiales doivent être versées.

D'ailleurs, restée seule à mon foyer, sans argent, j'ai dû prendre un emploi : depuis le 2 novembre je travaille chez M. ... à ....

Je vous adresse ci-joint son attestation d'employeur.

Etant donné ma situation critique, j'ose espérer qu'aucun retard n'empêchera le versement, à la fin du mois, des allocations familiales, y compris celle de salaire unique, à mon nom.

Veuillez agréer, Monsieur le Directeur, l'assurance de mes sentiments distingués.

Signature.

Pièce jointe : copie de l'ordonnance de non-conciliation. (Un extrait reproduisant seulement les mesures provisoires ordonnées, certifié conforme par l'avoué ou par l'avocat, peut suffire.)

Demande d'acquisition de logement construit en application de la législation H. L. M. formulée par un locataire.

(*Nom et adresse.*)

à Monsieur le Président
du conseil d'administration
de l'office public d'H. L. M.

..., le ... 19..

Monsieur,

J'ai l'honneur de porter à votre connaissance qu'en application des articles 257 à 268 du Code d'urbanisme, je désire bénéficier des dispositions de la loi du 10 juillet 1965, afin d'acquérir le logement que j'occupe.

Je vous saurai gré en conséquence de vouloir bien me faire connaître les conditions fixées par l'administration des domaines, et les possibilités d'un règlement fractionné.

Dans cette attente, et avec mes remerciements anticipés, je vous prie de croire, Monsieur, à l'expression de ma haute considération.

Signature.

Demande de certificat d'urbanisme (pour un immeuble situé dans un département autre que Paris).

Demande à adresser au directeur départemental de la Construction, ou au préfet, ou au maire.

Monsieur ...

J'ai l'honneur de vous demander de vouloir bien me faire connaître les dispositions et prescriptions du plan d'urbanisme de la commune de ..., qui ont trait à l'immeuble suivant (*désignation de l'immeuble et numéro au cadastre*).

La présente demande est effectuée par mes soins à mon profit (*ou s'il s'agit d'une demande formulée pour une autre personne :* au nom de M. ... demeurant à ...) en vue de ... (acquisition, location, etc.).

..., le ... 19..

Signature.

N. B. — Le certificat d'urbanisme doit être demandé et obtenu pour toute construction d'immeuble, quelle qu'elle soit.

Au préfet, rappel d'une demande de prêt de reclassement présentée par un rapatrié d'Algérie.

(*Nom et adresse.*) à Monsieur le Préfet du Tarn
Service des Rapatriés.

..., le ... 19..

Monsieur le Préfet,

J'ai l'honneur de porter à votre connaissance qu'en application des dispositions du décret du ..., j'ai adressé à la date du ... une demande tendant à obtenir le bénéfice d'un prêt de réinstallation avec l'octroi d'une subvention complémentaire.

Je joignais à cette demande, outre les pièces essentielles qui m'avaient été réclamées relativement à mon ancien commerce d'Algérie (copie de l'inscription au Registre du commerce, avertissement des Contributions directes, rapport d'expert), une lettre dans laquelle je manifestais l'intention d'acquérir un commerce déterminé.

Les conditions étant rigoureusement remplies, je m'étonne de ce qu'aucun avis ne me soit parvenu à ce jour.

Une prompte réponse de votre part m'obligerait.

Dans l'attente d'une décision qui ne peut m'être que favorable, je vous prie d'agréer, Monsieur le Préfet, l'assurance de ma considération très distinguée.

Signature.

Pour des réparations urgentes à imposer à un propriétaire d'immeuble.

(*Nom et adresse.*)

à Monsieur le Maire de ...

..., le ... 19..

Monsieur le Maire,

J'ai l'honneur de porter à votre connaissance que je suis locataire dans un immeuble sis à ... appartenant à ...

Depuis plusieurs mois, des infiltrations d'eau régulières et de plus en plus importantes se produisent dans le plafond de notre salle à manger au point de causer, outre des dommages et troubles considérables, une grave menace quant à la solidité de ce plafond déjà vétuste, celui-ci, par les larges fissures qu'il présente, risquant de s'effondrer par endroits.

Les interventions multiples auprès de notre propriétaire étant demeurées vaines à ce jour, je vous serais reconnaissant, étant donné l'urgence et s'agissant d'une situation intéressant notre sécurité, de vouloir bien mettre en demeure ledit propriétaire de procéder dans le plus bref délai aux réparations qui s'imposent.

Avec mes remerciements anticipés, veuillez agréer, Monsieur le Maire, l'assurance de ma considération très distinguée.

Signature.

La même lettre peut au besoin être adressée au préfet.

CONTRIBUTIONS

Demande de dégrèvement à la suite de calamités agricoles (art. 1421 C. G. I.).

Paul MARTIN, viticulteur
11 - D...

Références :
Contribution foncière de ... F
Avertissement n° ...

à Monsieur le Directeur
des impôts de l'Aude,
11 - Carcassonne.

D..., le ... 19..

Monsieur le Directeur,

J'ai l'honneur de porter à votre connaissance qu'à la suite des violents orages qui se sont abattus sur notre région cette année, ma récolte a été presque totalement détruite par les inondations.

Je sollicite en conséquence de votre haute bienveillance de vouloir bien prendre en considération la perte très importante que j'ai subie, et m'accorder de ce fait, en application de l'article 1421 du Code général des impôts, le dégrèvement de ma contribution foncière dont les références sont mentionnées ci-dessus.

Je vous prie de vouloir bien trouver ci-joint, à l'appui de la présente demande, l'attestation qui m'a été délivrée par les services municipaux.

Veuillez croire, Monsieur le Directeur, à l'expression de ma respectueuse considération.

Signature.

Pièce jointe : attestation du maire.

Lettre au directeur des contributions directes pour demander une réduction d'impôts.

M. Bernard L...

...

13 - Salon-de-Provence

à Monsieur le Directeur départemental des contributions directes, à Marseille.

Salon, le 13 juin 19..

Monsieur le Directeur,

J'ai l'honneur de porter à votre connaissance que je viens d'être imposé au rôle de la commune de Salon, pour une maison cadastrée sous le numéro 28 de la section B, pour une somme de 600 F.

Je me permets de vous faire observer que le revenu cadastral attribué à cette propriété est exagéré, par comparaison aux revenus assignés aux maisons des sieurs X et Y de la même localité, et par comparaison surtout avec les revenus de la plupart des propriétés bâties de la commune.

Dans ces conditions, je vous prie, Monsieur le Directeur, de bien vouloir faire ramener à 300 F le revenu cadastral de ma maison, et prononcer en ma faveur la décharge de l'impôt foncier afférent à 300 F de revenu cadastral.

Veuillez agréer, Monsieur le Directeur, avec mes remerciements anticipés, l'expression de ma considération distinguée.

Signature.

Demande tendant à bénéficier de l'exemption temporaire de contribution foncière.

Dans le cas de terres incultes, vaines et vagues ou en friche depuis quinze ans au moins, mises en culture ou plantées en mûriers ou arbres fruitiers (exemption de dix ans).

Jean Rouquerol, cultivateur
30 - X...
Références :
Contribution foncière de ... F
Avertissement n° ...

à Monsieur le Directeur des impôts, à Nîmes.

..., le ... 19..

Monsieur le Directeur,

J'ai l'honneur de vous exposer que je suis propriétaire du terrain sis à ..., lequel depuis l'année 19.. était inculte.

Depuis le mois de ... de l'année écoulée, j'ai fait procéder dans le terrain aux travaux destinés à la plantation d'arbres fruitiers. (*Préciser s'il s'agit d'autres plantations ou mises en cultures.*)

Je sollicite de ce fait le bénéfice de l'exemption temporaire prévue dans un tel cas.

Avec mes remerciements anticipés, je vous prie d'agréer, Monsieur le Directeur, l'expression de ma considération très distinguée.

Signature.

Pour bénéficier de cette exemption temporaire, les propriétaires doivent adresser leur réclamation avant le 31 décembre suivant celle de l'exécution des travaux (avec les pièces exigées).

ENSEIGNEMENT

Demande de renseignements auprès d'un B. U. S.

(*Nom et adresse.*)

à Monsieur le Directeur du B. U. S.
de ... (1)

..., le ... 19..

Monsieur,

Mon fils (*nom, âge, adresse*) vient d'échouer au baccalauréat. Il aurait pu réussir, car il a eu la moyenne toute l'année.

Il serait désireux de préparer une école nationale de commerce.

Ne possédant pas de brochure à jour, je vous serais reconnaissant de m'indiquer quelles sont les écoles de commerce de province admettant les élèves en « année préparatoire » à l'issue de laquelle ceux-ci peuvent se pré-

---

(1) Voir page 381 la rubrique « Enseignement public et orientation professionnelle ».

senter au baccalauréat et à l'examen d'entrée des écoles de commerce.

Cela lui permettrait de ne pas perdre une année.

En cas d'échec, faut-il songer à d'autres écoles de commerce?

Pourriez-vous m'indiquer les écoles privées qui préparent à des carrières commerciales les jeunes gens ayant fait des études secondaires?

Je vous en remercie d'avance, et vous prie de croire, Monsieur, à toute ma considération.

Signature.

Demande de renseignements auprès d'un B. U. S.

(*Nom et adresse.*)

à Monsieur le Directeur du B. U. S.
de ... (1)

..., le ... 19..

Monsieur,

Désirant me perfectionner dans toutes les disciplines qui relèvent du secrétariat et si possible obtenir un diplôme, je vous serais reconnaissante de me fournir des précisions dans ce domaine.

Je suis âgée de 20 ans et je n'ai que mon C. E. P.

J'ai suivi des cours Pigier de sténo-dactylo de 16 à 18 ans.

Depuis deux ans, je travaille dans une entreprise de chauffage à ...

Pouvez-vous me faire savoir ce qui existe :

1° comme cours par correspondance;

---

(1) Voir page 381 la rubrique « Enseignement public et orientation professionnelle ».

2° comme cours du soir dans le département de ... (ou dans telle ville);

3° comme stages intensifs ou sessions accélérées.

Je me permets d'ajouter qu'aimant le secrétariat j'ai le plus vif désir d'augmenter mes connaissances à tous points de vue.

Mais, je dois malheureusement subvenir à mes besoins, et je ne veux demander aucune aide à ma famille.

J'accepterais avec reconnaissance toute suggestion de votre part.

Je vous prie de croire, Monsieur, à mes sentiments respectueux.

Signature.

Demande de dispense de scolarité pour un enfant de moins de seize ans (et de plus de quatorze ans).

(*Nom et adresse.*)

à Monsieur l'Inspecteur d'académie de ...

..., le ... 19..

Monsieur l'Inspecteur d'académie,

J'ai l'honneur de solliciter de votre haute bienveillance une dispense de scolarité pour mon fils (ou ma fille) :

(*Nom*) ... (*et prénoms*) ...

né(e) le ... à (*département*) ...

donc âgé(e) actuellement de ...

Il (ou elle) vient d'obtenir son certificat d'études.

Notre voisin, artisan menuisier, s'offre à le prendre comme apprenti sous contrat.

Il pourra suivre les cours par correspondance de la Fédération des industries du meuble (1) et passer l'examen du C. A. P.

Le conseiller d'orientation scolaire et professionnelle n'y voit pas de contre-indication (2).

Par ailleurs, notre région comportant peu de collèges techniques, il serait difficile de trouver une autre solution satisfaisante.

Pour une fille, autre lettre :

Cette enfant est l'aînée de notre famille, comptant 8 enfants. Nous avons besoin d'elle à la maison.

Elle n'a pas passé l'examen accordant le certificat d'études primaire.

Son institutrice pense qu'elle pourrait continuer à travailler par correspondance.

Si vous voulez bien nous accorder cette dispense, nous nous engageons à inscrire notre fille aux cours de la Mutualité agricole [ou de la chambre d'agriculture de . . .] (3) et à veiller à l'envoi de ses devoirs avec régularité.

Nous vous prions de croire, Monsieur l'Inspecteur, à l'assurance de notre haute considération.

Signature.

(1) 28, rue Faidherbe, Paris.

(2) Joindre l'avis du conseiller d'orientation scolaire et professionnelle.

(3) Il existe 28 centres d'études rurales par correspondance affiliés à l'Union des centres d'études rurales par correspondance, 14, rue de Richelieu, Paris (Ier).
Les cours permettent aux parents de continuer à percevoir les allocations familiales.

CHAPITRE II

LES AUTORITÉS JUDICIAIRES EN FRANCE

LES MAGISTRATS ET LEURS FONCTIONS

MAGISTRATS « DU SIÈGE », PRÉSIDENTS, VICE-PRÉSIDENTS ET JUGES

Ils rendent :

1. *des jugements* (tribunal) ;

2. *des ordonnances* (président, juge des enfants et juge d'instruction) ;

3. *des arrêts* (cour d'appel, Cour de cassation, cour d'assises) ; tant en *matière civile* (procédure faite par les parties) qu'en *matière pénale* (de condamnation ou de relaxe [1]), statuant sur les poursuites du « parquet ».

LE PROCUREUR DE LA RÉPUBLIQUE ET SES SUBSTITUTS (2)

Magistrats du parquet.

Ils font interpeller et conduire devant eux par la police les auteurs de crimes ou de délits.

Le procureur fait citer les « prévenus » devant *le tribunal correctionnel* (chambre correctionnelle du tribunal de grande instance).

Ministère public à l'audience, le procureur (ou son substitut) requiert l'application de la loi pénale.

Le jugement rendu et devenu définitif à défaut d'appel, il le fait signifier au condamné laissé en liberté.

Il en ordonne l'exécution, qu'il peut différer.

---

(1) *Relaxe :* acquittement. Déclaré non coupable, le plus souvent au bénéfice du doute, le prévenu est « relaxé... sans peine ni dépens ».

(2) Tandis que les magistrats du siège sont en principe très indépendants, ceux du parquet doivent exécuter les instructions de leurs supérieurs hiérarchiques. Il peut leur être ordonné de poursuivre ou de requérir, dans un certain sens.

Magistrats de l'instruction.

Les auteurs de crimes — ou de délits graves — sont conduits devant un *juge d'instruction,* désigné par le procureur.

Ce magistrat met souvent l'accusé « sous mandat de dépôt », et le retient habituellement en prison jusqu'à sa comparution devant : la cour d'assises si son acte est qualifié « crime »; le tribunal correctionnel si son ou ses actes sont qualifiés « délits » (dans ce cas, la mise en liberté provisoire en cours d'instruction est plus fréquente).

Chargés des mineurs (*).

1° *Magistrat « du siège » :* un juge au moins par département (12 à Paris) est nommé *juge des enfants.*

a) A ce titre, il exerce seul, dans son cabinet, les pouvoirs, considérables depuis 1959, que lui confère le Code civil *pour la protection des enfants en danger.*

Il peut prendre seul et sans délai toutes mesures, d'éloignement des enfants et autres, par ordonnance provisoire. Il utilise tous renseignements, ordonne toutes enquêtes, tous examens médicaux, etc.

Il peut conseiller fermement aux parents dont les enfants lui sont signalés (par les services sociaux, la police, ou tout citoyen) tous traitements, cures, etc.

Voir les articles 375 à 382 du Code civil.

b) comme *président du tribunal pour enfants et adolescents* (T. E. A.), il tient, assisté de deux assesseurs non-magistrats, des audiences auxquelles comparaissent *les mineurs de moins de 18 ans* auteurs de délits et leurs parents, pour une application indulgente, à ces jeunes délinquants, des lois pénales dans un but de redressement.

2° *Magistrat « du parquet » :* un *substitut des mineurs* est spécialement chargé de représenter le procureur auprès du (ou des) juge(s) des enfants, tant pour les mesures de protection (enfance en danger) que pour décider des poursuites contre les jeunes délinquants, qu'il fait citer devant le T. E. A.

Les juges des condamnés.

Ils s'occupent de la rééducation des majeurs délinquants.

Depuis 1959, un *juge de l'application des peines,* magistrat d'un tribunal de grande instance, est, dans chaque département ou très gros arrondissement judiciaire, nommé pour trois ans, par décret, pour déterminer les conditions d'exécution des sanctions pénales infligées

---

(*) Des moins de 18 ans pour les crimes et délits, et des moins de 21 ans pour leur protection.

aux individus condamnés par la cour d'assises ou par un tribunal correctionnel.

Il forme avec des bénévoles et il préside un *comité de probation* afin, notamment, de faire suivre et assister les bénéficiaires d'un sursis avec mise à l'épreuve, ou de toute autre mesure de bienveillance visant à leur redressement, qu'il doit faire surveiller par son délégué permanent.

TRIBUNAL DE GRANDE INSTANCE

Tous les magistrats cités plus haut exercent leurs fonctions dans un tribunal de grande instance.

Il y en a 1 à 3 par département, en moyenne.

La plupart (95 sur 172) siègent auprès d'une préfecture.

En matière civile, ils instruisent et jugent notamment tous les litiges concernant l'état des personnes et des familles : divorces, séparations de corps, gardes d'enfants, etc.

TRIBUNAUX D'INSTANCE

Les affaires moins importantes, tant civiles que pénales, sont jugées par les tribunaux d'instance, qui ont remplacé en 1959 une (ou plusieurs) justice(s) de paix.

Ceux-ci siègent auprès des sous-préfectures et de quelques chefs-lieux de canton importants.

La plupart ne comprennent qu'un seul juge.

En matière civile, ce magistrat rend seul des jugements, souvent en dernier ressort (définitifs).

En matière pénale, il préside, seul, le *tribunal de police,* devant lequel comparaissent, par centaines, sur citation du commissaire, les auteurs de *contraventions.*

Depuis 1959, ce juge unique connaît des affaires importantes en *matière d'accidents :* il juge les responsables de blessures par imprudence dont les victimes n'ont pas subi une incapacité de travail totale de plus de trois mois (1).

Tant au pénal qu'au civil, les décisions importantes des tribunaux ne sont rendues qu'en *premier ressort.*

COUR D'APPEL

Le citoyen condamné à une peine d'emprisonnement, ou à une forte amende, ou à verser une somme importante, ou privé de certains de

---

(1) Le (président du) tribunal de police juge aussi la plupart des auteurs de violences et de coups et blessures volontaires. Mais, dans ces matières, ses décisions peuvent être frappées d'appel. Les parties seront dans ce cas jugées à nouveau par la cour.

ses droits, ou divorcé à ses torts et privé de ses enfants, etc., peut, dans un certain délai, faire *appel.*

S'il a fait recevoir par le greffe du tribunal correctionnel, en matière pénale, ou signifier par huissier, en matière civile, son appel, dans le délai légal, il sera jugé à nouveau par la cour d'appel.

Il y a 27 cours d'appel en France, Corse comprise, dont les magistrats (premier président, présidents de chambre, conseillers; procureur général, avocat général, substituts généraux) exercent à l'échelon supérieur des fonctions analogues à celles de leurs collègues des tribunaux de grande instance, parmi lesquels ils sont nommés par décret.

Statuant « à nouveau », ils réforment ou annulent (parfois) ou confirment leurs décisions, lesquelles sont, elles, *définitives,* sous réserve du contrôle de la Cour de cassation.

LES PRINCIPAUX AUXILIAIRES DE LA JUSTICE, MANDATAIRES DES PARTIES

LES AVOCATS

Porteurs de la robe noire, les plus indépendants, ils peuvent seuls assister les accusés ou prévenus, ou les représenter, devant tous magistrats et juridictions dans la France entière, qu'ils soient inscrits au barreau d'une cour d'appel ou d'un tribunal.

Ils défendent, conseillent, informent, dirigent des procédures, interviennent, engagent des poursuites de partie civile, etc.

Bien entendu, ils peuvent aussi persuader, dissuader, rapprocher, parfois réconcilier, ou conclure une transaction.

Ils ont le monopole de la plaidoirie devant toutes les cours d'appel, et devant les tribunaux de grande instance les plus importants.

LES AVOUÉS

Officiers ministériels, ils sont attachés à un tribunal de grande instance, ou à une cour d'appel.

Mandataires légaux des plaideurs, ils présentent les requêtes, reçoivent et signifient les actes des procédures civiles pour leurs clients.

Ils « occupent » pour eux, c'est-à-dire les *représentent* devant la juridiction saisie.

La « constitution » d'un avoué est obligatoire dans les procès civils importants, ceux qui concernent l'état des personnes notamment.

Ils accomplissent en leur nom les formalités prescrites par la loi (inscriptions et déclarations diverses, signification et transcription des jugements, etc.) dont ils sont responsables (1).

Ils procèdent aux ventes immobilières ordonnées par le tribunal de grande instance.

LES HUISSIERS

Les huissiers de justice signifient toutes les assignations et citations à comparaître devant les tribunaux et cours, ainsi que les jugements, ordonnances et arrêts portant condamnations civiles.

Ils peuvent aussi, à la requête de leurs clients, signifier des sommations, des commandements, des congés, dresser des constats, des protêts, etc.

Aux audiences des tribunaux d'instance, ils sont très souvent « commis » pour vérifier les allégations et situations respectives des parties, et procéder à toutes investigations pour éclairer le juge.

Ils poursuivent au besoin l'exécution forcée des décisions judiciaires définitives : expulsions, saisies, ventes des biens saisis, etc.

Pour plus de précisions sur les compétences exactes de ces auxiliaires de la justice, voir le chapitre IV.

PRÉCISIONS COMPLÉMENTAIRES

Ces notions élémentaires laissent subsister de nombreuses incertitudes quant aux formules à employer et aux démarches à faire (ou éviter) si vous devez avoir recours aux tribunaux. Voici, pour les compléter, quelques précisions :

1. Comment appeler les juges?

On dit : *Monsieur le Président* à tout magistrat tenant une audience publique (tribunal de police, tribunal correctionnel, etc.) ;

Monsieur le Juge à tout magistrat chargé d'une mesure d'information (enquête civile, juge d'instruction), ainsi qu'au juge des enfants dans son cabinet.

---

(1) Devant les tribunaux d'instance (anciennes justices de paix), le plaideur peut être représenté par un avoué comme par un avocat. Mais, dans les procès civils importants, tels les divorces, il a — hors l'Alsace-Lorraine — besoin de l'un et de l'autre.

L'avoué le représente légalement. L'avocat le conseille, donne ses instructions à son avoué, et plaide pour lui devant le tribunal, comme devant la cour d'appel.

Les magistrats du parquet peuvent toujours être appelés *Monsieur le Procureur* (au tribunal de grande instance).

A la cour d'assises, l'accusateur qui représente la société est un *avocat général,* de même qu'aux audiences de la cour d'appel statuant en matière pénale.

2. A quels magistrats ou services s'adresser pour :

a) Déposer une plainte.

Au procureur de la République. Le commissaire de police (ou le chef de la brigade de gendarmerie, compétent sur place) aime mieux recevoir des instructions écrites.

b) Présenter une demande de réparation d'un préjudice subi par suite d'un accident ou d'un délit.

Si le dommage est minime, la demande peut être formulée par la victime elle-même, convoquée comme témoin devant la juridiction répressive (tribunal de police ou tribunal correctionnel).

Mais, si le dommage est important ou complexe (blessures ayant entraîné une incapacité de travail, des soins onéreux, etc.), la victime a tout intérêt à consulter un avocat (ou un avoué) qui présentera sa demande, vérifiera que la procédure a été régulière, et que le tribunal est suffisamment informé sur les circonstances du délit. La victime représentée par un avocat évitera, en outre, de perdre plusieurs demi-journées (voire plusieurs journées) aux audiences successives auxquelles son affaire pourra être appelée et plusieurs fois renvoyée.

c) Demander protection contre un individu violent et menaçant, dangereux.

Il arrive encore souvent que ni la gendarmerie ni la police ne prennent au sérieux les plaintes des personnes menacées; on peut alors adresser :

une *plainte* au procureur de la République, en cas de violences ou menaces de mort, et *a fortiori* si l'individu menaçant a commis tout autre délit;

un *signalement* au juge des enfants, si des mineurs (jeunes de moins de 21 ans) sont directement concernés.

d) Obtenir l'exécution d'un jugement.

1° Pour obtenir le paiement d'une somme fixée par le tribunal, il faut remettre l'original du jugement (appelé la « grosse », délivrée par le greffier) à un *huissier,* qui signifiera ledit jugement à la personne condamnée et lui fera sommation de payer le montant de la condamnation. (Pour toute difficulté d'exécution, il sera bon de consulter un avocat ou un avoué.)

2° Si la dette est une pension alimentaire, le défaut de paiement constitue souvent un délit.

Dans ce cas, la personne à qui elle est due peut simultanément :
porter plainte pour « abandon de famille », si la pension est impayée depuis plus de deux mois;
demander au président du tribunal d'instance d'ordonner que le montant de la pension soit retenu sur les salaires du débiteur.

La pension courante devra ensuite être envoyée directement, par son employeur, à la personne à qui elle est due.

Le défaut de paiement des pensions fixées dans une instance en divorce ou séparation de corps est extrêmement fréquent, même lorsque la pension n'est due que pour l'entretien de plusieurs jeunes enfants. De trop nombreuses mères abandonnées se résignent à ne rien recevoir du père qui oublie ses devoirs, lui assurant ainsi une scandaleuse impunité au détriment de leurs enfants, alors qu'elles sont obligées de travailler pour les élever seules, sans pouvoir leur donner le temps et les soins dont ils ont le plus grand besoin.

Il peut aussi arriver que vous soyez involontairement témoins de scènes ou de situations pénibles. Vous voudriez susciter l'intervention des autorités, mais ne savez comment vous y prendre.

A qui signaler les enfants en danger?

Au juge des enfants (voir tableau ci-dessus).

Toute personne peut l'informer, même par téléphone en cas d'urgence ou par écrit, et même *sans révéler son identité.*

En pareil cas, tout magistrat saisi provoquera une enquête de police, et au besoin une enquête sociale.

En outre, si un chef de famille dangereux est atteint de troubles mentaux, ou alcoolique, on peut susciter, par la mairie ou par la préfecture, l'intervention dans son foyer d'un service social spécialisé.

Mais un tel signalement, qui a pour but de faire convoquer le malade devant un médecin expert, ne remplacera pas un signalement aux autorités judiciaires si le danger pour les enfants, victimes de violences réitérées, est grave et imminent.

*
* *

On trouvera ci-après quelques modèles de plaintes susceptibles d'être prises en considération.

Mais si un procès est engagé ou paraît inévitable, il sera prudent de n'écrire à l'adversaire que suivant les conseils d'un avocat ou d'un avoué. (Voir pages suivantes.)

N. B. — Pour toute lettre adressée à un magistrat, on exposera clairement, sur une page au plus, de préférence tapée à la machine, des *faits,* en précisant les lieux et dates, les noms et adresses des intéressés et des témoins.

MODÈLES DE LETTRES

Lettre au bâtonnier de l'ordre des avocats de N... pour obtenir qu'il désigne d'office un avocat.

(*Nom et adresse.*)

à Monsieur le Bâtonnier ...

..., le ... 19..

Monsieur le Bâtonnier,

J'ai l'honneur de vous demander de bien vouloir désigner un avocat pour m'assister devant le tribunal correctionnel de ...

Victime récemment d'un grave accident, j'ai dû cesser toute activité depuis ... mois, alors que je n'avais pas d'autres ressources que les fruits de mon travail.

Or, quelques semaines avant cet accident, j'avais été cambriolé par des filous qui, à l'époque, n'avaient pas été retrouvés.

J'ai été cité comme témoin devant le tribunal correctionnel de N... pour le 15 avril.

Je n'aurai pas à cette date la possibilité de me rendre au palais de justice, étant encore immobilisé avec une jambe dans le plâtre.

Il est donc nécessaire qu'un avocat vienne me voir avant l'audience, afin de pouvoir utilement me représenter devant le tribunal et se constituer pour moi partie civile.

L'un des auteurs du vol au moins étant solvable, j'espère obtenir le paiement d'une partie des dommages-intérêts que je compte demander, et je serai alors en mesure de dédommager mon conseil pour ses frais et le temps qu'il aura dû consacrer à mon affaire.

Espérant recevoir prochainement une lettre de l'avocat que vous aurez désigné, et vous remerciant à l'avance, je vous prie d'agréer, Monsieur le Bâtonnier, l'assurance de ma considération distinguée.

Signature.

Pour obtenir un extrait de casier judiciaire (bulletin n° 3).

(*Nom et adresse.*)

à Monsieur le Greffier en chef
du tribunal de grande instance
de ...

..., le ... 19..

Monsieur le Greffier,

J'ai l'honneur de vous prier de vouloir bien me faire délivrer un extrait de mon casier judiciaire (bulletin n° 3).

Voici mon état civil : (*nom, prénoms*), né le 18 janvier 1937 à ..., fils de Jean DURAND, et de Rose COURTAT.

Je joins à la présente demande un mandat de ... F pour les frais.

Je vous prie de bien vouloir me faire parvenir ce bulletin dans l'enveloppe timbrée ci-jointe.

Je vous prie de recevoir, Monsieur le Greffier, l'expression de mes sentiments distingués.

Signature.

N. B. — Pour les personnes nées aux colonies ou à l'étranger, adresser les demandes à : Monsieur le Ministre de la Justice, bureau du Casier central, 36, rue Cambon, Paris (VIIIe). Joindre un mandat et une enveloppe timbrée pour la réponse.

Lettre au président du tribunal correctionnel pour excuser une absence.

(*Nom et adresse.*)

à Monsieur le Président
du tribunal correctionnel de ...

Audience du 30 septembre 19..

..., le ... 19..

(*nom de l'inculpé*) *G... c/M. P.*

Monsieur le Président,

M. le Procureur m'a fait citer comme témoin pour votre audience afin de déposer sur les faits reprochés à G...

Effectivement, j'ai été victime des indélicatesses de G... dans des circonstances que j'ai exposées à deux reprises devant le commissaire de police, circonstances que j'ai encore confirmées au juge d'instruction.

Il m'a bien dérobé un carnet de chèques (ou la somme de ... F ou ... [*tels objets*]).

Cependant, je constate que pour cette affaire j'ai en outre perdu plusieurs journées de travail.

Malheureusement, je n'ai aucun espoir de récupérer quoi que ce soit contre G..., et je sais qu'il est en prison sans doute pour plusieurs années.

Me trouvant dans l'impossibilité de m'absenter le 30, et de vous apporter une quelconque précision nouvelle, je vous demande de bien vouloir m'excuser de ne pouvoir me présenter devant votre tribunal.

Veuillez agréer, Monsieur le Président, ...

Signature.

Lettre au juge d'un tribunal de grande instance pour excuser une absence.

(*Nom et adresse.*)

à Monsieur le Juge chargé des enquêtes civiles
au tribunal de grande instance de S...

M. Jacques Durand c/N... son épouse.

..., le ... 19..

Monsieur le Juge,

J'ai reçu à la requête de M. Durand une citation à comparaître devant vous le ... pour témoigner contre sa femme, qui a demandé le divorce.

Je suis très surprise, car j'ignore tout de la vie conjugale des époux Durand.

Je me serais cependant rendue à votre convocation si ma situation de famille me le permettait. Mais je ne puis quitter mes trois enfants en bas âge, et encore moins le dernier, dont je viens d'accoucher il y a quinze jours.

Je vous prie de retenir que je n'ai absolument rien à déclarer sur les rapports des époux Durand, ni sur la conduite de l'un ou de l'autre, n'ayant jamais vécu ni pénétré dans leur intimité.

En vous réitérant mes excuses, je vous prie d'agréer, Monsieur le Juge, l'expression de mes sentiments respectueux.

Signature.

Lettre au juge des enfants pour signaler une famille en danger.

(*Nom et adresse.*)

à Monsieur le Juge des enfants
du Calvados, à Caen.

..., le ... 19..

Monsieur le Juge,

Je crois devoir porter à votre connaissance les faits suivants :

Notre maison n'est distante que de quarante mètres de celle qui est occupée par la famille F...

Les époux ont ensemble cinq enfants, âgés de douze à trois ans. (Mme F... a mis au monde l'année dernière un sixième enfant qui n'a pas vécu et on me dit qu'elle serait à nouveau enceinte.)

Mme F... sort peu de chez elle, mais ayant été à plusieurs reprises alerté par des cris de ses plus jeunes enfants dont elle ne paraissait pas se soucier, je l'ai trouvée dans un état d'hébétude complète.

Visiblement elle avait bu plus que de raison. Ma femme et deux voisines ont fait des constatations analogues.

Les enfants sont malpropres et paraissent sous-alimentés. Plusieurs d'entre eux ont été malades récemment, et ne paraissent pas avoir reçu les soins que nécessitaient leurs maladies.

M. F..., retenu par son travail, ne rentre jamais qu'à la nuit; le dimanche il va encore faire du travail supplémentaire chez des cultivateurs, et ne paraît pas de la journée.

Il nous semble que les enfants F... sont en danger, principalement du fait de leur mère, alcoolique.

Persuadés que vous allez faire effectuer une enquête, nous nous tenons, ainsi que plusieurs autres voisins, prêts à vous donner toutes précisions utiles.

Veuillez agréer, Monsieur le Juge, l'assurance de mes sentiments très respectueux.

Signature.

Lettre au président du tribunal d'instance pour obtenir l'exécution d'une saisie-arrêt ordonnée sur les salaires d'un débiteur.

(*Nom et adresse*
de la demanderesse.)

à Monsieur le Président
du tribunal d'instance de ...

Saisie-arrêt J... Durand.

..., le ... 19..

Monsieur le Président,

A la date du ... 19.. vous avez, à ma requête, ordonné une saisie-arrêt sur les salaires de mon mari J... (prénoms) Durand, employé de commerce, pour la somme de ... F par mois, qu'il devrait me verser pour la pension alimentaire de nos enfants, dont le tribunal m'a confié la garde.

Plusieurs mois ont passé et je n'ai rien reçu.

Cependant, il m'est affirmé qu'il travaille toujours chez le même employeur, M..., à qui obligatoirement votre greffier a dû notifier votre ordonnance.

Ayant le plus urgent besoin, pour l'entretien de mes enfants, de recevoir chaque mois la pension fixée par le tribunal, je vous prie instamment de bien vouloir demander au greffier de confirmer à l'employeur de mon mari qu'il doit retenir sur les salaires de M. J... Durand et m'envoyer chaque mois la somme de ... F, montant de la pension, dont votre ordonnance l'a rendu personnellement débiteur.

Veuillez agréer, Monsieur le Président, l'expression de mes sentiments respectueux.

Signature.

N. B. — Sans réponse du juge ni du greffier, et dans le cas où une nouvelle notification de la saisie-arrêt ne déciderait pas l'employeur à l'exécuter, il faudrait consulter un avocat.

Lettre au juge des tutelles au sujet des biens d'un mineur.

(*Nom et adresse.*)

à Monsieur le Président
du tribunal d'instance de ...
(juge des tutelles).

Tutelle du mineur Jean-Charles Dupont.

..., le ... 19..

Monsieur le Juge des tutelles,

Depuis le divorce qui a été prononcé contre mon mari, Jean Dupont, à ..., par jugement du ... 19.., dont veuillez trouver ci-jointe une copie, je suis administratrice légale des biens de mon enfant mineur, Jean-Charles, actuellement âgé de ... ans.

Celui-ci a reçu en héritage, d'une tante décédée l'an dernier, 50 actions de la Société A..., legs que le conseil de famille m'a autorisée à accepter pour lui.

Des amis sûrs viennent de m'affirmer que l'avenir de cette société est gravement compromis par une invention nouvelle encore inconnue du grand public — qui va dans un proche avenir diminuer considérablement ses activités et ses bénéfices.

Dans ces conditions, il serait dans l'intérêt de mon fils, avec l'autorisation du conseil de famille, de vendre au plus tôt ces titres, à la place desquels j'achèterais ultérieurement des obligations du Crédit foncier, valeurs sûres.

Vu l'urgence, plusieurs membres du conseil de famille étant actuellement éloignés, je vous demande, conformément à l'article 468 du Code civil, de m'autoriser à donner immédiatement l'ordre de vente des actions susvisées.

Espérant recevoir par un prochain courrier une ordonnance, par laquelle vous voudrez bien m'y autoriser, je vous prie d'agréer, Monsieur le Président, l'expression de mes sentiments respectueux.

Signature.

Lettre au procureur de la République pour faire ouvrir une enquête.

(*Nom et adresse.*)

à Monsieur le Procureur de la République
à Lisieux.

..., le ... 19..

Monsieur le Procureur,

J'ai l'honneur de vous signaler les faits suivants :

Notre voisin, Arsène Dupont, demeurant à ... (marié, 7 enfants, etc.), nous inquiète depuis plusieurs semaines par des agissements fort désagréables :

Fréquemment au milieu de la nuit, il nous réveille par des vociférations et bruits divers. Certains soirs, il rentre chez lui en état d'ivresse et la rue n'est pas assez large pour lui.

Parfois nos jeunes enfants sont réveillés par son vacarme et se mettent à pleurer.

En mon absence, hier, il a pris à partie ma femme dans la rue à 21 heures, et l'a grossièrement injuriée.

Je porte plainte pour tapage nocturne et pour injures publiques.

Nous voudrions surtout que cet énergumène soit convoqué et admonesté, avant d'être inculpé et traduit devant le tribunal de police, qui devrait lui infliger un sérieux avertissement.

Je précise toutefois que M. le Commissaire de police, informé, nous a dit l'avoir convoqué plusieurs fois, mais M. Dupont ne s'est même pas présenté devant lui.

Veuillez agréer, Monsieur le Procureur, ...

Signature.

Lettre de la victime d'un accident au juge d'instruction.

(*Nom et adresse.*)

Ministère public c/S...
inculpé de blessures par imprudence.

Ambérieu, le ... 19..

Monsieur le Juge,

J'ai l'honneur de vous exposer ce qui suit :

Dimanche soir, 16 octobre, à 22 heures, circulant seule à pied sur le côté gauche de la chaussée, le long des arbres qui bordent la Grande-Rue, à la sortie de la ville, j'ai été heurtée par derrière par une voiture que je n'avais pas entendu arriver, circulant dans le même sens que moi.

Etourdie par le choc, je ne me suis relevée qu'après plusieurs minutes, souffrant des reins, l'obscurité était complète et la rue déserte.

Malgré ma douleur, j'ai pu regagner mon domicile distant d'une centaine de mètres seulement, et faire prévenir mon médecin par une voisine.

Je viens de lire dans le journal de mardi qu'un automobiliste a causé un accident grave à la sortie du chef-lieu à 22 h 30, je me demande s'il n'est pas aussi le responsable de mes blessures.

Alitée pour plusieurs semaines au moins, et mon médecin m'interdisant de me lever, je suis dans l'incapacité de me présenter devant vous.

Je porte plainte contre X, pour les blessures dont j'ai été victime. Je suis prête à confirmer mes déclarations à la police, à mon domicile d'où je ne puis sortir.

Veuillez agréer, Monsieur le Juge, l'expression de mes sentiments respectueux.

Signature.

Lettre au procureur de la République pour signaler un délit scandaleux.

(*Nom et adresse.*)

..., le ... 19..

Monsieur le Procureur,

J'ai l'honneur de porter à votre connaissance les faits suivants :

Notre voisine, mère de quatre enfants dont l'aîné n'a pas dix ans, a été abandonnée par son mari l'année dernière.

Extrêmement occupée par les deux derniers petits, encore en bas âge, elle ne sort de chez elle que pour aller chercher les deux aînés à la sortie de l'école.

Revenu à la fin de l'année dernière, son mari lui a apporté des jouets et des bonbons pour les enfants, mais il est reparti le lendemain sans lui laisser la moindre somme d'argent.

Pour compléter les allocations familiales, celle-ci ne peut faire que quelques travaux à domicile, mal rétribués, qui lui prennent une partie du temps qu'elle devrait consacrer entièrement à ses enfants.

Elle m'a dit avoir signalé sa situation au commissariat de police, sans succès.

Ne pouvant comprendre l'impunité dont jouit son mari, qui est arrivé et reparti dans une belle voiture, gagnant largement sa vie dans le commerce, nous croyons devoir attirer votre attention sur la situation critique de Mme B... et de ses quatre enfants.

Nous sommes persuadés que vous allez donner suite à sa plainte, formulée par lettre ci-jointe.

Veuillez agréer, Monsieur le Procureur, l'expression de notre considération la plus distinguée.

Paul Durand.

Annexe : plainte pour abandon de famille.

Plainte pour abandon du foyer familial.

Mme Yvette Bernard, née ...

à Monsieur le Procureur de la République

Monsieur le Procureur,

Je suis mariée depuis 1960 à Jean-Yves Bernard, représentant de commerce. Il m'a abandonnée au printemps dernier pour partir avec une autre femme.

Depuis cette époque, il m'a écrit plusieurs fois pour annoncer son retour, mais en fait n'est revenu qu'à la veille de Noël et il est reparti le lendemain sans me laisser d'argent.

Me trouvant avec mes quatre enfants dans la plus grande gêne, je porte plainte pour abandon du foyer familial.

Espérant que vous allez faire rechercher mon mari très activement, et l'obliger à remplir ses devoirs, je vous prie d'agréer, Monsieur le Procureur, l'expression de mes sentiments respectueux.

Signature.

Plainte pour abus de confiance.

(*Nom et adresse.*)

à Monsieur le Procureur de la République
de ...

Monsieur le Procureur,

J'ai l'honneur de vous exposer les faits suivants :

Le (*date du mois dernier*), j'ai demandé à M. X..., qui avait récemment ouvert un cabinet à B..., de souscrire une assurance qui couvrirait ma responsabilité civile à l'égard des tiers, pour la voiture que je venais d'acheter.

Je lui ai versé ... F, somme qu'il m'a dit être le montant pour l'année de la prime pour cette assurance.

Plusieurs semaines ont passé et M. X... a disparu, sans laisser d'adresse, et la société à laquelle il a prétendu avoir transmis ma demande et mon versement n'a rien reçu de lui.

Craignant d'avoir été victime d'un abus de confiance, je porte plainte, et vous demande de bien vouloir faire procéder à une enquête sur les agissements du sieur X...

Veuillez agréer, Monsieur le Procureur, l'expression de mes sentiments respectueux.

Signature.

Que faire lorsqu'on a été victime d'un délit ?

Le lecteur a trouvé ci-dessus quelques modèles de lettres.

Pour tout délit, sa victime peut aller déposer une plainte devant le commissaire de police (dans les villes) ou devant l'officier commandant la brigade de gendarmerie (en tous lieux).

Il peut arriver qu'après plusieurs jours et même plusieurs semaines elle ne soit pas encore informée des résultats de l'enquête, ou que celle-ci ne soit même pas commencée.

Dans ce cas, la victime d'un vol par exemple, fera bien d'adresser une lettre au parquet dont relève sa commune, ainsi rédigée :

(*Nom et adresse.*)

à Monsieur le Procureur de la République
de . . .

Monsieur le Procureur,

J'ai l'honneur de porter à votre connaissance les faits suivants :

Dans la journée du . . ., des inconnus se sont introduits, en mon absence, dans mon atelier et ont emporté plusieurs machines. J'en ai fait la déclaration le soir même au commissariat de N. . .

Sans nouvelle de l'enquête qui devait avoir lieu, et n'ayant obtenu à ce jour aucune réponse ni indication au commissariat, je vous prie instamment de bien vouloir donner vos instructions au commissaire de police, afin qu'il procède à cette enquête le plus tôt possible, et que je sois informé de ses résultats.

Veuillez agréer, Monsieur le Procureur, l'expression de mes sentiments respectueux.

Signature.

N. B. — Au lieu de se rendre au commissariat ou à la gendarmerie, la victime d'un vol (ou de tout autre délit) peut aussi bien formuler sa plainte dans une lettre qu'elle adressera au procureur de la République compétent.

Autant que possible, une telle lettre contiendra :
1° Un exposé très simple et très clair des faits dont on se plaint;
2° Un exposé de toutes les circonstances et l'indication de tous les indices pouvant faciliter les recherches;
3° Le signalement des personnes pouvant être soupçonnées (sous toutes réserves) ;
4° Les noms, prénoms et domiciles des témoins éventuels.

Demande d'assistance judiciaire.

(*Prénoms, nom et adresse de la demanderesse.*)

à Monsieur le Procureur de la République de ...

..., le ... 19..

Monsieur le Procureur,

J'ai l'honneur de solliciter le bénéfice de l'assistance judiciaire pour assigner devant le tribunal de grande instance, en déclaration de paternité, M. ... (*nom, profession, adresse du père prétendu*).

J'ai en effet des lettres dans lesquelles M. ... reconnaît explicitement être le père de l'enfant dont j'ai été accouchée le ... 19..

Mais, après m'avoir séduite, M. ... m'a abandonnée peu après la naissance de mon enfant (ou avant).

N'ayant pour toutes ressources que mon salaire, de ... F par mois, je crois devoir à mon enfant, que je ne peux pas élever sans aide, de demander au tribunal de déclarer que M. ... en est le père, et de le condamner à me verser une pension alimentaire pour son entretien.

Quand je l'ai connu, M. ... était célibataire.

Ne pouvant avancer les frais du procès, j'espère obtenir rapidement l'assistance judiciaire.

Veuillez agréer, Monsieur le Procureur, l'assurance de mon profond respect.

Signature.
Date et lieu de naissance.

N. B. — Cette demande peut également être transmise au procureur de la République par le maire de la commune, qui y joindra toutes précisions sur les moyens d'existence de la demanderesse et justifications de son indigence.

La décision du bureau d'Assistance judiciaire sera notifiée à la demanderesse un ou plusieurs mois plus tard.

Si l'assistance judiciaire lui est accordée, un avoué (qui devra la convoquer) sera commis pour formuler sa demande et la porter devant le tribunal, et un avocat pour la plaider.

Au président de la cour d'assises pour s'excuser de ne pouvoir figurer parmi les jurés.

(*Nom et adresse.*)

à Monsieur le Président
de la cour d'assises de ...

Monsieur le Président,

J'ai l'honneur de vous faire connaître que, convoqué pour faire partie du jury qui doit tenir ses assises à V... le ... du mois présent, je me trouve dans l'impossibilité de siéger.

Je suis retenu à la chambre par une maladie douloureuse, comme en fait foi le certificat médical que j'ai l'honneur de vous adresser ci-joint.

Je viens donc vous prier de vouloir bien excuser mon absence, et je vous présente, Monsieur le Président, mes respectueuses salutations.

Signature.

Pièce jointe : certificat médical.

Lettre d'un homme en instance de divorce à son avocat.

Jean-Pierre D...
Comptoir africain T...
Boîte postale n° ...
Dakar (République du Sénégal)

à Maître B..., Avocat
78 - S...

Dakar, le ... octobre 19..

Maître,

Avec votre approbation, j'ai fait appel du jugement par lequel le tribunal de Pontoise, statuant en mon absence et à mon insu, a prononcé le divorce à mes torts, sans me réserver aucun droit de voir mes enfants.

A ma dernière venue en France, en août-septembre, je me suis rendu en vain à notre domicile, où ma femme habite toujours. Elle n'y était pas, et la concierge a prétendu ne pas connaître l'adresse à laquelle elle passait ses vacances avec nos trois enfants.

Je vous confirme que je demande à la cour :

1° de prononcer le divorce aux torts de ma femme, qui a un amant (donc, au moins, aux torts réciproques) ;

2° de m'autoriser à prendre mes enfants pendant la seconde moitié des grandes vacances l'été prochain, et ultérieurement pendant une moitié de toutes périodes de vacances, étant précisé que j'offre d'élever ma contribution aux frais de leur entretien de 450 à 600 F par mois.

Je vous prie de croire, Maître, à mes sentiments très distingués.

Signature.

Lettre d'un homme récemment divorcé à son avocat.

Max V...
Société africaine de S...
Boîte postale n° ...
Abidjan (Côte-d'Ivoire)

à Monsieur B..., Avocat
Versailles.

..., le ... 19..

Maître,

Je vous rappelle que vous m'avez promis de faire en sorte que je reçoive le plus tôt possible ma part des biens que nous possédions en communauté mon ex-femme et moi.

Confirmant le jugement du tribunal, la cour a prononcé le divorce en décembre, et l'arrêt est définitif, m'avez-vous écrit.

Je demande donc qu'il soit procédé, *dans les mois à venir,* au partage qui a été ordonné par le tribunal, par un notaire désigné (1).

Je vous rappelle que mon ex-femme est restée dans notre appartement, dont elle m'a expulsé, et qu'elle y habite depuis l'an dernier avec son amant, dans les meubles que nous avions achetés ensemble : tous sont restés en sa possession.

Ma part de la communauté à partager représente 7 à 8 millions d'anciens francs, et j'ai besoin de recevoir avant la fin de l'année la somme qu'elle va devoir me verser, pour garder les meubles.

---

(1) Tout jugement ou arrêt qui prononce le divorce entre des époux qui s'étaient mariés sans contrat ordonne le partage des biens dont ils étaient ensemble copropriétaires. La communauté légale comprenait, et comprend encore, les immeubles achetés par les époux après le mariage.

Quant à l'appartement, elle ne pourra pas le payer.

Je demande donc sa mise en vente.

Devant prendre mon congé annuel en France en juin, je vous demande instamment de saisir le notaire au plus tôt, et de le prier de nous convoquer, ma femme et moi, pour les premiers jours de juin.

Veuillez agréer, Maître, mes salutations distinguées.

Signature.

N. B. — Depuis février 1966, le régime des époux mariés sans contrat est la communauté d'acquêts.

Une femme récemment divorcée à son avoué.

Jacqueline D..., divorcée de T...
46, rue ..., Bruxelles (Belgique)

à Maître ..., Avoué
22, rue ..., S... (France).

..., le ... avril 19..

Maître,

Par lettre du 30 janvier dernier, vous m'avez appris que le tribunal a prononcé le divorce aux torts de mon mari, qui a fait défaut (1) et vous ajoutiez que vous alliez faire le nécessaire pour rendre ce jugement définitif.

---

(1) Depuis la réforme de décembre 1958, tout jugement de divorce est réputé contradictoire, car il est susceptible d'appel. Mais le délai d'appel, d'un mois, ne court que du jour où le défendeur a reçu, de l'huissier commis, copie du jugement, qui lui est ainsi « signifié » soit « à personne » (il a reçu le jugement lui-même), soit « à domicile » (l'huissier y a laissé la copie du jugement).

Le plus souvent la signification n'est faite que plusieurs mois après le jugement.

Une fois le délai d'appel expiré, le jugement est définitif si aucun des conjoints n'a fait appel.

Mais les ex-époux divorcés ne pourront se remarier que lorsque le jugement aura été (à la diligence de l'avoué) *transcrit* (sur l'acte) à la mairie où ils s'étaient mariés.

Et, afin de pouvoir lui faire signifier ce jugement, vous m'avez demandé de vous indiquer l'adresse actuelle de mon mari.

Par lettre du 2 février, je vous ai indiqué sa nouvelle adresse. Depuis, je n'ai plus de nouvelles de mon divorce.

Or, je suis pressée d'être libérée définitivement, car je suis enceinte, et, devant être mère avant l'automne, je veux me marier avec mon ami le plus tôt possible, et nous désirons légitimer l'enfant qui va naître.

Je vous prie donc instamment de me confirmer que le jugement a bien été signifié à mon mari (que je n'ai pas revu) et que vous l'avez fait transcrire à la mairie, ou que vous allez le faire *ce mois-ci,* car je n'ai reçu aucun acte d'appel.

Comptant sur votre diligence, je vous prie d'agréer, Maître, mes salutations distinguées.

Signature.

CHAPITRE III

CORRESPONDANCE JURIDIQUE ENTRE PARTICULIERS

Un automobiliste (imprudent) à une société d'assurances.

(*Nom et adresse.*)

à Monsieur le Directeur
de la Compagnie d'assurances ...
72 - Le Mans.

..., le ... 19..

Monsieur le Directeur,

J'ai le regret de vous signaler le fait suivant :

Le ... mai dernier (*date*), sur le conseil d'un voisin, je me suis rendu au cabinet de M. D..., « assureur », rue ... à C... où j'habite.

Venant d'acheter une auto (d'occasion), marque ..., je lui ai dit vouloir l'assurer immédiatement pour ma responsabilité à l'égard des tiers, comme la loi m'y oblige.

M. D... m'a dit « rien de plus facile », et il m'a fait signer une demande de contrat. Puis, il m'a demandé, pour la prime (annuelle), la somme de ... F, que je lui ai versée en espèces.

Et, en contrepartie, il m'a remis une « attestation d'as surance », petite feuille jaune qui porte le nom de votr société.

Il m'a dit que je recevrais prochainement de votre sociét pour signature, le contrat que je veux souscrire, *et que j suis garanti depuis ce jour-là.*

Or, trois semaines ont passé, et je n'ai rien reçu. E M. D... a fermé son cabinet quelques jours après m visite.

A la poste, on m'a répondu : « Il est parti sans laiss d'adresse. »

Craignant maintenant d'avoir été victime d'un abus d confiance (1), je vous prie de me faire savoir par retour M. D... vous a bien transmis ma demande d'assuranc et la somme que je lui ai versée pour votre société.

Veuillez agréer, Monsieur, mes salutations distinguées.

Signature.

Lettre d'un père de famille au père d'un enfar blessé par son fils.

Monsieur,

Jeudi dernier ... (*date*) vers ... heures, mon fils Pier (7 ans), en jouant avec lui, a malencontreusement blessé l'œil, avec un jouet, votre fils J..., du même âge.

---

(1) Seul, un *agent général* représente une société d'assurances, et l'enga notamment en recevant pour elle le montant des primes.

Au contraire, tout courtier, toute personne se disant « assureur-conseil » exemple, qui n'a pas le titre d'agent général de la société, n'est que le man taire de ses clients.

Il n'a pas qualité pour recevoir *personnellement* les primes (autrement que chèque à l'ordre de la société).

Les versements qui lui sont faits à lui-même pourront être tenus pour nuls ladite société, si ces versements ne lui ont pas été transmis !

N. B. — Voir modèle de plainte, page 415.

Au retour d'un voyage, j'apprends ce fâcheux accident, et que le petit blessé, dont la vision serait atteinte, a été hospitalisé.

Navré de cet accident, je veux d'abord vous exprimer tous mes regrets, et ceux de Pierre, qui a été en larmes lorsque sa mère lui a appris que son ami a été gardé en observation à l'hôpital.

Je tiens ensuite à vous rassurer au sujet des conséquences possibles de cet accident, pour le cas où malheureusement votre fils resterait atteint, ne serait-ce que temporairement, d'une incapacité partielle.

Je suis assuré, pour tous dommages pouvant être causés par mes enfants, à la Compagnie la W..., dont le siège est à Paris, ..., rue ...

Par le même courrier, je l'informe de cet accident. Je m'en reconnais civilement responsable.

Vous pourrez donc me communiquer, avec les pièces justificatives, le relevé des dépenses que vous aurez dû faire pour les soins et traitements que nécessite et nécessitera la blessure à l'œil de votre fils.

Souhaitant le prompt rétablissement du petit J...
je vous prie d'agréer, Monsieur, ...

Signature.

N. B. — Aucun système de Sécurité sociale ni d'assurance obligatoire ne garantit encore tous les parents pour les dommages que leurs enfants (ou leurs animaux, ou leurs préposés) peuvent causer à des tiers.

C'est une grave lacune de notre législation, car, chaque année, les tribunaux condamnent de nombreux chefs de famille déclarés responsables des conséquences d'un geste d'un enfant, à verser des dommages-intérêts, dont le montant (notamment pour un œil crevé) peut être énorme.

Tous les parents devraient être assurés contre un tel risque. Il ne leur en coûterait qu'une somme très minime (cotisation de l'ordre de 20 à 30 F par an).

Lettre du père de la jeune victime d'une agression au père de l'agresseur (mineur).

(*Nom et adresse.*)

à Monsieur Ch. ...
impasse ..., 78 - ...

..., le ... 19..

Monsieur,

Je vous rappelle que, par jugement du ... dernier, le tribunal correctionnel de Versailles a condamné votre fil mineur Jean pour avoir (sans motif) violemment frappé a visage, dans la rue, le mien, qui a eu la mâchoire brisée et que, civilement responsable, vous avez été condamné à lui verser 1 000 F (mille francs) de provision, à valoir su la réparation définitive de son préjudice physique, lequel très important, ne pourra être évalué que lorsque les méde cins experts qui sont désignés auront déposé leur rapport

Ce jugement est définitif (1).

Par la présente, je vous invite à me faire parvenir sou huitaine ladite somme.

Sans règlement ni réponse, passé ce délai, je vous ferai signifier le jugement, et ce serait à vos frais.

Veuillez agréer, Monsieur, mes salutations distinguée

Signature.

---

(1) Le jugement d'un tribunal correctionnel devient — à défaut d'appel - définitif onze jours après son prononcé, s'il a été contradictoire.

Lorsque la culpabilité du « prévenu » est apparue certaine, l'exécution prov soire nonobstant appel est souvent ordonnée pour la provision éventuelleme allouée à la victime.

Lettre d'un automobiliste accidenté à son assureur.

(*Nom et adresse.*)

à Monsieur V..., Agent général
de la Compagnie d'assurances ...

Police auto n° ...

..., le ... 19..

Monsieur,

Je vous rappelle que, par lettre du ... dernier, je vous ai déclaré avoir eu, au volant de ma voiture (*marque*) immatriculée ... B 73, un accident matériel (ou corporel s'il y a eu un blessé).

A ma lettre était joint le « constat contradictoire » amiable qu'avec M. D..., conducteur de l'autre auto accidentée, nous avons tous deux rempli et signé.

Pour compléter cette déclaration, je vous adresse ce jour un devis des réparations nécessaires pour la remise en état de ma voiture.

Etant assuré pour le risque « tierce collision », je vous prie instamment de m'accuser réception de la présente lettre et de la précédente.

Et, puisque le tiers est identifié, j'espère un prochain règlement de ce sinistre (1).

Veuillez agréer, Monsieur ..., mes salutations distinguées.

Signature.

---

(1) Le conducteur bénéficiaire d'une assurance couvrant le risque « tierce collision » obtiendra le remboursement des dommages causés à son véhicule par un autre conducteur, s'il donne le nom de ce « tiers », quel que soit le partage des responsabilités.

Son assurance paiera, d'autre part, les dommages subis par le tiers, à condition toutefois qu'il ait respecté les clauses de son contrat, et qu'il ne soit pas condamné pour avoir, au moment de l'accident, conduit en état d'ivresse (loi du 27 février 1958 et article L. premier du Code de la route).

Lettre d'un cyclomotoriste à son assureur.

(*Nom et adresse.*)

à Monsieur T..., Agent général
de la Compagnie d'assurances « le ... »

..., le ... 19..

Monsieur,

Le ... (*date*) dernier, j'ai adressé à mon centre de chèques postaux un chèque de virement de ... F à votre ordre, pour votre C. C. P.

Le montant doit en avoir été porté à votre compte C. C. P. depuis deux jours (1).

Cependant, je n'ai pas encore reçu l'attestation d'assurance responsabilité civile, pour mon cyclomoteur, que, par mention au verso de mon chèque postal, je vous ai prié de m'envoyer dès réception.

Ma précédente attestation n'étant plus valable depuis dix jours, je crains d'avoir des ennuis si la gendarmerie me demande justification de mon assurance (2).

Je vous prie donc instamment de m'adresser mon attestation *par retour du courrier*.

Vous en remerciant d'avance, je vous prie d'agréer, Monsieur ..., mes salutations distinguées.

Signature.

---

(1) Le compte de chèques postaux de la personne bénéficiaire du chèque postal envoyé au centre est normalement crédité le lendemain (si jour ouvrable) de l'envoi du chèque au centre, et un avis de crédit lui est adressé le jour même qu'elle devrait recevoir le jour suivant (donc le surlendemain de l'envoi du chèque, s'il s'agit de trois jours ouvrables).

(2) Depuis une loi de 1958, l'assurance responsabilité civile est obligatoire pour tout conducteur d'un véhicule à moteur, et il doit pouvoir présenter à la police une attestation prouvant qu'il est garanti pour les dommages que son véhicule pourrait causer.

Une mère de famille abandonnée à son mari.

(*Nom et adresse.*)

à Monsieur Henri Duval
41, rue D..., Paris (XIVe).

Henri,

Je regrette vivement d'avoir à te rappeler que l'ordonnance (ou le jugement) du ... qui t'a été signifié(e), a fixé à 750 F par mois la somme que tu dois, que tu aurais dû me verser pour nos trois enfants depuis cette date. Cela, même si tu faisais appel de cette décision, immédiatement exécutoire (1).

Elle t'a été notifiée, et d'ailleurs elle a été prononcée en ta présence.

Plus de deux mois ont passé. Je t'ai rappelé ton obligation quand tu es venu voir les enfants le mois dernier ... Et je n'ai rien reçu de toi.

Ainsi, non seulement tu nous a quittés pour vivre avec celle que tu me préfères,

Mais, tu nous prives du nécessaire en ne me versant même pas cette pension, modeste au regard de tes revenus réels.

Je t'avertis que, si dans huit jours je n'avais pas reçu au moins la première mensualité, soit 750 F, j'adresserais au procureur de la République une plainte pour abandon de famille.

J'espère que tu ne vas pas m'y obliger.

Tristement.

Signature.

---

(1) L'exécution provisoire « nonobstant appel » est toujours ordonnée dans les instances en divorce ou séparation de corps et par les décisions fixant la « contribution aux charges du ménage » à verser par le mari.

N. B. — Si le mari débiteur exerce un emploi salarié, sa femme à qui la pension est due peut, en produisant le jugement, faire ordonner une saisie-arrêt sur ses salaires. La saisie notifiée, la pension devra lui être versée directement par l'employeur de son mari.

Lettre d'un commerçant à un client indélicat ou fort imprudent.

André K..., Confections
..., rue de l'Hôtel-de-Ville
37 - A...

à Monsieur J. C. Dupont
32, rue ..., 37 - Chinon.

Monsieur,

Pour payer le costume que vous avez acheté dans mon magasin le 3 de ce mois, vous avez remis à ma caissière un chèque barré sur la Société générale à Tours de 650 F.

Ma banque m'apprend que ce chèque n'a pas été payé, faute de provision.

Je tiens à vous en avertir, et je vous propose de venir me payer en espèces le montant de votre dette.

Sans règlement ni réponse à la fin de la semaine, je laisserai ma banque le remettre à son huissier (1).

A moins que votre compte ait été provisionné entretemps, vous serez poursuivi pour émission de chèque sans provision.

Espérant que vous ne voudrez pas vous exposer à cette poursuite, je vous prie d'agréer, Monsieur, mes salutations distinguées.

Signature.

---

(1) L'huissier dressera un protêt (constat du défaut de paiement).

N. B. — Le commerçant qui accepte un chèque d'un client qu'il ne connaît pas court un risque. Il a intérêt à au moins lui demander une pièce d'identité, et à noter son nom et son adresse.

Tout titulaire d'un compte bancaire ou postal qui met en circulation un chèque sans y avoir provision suffisante s'expose de ce seul fait à une peine d'emprisonnement et à une lourde amende.

Si le tribunal correctionnel est saisi (par le procureur), il sera condamné. La mauvaise foi consiste, en la matière, dans le seul fait d'avoir émis un chèque d'un montant supérieur à la somme détenue par la banque ou le centre de chèques postaux pour le compte du tireur.

.ettre à un débiteur récalcitrant.

RECOMMANDÉE AVEC ACCUSÉ DE RÉCEPTION.

Monsieur,

J'ai l'honneur de vous rappeler à nouveau que vous estez toujours me devoir la somme de 2 600 F.

Votre reconnaissance manuscrite dûment datée du .. 19.. et signée, qui est entre mes mains, fait foi de votre ette de 3 000 F, somme sur laquelle vous ne m'avez rendu ce jour que 400 F.

Votre silence persistant depuis trois mois me contraint vous adresser la présente mise en demeure sous pli recom- ıandé, avec accusé de réception, et de vous avertir que, ans réponse sous huitaine, je chargerai un huissier de oursuivre le recouvrement de ma créance.

Espérant que vous ne m'obligerez pas à procéder ainsi, e qui vous causerait des frais et quelque désagrément, je ous prie d'agréer, Monsieur, mes salutations distinguées.

Signature.

.ettre d'un locataire à un gérant d'immeuble pour se plaindre des troubles de jouissance causés par un autre locataire.

Monsieur,

J'ai le regret d'avoir à vous signaler qu'à partir de 3 heures et plusieurs fois par semaine Mme S..., locataire e l'appartement situé au-dessus du nôtre, fait du bruit en raînant des meubles et, parfois, en cognant sur le plancher usqu'à une heure très avancée de la nuit, nous empêchant omplètement de dormir.

Des observations lui ayant été faites par mon épo
Mme S... lui a répondu par des insultes, et, la nuit
vante, elle s'est livrée à un tapage encore plus infernal
Ce tapage nocturne nous prive de sommeil plusieurs
par semaine, et il a mis à rude épreuve les nerfs de
femme, qui en est littéralement malade.

Je vous demande donc d'inviter Mme S... à respecte
repos de ses voisins, en cessant absolument tout tap
nocturne.

Si par malheur votre avertissement formel ne suffi
pas et qu'elle continuait à troubler nos nuits, je n'hésite
pas à m'adresser à la justice pour qu'il soit mis fin à cet
de choses intolérable.

Vous n'ignorez pas que le locataire qui se trouve dans
telle situation est en droit de demander au propriétaire
dommages-intérêts pour réparation des troubles de jo
sance dont il est victime, afin de l'obliger à faire cesser
troubles.

Espérant ne pas y être obligé, je vous prie d'agr
Monsieur, l'expression de mes sentiments très disting

Signatur

Lettre d'un propriétaire à un locataire comm çant en vue de demander la révision du loyer

RECOMMANDÉE AVEC ACCUSÉ DE RÉCEPTION.

Monsieur,

J'ai l'honneur de vous notifier que je me propose
réviser le montant du loyer que vous payez actuellem

(1) La législation exige en la matière : soit un acte extrajudiciaire (ex
d'huissier), soit une lettre recommandée avec accusé de réception.

pour l'occupation des locaux commerciaux dont je suis propriétaire.

En me référant à la variation des indices de la construction depuis la date de la dernière fixation (...), je vous fais savoir que j'entends porter, à dater de la présente, le montant de loyer à 9 000 F annuellement, charges non comprises.

Je vous prie de croire, Monsieur, à l'expression de ma considération distinguée.

Signature.

Lettre de réclamation d'un copropriétaire à un syndic de la copropriété, au sujet d'une demande de provision pour les charges.

(*Nom et adresse.*)

à Monsieur ..., à ...

..., le ... 19..

Monsieur,

J'ai bien reçu votre lettre du 12 janvier dernier dans laquelle vous m'invitez à verser au cours du prochain mois la somme de 300 F à titre de provision sur les dépenses du prochain exercice.

J'attire votre attention sur le fait qu'en vertu de la législation en vigueur, la provision ne pouvant excéder le quart du budget provisionnel, la somme qui peut m'être demandée ne saurait être supérieure à 250 F.

Dans l'attente de vous lire, je vous prie d'agréer, Monsieur, mes salutations distinguées.

Signature.

Lettre d'un locataire au propriétaire de la maison qu'il habite pour lui demander de faire effectuer des réparations urgentes.

(*Nom et adresse.*)

à Monsieur . . ., à . . .

. . ., le . . . 19. .

Monsieur,

Je vous signale que l'aggravation du mauvais état de la toiture rend indispensables des réparations.

Je vous avais déjà dit l'an dernier qu'à chaque pluie un peu forte je trouvais des flaques d'eau sur le sol d'une des pièces de l'étage supérieur.

Depuis quelques semaines, c'est non plus dans la seule chambre où elles se produisaient déjà l'an dernier, mais dans les trois pièces mansardées que le parquet est littéralement inondé, chaque fois qu'il pleut sérieusement.

Ces inondations sont si importantes que de larges taches ont apparu au plafond des pièces à l'étage au-dessous.

Cet état de fait déplorable nous interdit désormais une utilisation normale des pièces de l'étage supérieur. Sa prolongation ne manquerait pas, en outre, de nuire au gros œuvre de l'intérieur de votre immeuble que les eaux de pluie dégradent.

Toute réparation du gros œuvre, notamment de la toiture, incombant au propriétaire, je viens vous prier de faire procéder à celles qui s'imposent.

Espérant que vous assumerez votre obligation à cet égard, à bref délai sans nouvel avis, et vous en remerciant à l'avance,

Je vous prie d'agréer, Monsieur, mes salutations distinguées.

Signature.

Lettre d'une employée de maison à son ancienne patronne pour lui réclamer un mois de gages et une indemnité de préavis.

Madame,

Je regrette d'avoir à vous rappeler que vous me devez toujours mon dernier mois de salaires, soit 600 F.

Je vous rappelle que vous m'avez congédiée le mois dernier sans me le verser.

En outre, si j'ai accepté devant votre attitude menaçante de partir immédiatement, je ne reconnais nullement avoir commis les prétendues fautes que vous m'avez très injustement reprochées.

Ayant été à votre service plus de six mois, je suis donc en droit d'exiger l'indemnité de préavis égale à un mois de salaire, due depuis la loi du 19 février 1958 à tout employé ayant plus de six mois d'ancienneté, et n'ayant pas commis de faute grave.

Par la présente, je vous invite donc à m'envoyer par mandat sous huitaine :

1. mon dernier mois impayé = 600 F
2. mon indemnité de préavis = 600 F

soit, au total, 1 200 F

Veuillez, en outre, m'envoyer mon certificat de travail, mentionnant que j'ai été employée à votre service du 1er mars au 30 octobre de cette année, sans commentaire (1).

Je vous avertis que, si je n'avais pas reçu la semaine prochaine la somme susdite et mon certificat, je vous ferais convoquer devant le tribunal compétent.

Veuillez agréer, Madame, mes salutations distinguées.

Signature.

---

(1) Voir annexe.

Lettre d'une femme séparée de corps à son mari.

Pierre,

Le jugement qui a régularisé il y a quatre ans déjà notre séparation a confirmé l'ordonnance de 1962 qui avait fixé à 100 F seulement, pour chacun de nos quatre enfants, la pension que tu devais et que tu as dû jusqu'à maintenant me verser pour eux.

Depuis six ans, le coût de la vie en France a beaucoup augmenté.

Quant aux besoins de nos enfants, ils ont doublé pour les filles, et presque triplé pour les garçons, devenus adolescents.

Je ne puis pas accepter plus longtemps de n'être assurée que de 400 F par mois, alors que, actuellement, tu gagnes dix fois cette somme au moins.

Certes, depuis le début de l'année, tu m'as envoyé un peu plus : en moyenne 500 à 600 F par mois. C'est encore très insuffisant.

Je te demande de faire pendant quelques années seulement (puisque Patrick aura dix-huit ans l'année prochaine et son frère dans trois ans; ils commenceront alors à gagner leur vie) un effort, en portant la pension à 250 F pour chacun des enfants, soit cette année 1 000 F par mois, 750 F l'année prochaine.

J'espère que tu vas être assez conscient de leurs besoins, et raisonnable, pour ne pas m'obliger à saisir le tribunal d'une demande de majoration de la pension, laquelle augmentation me serait certainement accordée, vu ta belle situation.

J'espère recevoir ta réponse avant la fin du mois.

Je vais l'attendre avec impatience.

Pense à eux.

Odette.

ANNEXE

Certificat de travail pour un domestique qui quitte votre service.

Je, soussigné (*nom, prénoms, profession ou qualité, adresse*) certifie que M. (*ou* Mme *ou* Mlle) a été employé(e) à mon service en qualité de ... (*préciser l'emploi*) du ... 19.. au ... 19..

Il (ou elle) me quitte ce jour libre de tout engagement.

A ..., le ... 19..

Signature.

N. B. — Tout salarié est en droit d'exiger, du patron qu'il quitte, la délivrance d'un tel certificat. Il n'est pas obligatoire que soient précisées les raisons de la cessation du travail.

Si toute appréciation désobligeante est à proscrire, on peut naturellement, au contraire, indiquer les qualités du salarié et les services qu'il a rendus lorsqu'il a donné toute satisfaction.

CHAPITRE IV

DIRECTIVES POUR LA DÉTERMINATION DES COMPÉTENCES

ET LE CHOIX D'UN CONSEIL DANS LES SITUATIONS DIFFICILES

Nos modèles de lettres ne sauraient correspondre à toutes les situations, ni tirer d'embarras le lecteur qui n'aura obtenu aucune réponse ou se sera heurté à un refus.

Dans des circonstances de plus en plus nombreuses de la vie moderne, devant la multiplication des lois et des règlements à observer, des techniques et des spécialisations qu'elles imposent, il est de plus en plus souvent nécessaire de consulter un technicien, du droit, des procédures civiles ou commerciales, ou administratives, ou de la fiscalité, notamment.

Ils ne sont pas tous également qualifiés pour bien vous répondre et bien vous conseiller, et pour agir en votre nom.

Déterminer l'homme le plus compétent, capable de trouver une solution à tel de vos problèmes, et au besoin de vous représenter ou de bien vous défendre, en justice, auprès des administrations, contre de puissantes sociétés, ou toutes autorités, est de la première importance de nos jours.

Les tableaux des pages suivantes vous aideront à le trouver.

A qui vous adresser pour :

Vous renseigner sur la solvabilité d'un débiteur ; réclamer le paiement d'une somme qui vous est due ; faire constater des dommages matériels, ou toute autre situation de fait ; dresser un inventaire ; recevoir des déclarations et en dresser procès-verbal ; notifier à un adversaire toutes sommations ; signifier toutes décisions de justice, et en poursuivre l'exécution ; faire appel d'une décision judiciaire civile.	**Un huissier de justice.**
Obtenir une injonction de payer à signifier pour le recouvrement d'une petite créance civile, ou faire ordonner une saisie-arrêt sur les salaires d'un débiteur de mauvaise foi ; faire réunir le conseil de famille pour la tutelle d'un mineur et l'administration de ses biens ; demander un certificat de nationalité ; faire apposer des scellés sur les biens d'une succession, après décès ; faire appel d'un jugement du tribunal de police.	**Le greffier du tribunal d'instance.**
Vous renseigner sur tous délais et formalités à observer dans un procès civil, et les frais à prévoir ; présenter une requête (en matière d'état des personnes notamment) au président du tribunal de grande instance, etc. ; être représenté devant un tribunal de grande instance (ou une cour d'appel) devant lequel (ou laquelle) vous êtes assigné à comparaître par ministère d'avoué, dans un procès civil ; faire saisir l'immeuble du débiteur pour une créance importante.	**Un avoué (1).**

(1) Avoués auprès d'un tribunal et avoués auprès d'une cour d'appel sont groupés en compagnies (voir tableaux au palais de justice). Leur compétence est limitée au ressort du tribunal ou de la cour.

Régler une succession (formalités civiles, fiscales, hypothécaires) avec ou sans partage; administrer les biens d'un mineur; procéder à un partage amiable (après décès, divorce, dissolution d'une société...) ; contracter des emprunts en vue de faire construire un immeuble, ou pour d'autres causes; constituer une société, ou un dossier pour une administration; vous renseigner sur la fiscalité (surtout en matière immobilière) ; acheter ou vendre un immeuble; placer des capitaux; rédiger un contrat de mariage, et toute autre convention importante.	**Un notaire.**
Vous faire représenter (quand la loi le permet) ou assister (dans tous les cas) devant toutes juridictions répressives, notamment les tribunaux de police et correctionnels, comme devant tous magistrats chargés d'une mesure d'information; vous faire représenter devant toutes juridictions, dans la France entière, notamment devant : les tribunaux d'instance; le président de tout tribunal de grande instance (audiences des référés et autres) ; le tribunal de commerce; le conseil des prud'hommes; la cour d'appel dans les affaires sociales; les commissions de Sécurité sociale; les commissions paritaires des baux ruraux; dans toute procédure d'expropriation; devant toutes commissions administratives ou disciplinaires (à la préfecture, ou aux sièges des organisations professionnelles, ou des services publics) ; le tribunal des pensions militaires; le tribunal administratif (interdépartemental) ;	**Un avocat (1).**

(1) Comme les officiers ministériels et comme les magistrats notamment, les avocats sont tenus strictement au secret professionnel.

A qui vous adresser pour :

diriger un procès, de toute nature, et notamment donner toutes instructions utiles aux officiers ministériels (avoués, huissiers, notaires) et aux autres auxiliaires de la justice (greffiers, secrétaires, etc.).	**Un avocat**

Qui consulter pour :

Demander un conseil au sujet de toutes épreuves, même purement personnelles et secrètes, telles que : conflits conjugaux ou familiaux, délits ou imprudences graves commis par un enfant ou par un parent, dangers ou troubles suscités par des voisins, ou par un malade mental, etc. (2) ; demander conseil sur toutes difficultés et injustices subies par suite d'abus ou de carences, quels qu'en soient les auteurs ou responsables ; étudier la possibilité d'une transaction ; tenter un rapprochement avec l'adversaire, même en cours de procès ; obtenir un avis autorisé sur l'opportunité d'un appel aussitôt après une condamnation pénale ; évaluer le préjudice causé par un accident, par l'auteur d'une infraction, ou de tout fait dommageable, notamment la perte d'un emploi (si le licenciement est abusif), et la possibilité d'en obtenir réparation ; rédiger tous mémoires et toutes requêtes ; intervenir auprès de toutes autorités, de tous auxiliaires de justice, de tous experts, de toutes compagnies d'assurances, de toutes sociétés, de tous services publics.	**Un avocat (1).**

---

(1) Tous les avocats inscrits à un barreau (leur nom figure obligatoirement sur le Tableau de l'ordre dont ils dépendent, au palais de justice) ont les mêmes droits et prérogatives. Tous peuvent se présenter et plaider devant toutes les cours d'appel et devant tous tribunaux dans tous les départements.

Dans la gestion d'une entreprise ou d'un commerce, pour :

Organiser, vérifier, apprécier, et éventuellement redresser les comptabilités et toutes opérations comptables; établir tous bilans et tableaux exigés; rédiger les déclarations de recettes, éventuellement, des demandes de dégrèvement, d'abattement, etc., pour les administrations fiscales.	**Un expert-comptable ou un comptable agréé (1).**
En cas de difficultés graves, les dettes excédant les facultés de paiement, autorisant les créanciers à demander la déclaration de faillite.	**Un conseil spécialisé (2).**

OBSERVATION IMPORTANTE

Les avocats inscrits à un barreau et les officiers ministériels qui peuvent représenter les parties en justice (avoués, agréés au tribunal de commerce), être leurs mandataires, et, en leur nom, signifier des assignations ou des sommations (huissiers), dresser ou rédiger des actes authentiques (notaires), sont obligatoirement, dans chaque région et dans la plupart des départements, constitués en ordre, ou compagnies, et ils ont reçu une formation spéciale.

Ils sont soumis :

1° A une discipline professionnelle, réglementée;

2° A la surveillance des cours d'appel et des tribunaux.

Ils offrent donc beaucoup plus de garanties de compétence et de correction que les innombrables « conseils juridiques » et agents d'affaires qui, bénéficiant d'une législation trop libérale, ne sont actuellement astreints à aucune discipline professionnelle, ni à aucun contrôle, ni obligatoirement titulaires d'un diplôme (2).

Voici, enfin, dans les pages suivantes, pour aider les jeunes ménages et les familles nombreuses qui, cachant leur honte et leurs craintes, sont secrètement dans la peine ou en danger, quelques adresses encore trop peu connues.

---

(1) Les uns et les autres sont groupés en ordres professionnels.

(2) Il existe cependant à Paris et dans quelques grandes villes des jurisconsultes qualifiés et des cabinets importants, spécialisés dans le droit des sociétés et du commerce, et les questions fiscales.

JEUNES MARIÉS souffrant de l'incompréhension de votre conjoint, d'une prétendue incompatibilité d'humeur, et voulant tout tenter pour éviter d'en arriver au divorce.	**Association française des centres de consultations conjugales (1).**
MÈRES ET CHEFS DE FAMILLE, ADOLESCENTS, victimes d'un conjoint, d'un père violent ou déséquilibré (ou d'une mère névrosée) qui traumatise ou délaisse vos enfants, ou vos jeunes frères et sœurs, profère des menaces, dilapide l'argent du foyer, fuit ses responsabilités, parce qu'il (ou elle) noie ses soucis dans le vin, la bière, ou toutes autres boissons alcooliques...	**Comité national de défense contre l'alcoolisme (2).**
PARENTS D'UN ENFANT INFIRME OU HANDICAPÉ, qui ne peut pas faire des études normales.	**Union nationale des associations de parents d'enfants inadaptés (3).**
PARENTS ET ALLIÉS d'un malade mental qui éprouvez les plus grandes difficultés pour le faire soigner, souffrez de son isolement et du vôtre, du manque de compréhension de l'entourage, avez besoin d'assistance et de conseils.	**Union nationale des familles et amis des malades mentaux (4).**

Parmi d'autres associations qu'il est utile de connaître, notamment pour lutter contre les toxicomanies et les névroses de plus en plus nombreuses, celles-ci vous indiqueront des médecins, des psychologues et des juristes spécialisés qui pourront vous aider à surmonter des épreuves très sérieuses, et à guérir ces victimes de leur ascendance et de notre société (sujets souvent dangereux ou odieux pour leur entourage) que sont les alcooliques et certains névrosés.

(1) 38, avenue du Président-Wilson, Paris (XVIe).

(2) Reconnu d'utilité publique. 20, rue Saint-Fiacre, Paris (IIe).
Il a ouvert, en 1957, un Centre d'informations, 36, boulevard de Strasbourg, Paris (Xe).
Il a des délégués dans presque tous les départements, et travaille en liaison avec toutes les associations d'anciens buveurs et d'abstinents.

(3) 28, place Saint-Georges, Paris (IXe).

(4) 11, rue Tronchet, Paris (VIIIe). On peut aussi s'adresser à la Ligue française d'hygiène mentale, 11, rue Cabanis, Paris (XIVe) [hôpital Sainte-Anne].

APPENDICE

Successions et testaments

On sait qu'après le décès d'un individu ses biens sont recueillis par ses héritiers.

S'il n'avait pas de proches parents, il avait pu en léguer la totalité à toutes personnes de son choix.

S'il avait des parents proches, en ligne directe, enfants ou petits-enfants, père ou mère, ou grands-parents, il ne pouvait disposer que d'une partie de ses biens, car la loi en réserve aux ascendants et aux descendants la majeure partie.

D'un individu qui est mort sans avoir fait de testament, on dit : « Il est décédé *ab intestat.* »

Ses héritiers légaux (ses parents les plus proches) se partagent les biens qu'il possédait suivant les règles posées par le Code civil.

Si le défunt avait fait un testament, ses parents ne recevront de ses biens que la part qui leur est *réservée* par le Code.

La « quotité disponible » (qui n'est jamais inférieure à un quart ni supérieure à trois quarts) de ses biens, part dont il pouvait disposer, ira aux personnes qu'il a désignées dans un acte spécial.

Il y a trois sortes de testaments :

1° *Le testament olographe,* le plus simple, qui doit être écrit en entier de la main de son auteur, daté et signé par lui;

2° *Le testament mystique,* qui, rédigé par le testateur (mais le texte peut en avoir été dactylographié) est présenté à un notaire dans une enveloppe close, en présence de deux témoins (1) ;

3° *Le testament authentique,* ou par acte public, qui est *dicté* par le testateur *à un notaire assisté de deux témoins,* ou d'un second notaire.

Il est signé par son auteur en leur présence, ainsi que par le notaire, et par les deux témoins, ou le second notaire.

Les militaires et les marins peuvent, aux armées, en mer, ou blessés ou malades dans les hôpitaux, dicter leur testament à un officier supérieur, ou à un médecin-chef, en présence de deux témoins.

---

(1) Les témoins doivent être Français, majeurs, et non déchus de leurs droits civiques.

Quelle que soit la forme du testament, le testateur ne dispose entièrement à son gré de son patrimoine que lorsqu'il n'existe aucun héritier réservataire (c'est-à-dire aucun descendant légitime, aucun enfant naturel ou aucun ascendant légitime).

Si le testateur a un héritier réservataire (ou plusieurs), il ne dispose que de la quotité disponible. (Voir tableaux, pages 450 et suivantes.)

Le testateur peut faire ce qui lui plaît de la quotité disponible, exactement comme il aurait fait de la totalité de sa succession s'il n'avait pas eu d'héritier réservataire.

Il peut faire, soit :

1° *Un legs universel.*

C'est celui qui donne au légataire la totalité des biens qu'il laissera à son décès, ou leur quotité disponible.

Le légataire universel qui a accepté le legs a droit à la totalité de la quotité disponible. Mais il est tenu de supporter toutes les dettes et toutes les charges (autres legs) de la succession proportionnellement à ladite quotité.

Il en résulte que, tenu des mêmes obligations que les héritiers légaux, il n'a intérêt à accepter le legs universel (la succession) — comme les héritiers d'une personne décédée *ab intestat* — que si la valeur des biens laissés par le défunt dépasse largement le total de ses dettes.

S'il a un doute à ce sujet, il n'acceptera le legs que sous bénéfice d'inventaire.

Il peut aussi le refuser. A condition toutefois qu'il n'ait pas fait acte d'héritier.

Le légataire universel doit demander la remise de son legs :

a) Aux héritiers réservataires quand il y en a;

b) Au tribunal de grande instance du lieu d'ouverture de la succession (domicile du défunt), s'il n'y a pas d'héritier réservataire et si le testament n'est pas authentique.

Il peut prendre lui-même possession des biens laissés par le défunt quand le testament a été fait par acte authentique et qu'il n'y a pas d'héritier réservataire.

2° *Un legs à titre universel.*

C'est celui par lequel le testateur donne au légataire une quote-part de la succession (réductible à la quotité disponible).

Le légataire n'est alors tenu des dettes et charges de la succession que jusqu'à concurrence du montant de son legs.

Il doit demander la remise de son legs aux héritiers réservataires, s'il y en a, et, à leur défaut, au légataire universel.

3° *Un legs particulier* (ou à titre particulier).

C'est celui qui donne à son bénéficiaire seulement un ou plusieurs biens nettement désignés, ou encore une certaine somme d'argent.

Ce légataire n'est, sauf clause contraire, tenu d'aucune dette ou charge de la succession.

Il doit demander la remise de son legs aux héritiers réservataires (ou au légataire universel).

DROITS DU CONJOINT SURVIVANT
(art. 767 du Code civil).

Le Code civil (1804) n'avait prévu aucune réserve à son profit.

Cette omission a paru choquante, et, depuis la fin du siècle dernier, des lois successives lui ont constitué un droit héréditaire, en lui attribuant un usufruit sur une fraction ou sur la totalité de la succession de son conjoint prédécédé, dans le cas où le défunt n'aurait pris aucune disposition pour lui laisser une partie de ses biens.

Ce droit d'usufruit est plus ou moins important selon la qualité des parents avec lesquels il se trouve en concours. (Voir tableau, page 448.)

Mais le conjoint survivant ne peut le recevoir qu'à condition que le divorce (évidemment) ou même la séparation de corps n'ait pas été prononcé à ses torts (au profit du *de cujus*).

Et son usufruit ne peut pas être exercé sur tous les biens de la succession.

Pour le calculer, il faudra consulter un notaire. Afin de prévenir certains inconvénients, la loi accorde aux héritiers la possibilité de supprimer l'usufruit du conjoint en le convertissant en une rente viagère.

Mais les biens sur lesquels l'usufruit ne s'exerce pas sont si nombreux qu'il peut n'être finalement qu'un droit théorique.

Dans ce cas, le veuf (ou la veuve) en sera réduit(e) à faire valoir qu'il (ou elle) est dans le besoin.

Il (ou elle) peut alors demander « des aliments » (une pension lui assurant un minimum vital) à la succession, comme le prévoit l'article 205 du Code civil.

Il ne faut toutefois pas oublier que le régime matrimonial des Français mariés sans contrat est la communauté de leurs biens : tous leurs biens meubles (1) et tous les immeubles par eux achetés depuis le mariage sont la propriété commune des deux époux.

Il résulte du régime légal que, au moins pour les gens peu fortunés (car les plus riches avaient des biens propres), la totalité ou presque des biens laissés à son décès par une personne mariée constituait

---

(1) Avant la réforme de 1965. — Les époux mariés sans contrat depuis le 1er février 1966 conserveront la pleine propriété de tous leurs biens possédés avant le mariage, même mobiliers (actions ou parts de sociétés, etc.).

l' « actif de la communauté », c'est-à-dire la propriété commune des deux époux.

Le décès de l'un d'eux (comme le divorce) donne à l'autre le droit d'en demander le partage.

Dans ce partage, il lui en revient la moitié.

C'est donc seulement l'autre moitié des biens du défunt qui revient à ses enfants ou autres héritiers, sous réserve de l'usufruit de la veuve ou du veuf.

Et pour ceux qui avaient fait un contrat de mariage, la plupart bénéficient, au décès de leur conjoint, en application de leur contrat, d'avantages supplémentaires.

DROITS DU CONJOINT SURVIVANT

DIFFÉRENTS CAS DANS LESQUELS IL PEUT SE TROUVER À L'OUVERTURE D'UNE SUCCESSION « AB INTESTAT »	PART QUI LUI EST ATTRIBUÉE PAR LE CODE CIVIL (ART. 767)
En présence d'un ou plusieurs descendants légitimes d'un précédent mariage.	Une part d'enfant légitime le moins prenant, sans excéder le quart de la succession.
En présence d'un ou plusieurs descendants légitimes issus du mariage.	Un quart en usufruit.
En présence d'enfants naturels (1) ou de leurs descendants légitimes, de frères ou sœurs ou ascendants, d'ascendants dans les deux lignes.	Une moitié en usufruit.
En présence de parents au degré successible (2) dans une seule ligne.	Une moitié en pleine propriété.
En l'absence d'héritiers réservataires, d'enfants naturels (1), de frère ou sœur, ou de neveu ou nièce (parents héritiers jusqu'au 3e degré inclus).	La totalité en propriété.

(1) D'enfants naturels qui avaient été légalement reconnus par le *de cujus*.

(2) Sont appelés à succéder, en l'absence d'héritiers plus proches et d'un légataire universel, les cousins germains et jusqu'aux cousins « issus de germains »; les parents collatéraux jusqu'au 6e degré inclus (art. 755 du Code civil).

Il s'y ajoute pour un grand nombre d'entre les veuves, de plus en plus nombreuses, des pensions de retraite (veuves de fonctionnaires) ou le capital qu'avait souscrit leur mari à leur profit par un contrat d'assurance « sur la vie ».

Le tableau de la page 448 précise quels sont les droits du conjoint qui survit, dans la succession de son défunt époux, selon que ce *de cujus* laisse des héritiers de telles ou telles catégories.

DROITS DES ENFANTS ET DES AUTRES HÉRITIERS A RÉSERVE

Ces droits sont fixés avec la plus grande précision (comme tout ce qui concerne les successions) par notre Code civil.

Ils sont indiqués pour chaque cas par les tableaux des pages 450 et suivantes.

*
* *

Ce bref aperçu du droit français des héritages (auxquels sont consacrés plus du dixième des articles du Code civil) ne permettra certes pas à n'importe quel lecteur de comprendre à première lecture les règles, fort compliquées, des successions échues à des héritiers de divers rangs; mais il aura pu lui faire connaître la part revenant aux proches parents dans les situations les plus banales.

Partager entre les divers héritiers l'actif d'une succession est une autre affaire.

Bien que leur concours ne soit pas légalement obligatoire, il ne peut guère en pratique y être correctement procédé que par les notaires dès que les héritiers sont nombreux ou comprennent un mineur, ou un absent, ou que l'actif comprend un ou plusieurs immeubles, ou une exploitation, ou de nombreuses valeurs, ou que le défunt avait fait un testament (ou plusieurs).

Bien choisir son notaire (car tous en principe sont qualifiés pour liquider une succession), et, dans le doute ou les difficultés, ne pas craindre d'en consulter un autre, ou de prendre d'autres conseils, est de première importance pour toute personne qui, après le décès d'un de ses parents, veut éviter de se brouiller avec ses cohéritiers... sans renoncer à recevoir sa juste part des biens du défunt.

On trouvera enfin pages 454 et suivantes des formules utiles pour qui veut faire un testament.

HÉRITIERS RÉSERVATAIRES	RÉSERVES (DONT LE TESTATEUR NE PEUT DISPOSER)		QUOTITÉ DISPONIBLE	RÈGLES PRÉSIDANT A LEUR CALCUL
	Réserve particulière de chaque héritier	TOTAL		
Descendants légitimes non en concours avec des descendants naturels.				
1 descendant légitime	1/2	1/2	1/2	art. 913 C. civ. § 1
2 descendants légitimes	chacun 1/3	2/3	1/3	
3 descendants légitimes	chacun 1/4	3/4	1/4	
plus de 3 descendants légitimes	chacun $\frac{3/4}{x \text{ enfants légitimes}}$	3/4	1/4	
Enfants naturels seuls héritiers réservataires et non en concours avec des collatéraux privilégiés.	la même que s'ils étaient légitimes	*id.*	*id.*	art. 760 nouveau C. civ.
Ascendants légitimes seuls héritiers réservataires.				art. 914 nouveau C. civ. La réserve des ascendants est dans ce cas de 1/4 de la succession par ligne.
1 ou plusieurs ascendants légitimes dans la même ligne	chacun $\frac{1/4}{x \text{ ascendants}}$	1/4	3/4	
1 ou plusieurs ascendants légitimes dans les deux lignes	chacun $\frac{1/4}{x \text{ ascendants de sa ligne}}$	1/2	1/2	

Concours entre descendants légitimes et enfants naturels.				
1 descendant légitime .... 1 enfant naturel	.... 1/3 .... $\frac{1/3}{2} = 1/6$	3/6	3/6	art. 758 nouveau C. civ.
2 descendants légitimes ...... 1 enfant naturel	.... chacun 1/4 .... $\frac{1/4}{2} = 1/8$	5/8	3/8	
3 descendants légitimes et plus. 1 enfant naturel	.... chacun $\frac{3/4}{x \text{ enfants}}$ .... la moitié de $\frac{3/4}{x \text{ enfants}}$	3/4 — 1/2 part	1/4 + 1/2 part	On partage la succession comme si tous les enfants étaient légitimes. On donne ensuite une part entière à l'enfant légitime et une demi-part à l'enfant **naturel.**
1 descendant légitime .... 2 enfants naturels	.... 1/4 ...chacun $\frac{1/4}{2} = 1/8$	4/8	4/8	
1 descendant légitime .... 3 enfants naturels et plus	.... $\frac{3/4}{x \text{ enfants}}$ .. chacun la moitié de $\frac{3/4}{x \text{ enfants}}$	3/4 — autant de 1/2 parts que d'enfants naturels	1/4 + autant de 1/2 parts que d'enfants naturels	

HÉRITIERS RÉSERVATAIRES	RÉSERVES (DONT LE TESTATEUR NE PEUT DISPOSER)		QUOTITÉ DISPONIBLE	RÈGLES PRÉSIDANT A CES CALCULS
	Réserve particulière de chaque héritier	TOTAL		
Concours entre enfants naturels et ascendants légitimes.				art. 915 nouveau C. civ.
1 enfant naturel	.... 3/8	1/2	1/2	La réserve des enfants naturels est égale à ce qui reste de la succession après soustraction de :
1 ascendant légitime..........	.... 1/8			
1 enfant naturel	.... 3/8	1/2	1/2	1° La quotité qui aurait été disponible s'ils avaient été légitimes.
1 ascendant légitime dans les deux lignes...............	...... chacun $\frac{1/8}{2} = 1/16$			
1 enfant naturel	.... 3/8	1/2	1/2	2° La réserve des ascendants qui est invariablement fixée dans ce cas à 1/8, quel que soit
1 ou plusieurs ascendants légitimes dans les deux lignes....	. chacun $\frac{\frac{1/8}{2}}{x \text{ ascendants de sa ligne}}$			
2 enfants naturels...........	.... chacun $\frac{13/24}{2}$	2/3	1/3	
[illegible]	1/8			

3 enfants naturels	chacun $\frac{5/8}{3}$	3/4	1/4	L'art. 759 nouveau qui vise aussi ce cas n'est pas appliqué par la jurisprudence, parce qu'inapplicable.
1 ou plusieurs ascendants légitimes dans les deux lignes	chacun $\frac{\frac{1/8}{2}}{x \text{ ascendants de sa ligne}}$			
Plus de 3 enfants naturels	chacun $\frac{5/8}{x \text{ enfants naturels}}$	3/4	1/4	
1 ou plusieurs ascendants légitimes dans les deux lignes	chacun $\frac{\frac{1/8}{2}}{x \text{ ascendants de sa ligne}}$			
Enfants naturels en présence de collatéraux privilégiés.				
1 enfant naturel	3/4 de 1/2	3/8	5/8	art. 759 nouveau C. civ.
2 enfants naturels	chacun 3/4 de 1/3	6/12	6/12	La réserve de l'enfant naturel est égale aux 3/4 de ce qu'il aurait eu s'il avait été légitime.
3 enfants naturels	chacun 3/4 de 1/4	7/16	9/16	
4 enfants naturels et plus	chacun 3/4 de $\frac{3/4}{x \text{ enfants}}$	x fois 3/4 de part légitime	1/4 x fois 1/4 de part légitime	

Formule générale de testament.

Ceci est mon testament :

Je soussigné ... (*nom, prénoms, profession, domicile*) donne et lègue par les présentes à :

1° M*** (*nom, prénoms, profession, domicile du légataire, suivis immédiatement de l'énonciation du legs*) ...;

2° M*** (*id.*) ...;

3° M*** (*id.*) ...;

Etc., etc.

Tous droits de mutation et tous frais de délivrance des legs ci-dessus mentionnés seront supportés par ma succession, de manière que les légataires susnommés perçoivent le montant de leurs legs francs et quittes de toutes charges. (*Institution d'exécuteur testamentaire s'il y a lieu.*)

Je déclare en outre révoquer par le présent testament toutes dispositions à cause de mort y antérieures.

Fait et écrit entièrement de ma main, à ..., le ...

Signature du testateur.

Formules des différentes sortes de legs.

(A intercaler dans la formule générale.)

1° Legs universel

... tous les biens meubles et immeubles qui composeront ma succession sans exception ni réserve et (1) l'institue mon légataire universel...

---

(1) *S'il y a plusieurs légataires, mettre :*
Les institue conjointement mes légataires universels.
Au cas où l'un d'eux viendrait à mourir avant moi, je veux que la part du prédécédé soit ... (partagée entre les colégataires, *ou* recueillie par ses enfants et petits-enfants suivant les règles ordinaires de la représentation).

2° *Legs à titre universel.*

... tous les biens meubles (1) qui composeront ma succession sans exception ni réserve.

3° *Legs à titre particulier.*

... (*un ou plusieurs objets déterminés qu'il importe de désigner avec précision* [2]).

Formule d'institution d'exécuteur testamentaire.

Je nomme pour mon exécuteur testamentaire M*** (*nom, profession, domicile*) et, à son défaut, M*** (*nom, profession, domicile*), avec faculté de se faire remplacer en cas d'empêchement par une personne de leur choix à qui ils passeront tous les pouvoirs que je leur confère.

Je donne à celui qui exécutera ces fonctions la saisine de mon mobilier pendant un an et un jour et lui confère les pouvoirs les plus étendus à l'effet de recouvrer toutes créances, acquitter toutes dettes, délivrer les legs particuliers et, d'une manière générale, gérer ma succession jusqu'à sa liquidation définitive.

Je lui donne et le prie d'accepter, pour l'indemniser de ses peines, un diamant de ... francs qui lui sera payé par préférence à tous autres legs.

---

(1) *Ou bien :*
Tous les immeubles.
La moitié, le quart ou une quote-part quelconque de tous les biens meubles.
La moitié, le quart ou une quote-part quelconque de tous les immeubles.

(2) Tels que :
Ma montre, mon cheval, la pendule Louis XV de mon salon.
... actions de ... (*nom de la société qui les a émises*), portant les nos ..., qui se trouvent ...
Une somme de ... francs ... (*indiquer qui doit la payer ou sur quel compte ou quelle créance elle doit être prise*).
Une rente de ... francs ... (*indiquer qui doit la servir ou comment elle doit être constituée et à quelles époques elle doit être versée*).
Un immeuble sis à ...
Tous les meubles meublants garnissant ma maison au jour de mon décès.
L'usufruit de tous mes biens meubles et immeubles.
Les quatre immeubles que je possède à ... (*même si ces immeubles constituent en réalité tous les biens immobiliers du testateur, leur désignation précise empêche que le legs soit considéré comme un legs à titre universel*).

Formule de codicille.

Je soussigné ... (*nom, prénoms, profession, domicile*) déclare ajouter à mon testament (*olographe, mystique ou authentique*) du ... la disposition suivante :

Je ... (*énoncer l'objet de l'addendum, nouveau legs, révocation de legs, substitution d'un legs à un autre, condition, etc., et les nom, prénoms, profession et domicile du légataire qu'il concerne*).

Je déclare en outre que le présent codicille ne révoque aucunement ledit testament, qui conserve pour le surplus son plein et entier effet.

Fait à ..., le ...

Signature du testateur.

Renonciation.

Déclaration reçue au greffe du tribunal civil dans le ressort duquel est mort le *de cujus.*

Acceptation sous bénéfice d'inventaire.

Déclaration reçue au greffe du tribunal de grande instance dans le ressort duquel est mort le *de cujus.* (Voir le notaire.)

NOTE

La présente édition supprime la mention des prix fixés actuellement pour l'obtention de certains documents officiels. On a préféré ne pas donner des renseignements qui risquent d'être inexacts du jour au lendemain.

Nos lecteurs sont priés de s'adresser aux administrations compétentes, qui doivent être tenues au courant des diverses modifications.

TABLE DES MATIÈRES

PREMIÈRE PARTIE

CORRESPONDANCE USUELLE, AMICALE, FAMILIALE ET MONDAINE

DEUXIÈME PARTIE

CORRESPONDANCE COMMERCIALE

TROISIÈME PARTIE

LES AUTORITÉS ET LEURS POUVOIRS CORRESPONDANCE ADMINISTRATIVE ET JURIDIQUE LES AUXILIAIRES DES TRIBUNAUX

— édition 1973 —

Imprimerie LAROUSSE,
1 à 9, rue d'Arcueil, Montrouge (Hauts-de-Seine).
Mai 1954. — Dépôt légal 1954-2e. — No 5904.
No de série Editeur 6430.
IMPRIMÉ EN FRANCE (*Printed in France*).
78 105 L-7-73.

X0068564 8